Lope de Vega

CARLOS V EN FRANCIA

Addendum

p. 57

A play with a similar title and its Segunda Parte were performed several times in the Royal Palace by the Company of Antonio de Prado: May 28, 1623 (Pt. I) : July 19 and 22, 1626 (Pts. I and II) ; November 22 and December 5, 1634 (Pts. I and II). I am greatly indebted to Professor J. E. Varey, who graciously transmitted these data in his letter of September 26, 1962. They are taken from an article entitled "Some Palace Performances of Seventeenth-century Plays," by N. D. Shergold and J. E. Varey, to be published by the *Bulletin of Hispanic Studies*. The article reproduces material from the accounts of the Secretary of the Royal Chamber and corrects the version printed by G. Cruzada Villaamil in *El Averiguador* (Segunda Epoca), I (1871), and H. A. Rennert, *Mod. Lang. Rev.*, II (1906-1907), III (1907-1908). The title for the 1623 performance is given as *Carlos V*; for the 1626 performance as *El Emperador*; for Part I of the 1634 performance as *El Emperador*, for Part II as *Carlos V*.

Mrs. Neda M. Westlake and Mr. Lyman W. Riley of the Rare Book Collection of the University of Pennsylvania Libraries were very helpful in many ways, particularly in making arrangements for the production of the facsimile.

The publication of this volume was assisted by a grant from the American Council of Learned Societies as a result of a contribution from the United States Steel Foundation.

Lope de Vega
CARLOS V EN FRANCIA

Edited from the Autograph Manuscript
with Introduction and Notes

by

Arnold G. Reichenberger
University of Pennsylvania

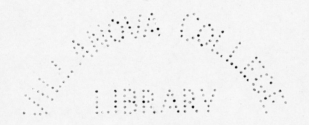

Philadelphia
University of Pennsylvania Press

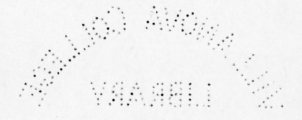

7363
Printed in Great Britain
by Spottiswoode, Ballantyne and Co. Ltd.
London and Colchester

For Nella

Preface

THIS edition makes available to scholars the autograph manuscript of *Carlos V en Francia*, hitherto inaccessible. It is now in the University of Pennsylvania Library through the generosity of Mrs. John B. Stetson, Jr., who gave it in memory of her husband. It is the first time also, we believe, that such an edition is supported by the complete photographic facsimile of the autograph itself. We wish to express our sincere gratitude to Mr. Thomas Yoseloff, Director of the University of Pennsylvania Press, for giving his approval to such an undertaking.

We were fortunate in being supported by the interest, encouragement, and assistance of many friends and colleagues. Those who contributed to the clarification of difficult passages and helped in other ways are mentioned at the proper places, and our heartfelt thanks go to each of them for their kindness. Professors William Roach, Chairman of the Department of Romance Languages of the University of Pennsylvania, and Otis H. Green were always ready with counsel and advice. Mr. Mac E. Barrick and Mr. Oleh Mazur provided helpful research assistance. Mr. Barrick compiled the bibliography. Mrs. Brigitte Niederdrenk and Miss Jacqueline Tabachnik transcribed hard to read copy into clear typescript.

Finally, our special thanks are due to the Committee on the Advancement of Research of the University of Pennsylvania for funds provided in support of this edition and, particularly, for a Summer Research Grant for the summer of 1959.

Contents

Preface   7

List of Abbreviations   10

Introduction   13

   I   Bibliography   13
  II   The Plot and its Versification   22
 III   The Structure of the Play   32
 IV The Historical Plot   34

Text of CARLOS V EN FRANCIA   59

  Act I   62

  Act II   105

  Act III   147

   Aprobaciones   189

Facsimile of the Autograph Manuscript

Notes   192

Appendix: Differences between the Gálvez Copy of the Auto-
    graph as Published by Amezúa and the Autograph   245

Addendum   246

Bibliography   247

Index to Notes   256

ABBREVIATIONS USED IN NOTES AND BIBLIOGRAPHY

To indicate place of publication: B., Barcelona; M., Madrid; N.Y.,
New York; P., Paris.

Ac.	*Obras de Lope de Vega publicadas por la Real Academia Española.* 1890–1913.
Ac. N.	*Obras de Lope de Vega publicadas por la Real Academia Española.* 1916–30.
BAE	*Biblioteca de Autores Españoles.*
BRAE	*Boletín de la Real Academia Española.*
Clás. cast.	*Clásicos castellanos.*
Dicc. Ac.	*Diccionario de la lengua española. Real Academia Española.*
Dicc. Aut.	*Diccionario de la lengua castellana. Real Academia Española,* 1727–39 (known as *Diccionario de Autoridades*).
Dicc. hist.	*Diccionario de historia de España desde sus orígenes hasta el fin del reinado de Alfonso XIII.*
Dicc. histórico	*Diccionario histórico de la lengua española. Real Academia Española.*
HR	*Hispanic Review.*
NBAE	*Nueva Biblioteca de Autores Españoles.*
PA	All editions of *Parte XIX* and Real Academia edition (see Introduction).
PMLA	*Publications of the Modern Language Association of America.*
RABM	*Revista de Archivos, Bibliotecas y Museos.*
RFE	*Revista de Filología Española.*
ZfRPh	*Zeitschrift für Romanische Philologie.*

Lope de Vega

CARLOS V EN FRANCIA

Introduction

I. BIBLIOGRAPHY

A. THE AUTOGRAPH MANUSCRIPT

THE FULLY autograph manuscript (holograph) of Lope de Vega's play, *Carlos V en Francia*, is now in the University of Pennsylvania Library, a generous gift from Mrs. John B. Stetson, Jr.

The manuscript, dated "En Toledo, a 20 de nobienbre de 1604," measures 21 × 15 cm. (8½ × 6 inches). Its format is that of all other known Lope *comedia* holographs. It consists of 68 leaves. A modern hand continued in pencil Lope's numbering after folio 17 of Act I. Lope himself, as was his custom, numbered the folios of each act separately. Act I has 17 numbered folios, but ends in the middle of the recto of the eighteenth, unnumbered, folio. Act II consists of 17, and Act III of 15, numbered folios. The total number of lines is likewise within the norm. Act I has 961, Act II 950, and Act III 906 lines, a total of 2,817 lines. The printed editions have cuts and omissions, reducing the play by 434 lines.[1]

There is no title page or a cast of characters for Act I. It is almost certain that they have been lost at an early time.[2] The title has been written on

---

[1] According to the count of Morley and Bruerton, *The Chronology of Lope de Vega's "Comedias,"* p. 24, the printed editions have only 2383 lines. [In the notes we use the shortest possible form of bibliographical reference; see the Bibliography for further data.]

[2] A check through scholarly editions of autograph manuscripts shows that all completely preserved manuscripts have both title page and cast of characters for Act I. Autographs without title page or *reparto* for Act I are: *El príncipe despeñado* (no title page); *Los melindres de Belisa* (no title page, a different hand wrote the title on the *reparto*); *El Cardenal de Belén* (title page and *repartos* of all three acts missing); *Barladn y Josafat* (no title page); *El Marqués de las Navas* (title page and *repartos* for the whole play not by Lope, no *repartos* for Acts I and II).

13

top of folio 1r by two different seventeenth-century hands, neither of which seems to be Lope's (see Variants). Acts II and III are preceded by the cast of characters on folios [23r] and [46r]. *Aprobaciones* and *licencias* fill folios [62r] to [64r]. Folios [19] to [22] between Acts I and II, folios [41] to [45] between Acts II and III, and folios [64v] to [68v] are blank.

The manuscript is bound in brown morocco, ornately stamped, and bears two inscriptions; on front cover: "A Lord Howden / Recuerdo de antigua y constante amistad / Madrid, abril de 1858"; on back cover: "Carlos V.° en Francia / Comedia autógrafa / de Lope de Vega Carpio [gothic type] /de la libreria de S. de Olozaga."

Lope's patron and early collector of Lopeana, the Duque de Sessa, must have retrieved the manuscript from a theatrical company, which used it to obtain the performance licence(s). It was still in the archives of the ducal family on November 20, 1781, when their archivist, Miguel Sanz de Pliegos, finished a manuscript copy of this *comedia*, which is now in the Biblioteca Nacional (see below).

It is not known how Lope's autograph manuscript passed into the possession of the Spanish diplomat, orator, politician, and writer, Salustiano de Olózaga (1805–73).[3] As the inscription on the binding shows, Olózaga presented it to Sir John Hobart Caradoc, the second Baron Howden (1799–1873), a British diplomat who served as minister plenipotentiary at Madrid from 1850 to 1858.[4] The next owner was Robert Hoe (1839–1909), for whom the present binding (repeating the dedication on the earlier cover) was created.[5] On April 22, 1912 it was purchased by Dr. A. S. W. Rosenbach at the Anderson Auction of the Robert Hoe

---

[3] Salustiano de Olózaga, in a letter dated "Vico, 13 de noviembre de 1869" addressed to Francisco López Fabra, director of La Sociedad Fotocincográfica, and published with the photo-cincographic reproduction of *El bastardo Mudarra*, authorizes its publication and that of "los demás manuscritos que poseo." The following Lope autographs are known to have been owned by him: *El príncipe despeñado* (see ed. Hoge, p. 3); *La corona merecida* (ed. Montesinos, p. 124); *La prueba de los amigos* (*Ac. N.*, XI, xiii); *La batalla del honor* (*Ac. N.*, III, xxiv; Rennert y Castro, p. 178).

[4] Earlier, he was attached to the Christinist army during the Carlist wars, 1834–39. See *Dictionary of National Biography*, III, 938.

[5] He was an owner of printing-press factories and, towards the end of the nineteenth century, had assembled the greatest American bibliophile collection. See G. A. Bogeng, *Die grossen Bibliophilen*, I, 472–73; III, 235. In the *Catalogue of the Library of Robert Hoe* our manuscript is briefly described (Part III [New York, 1912], p. 293, No. 2093).

Library in New York for John B. Stetson, Jr., American hat manu-facturer.[6]

The manuscript shares the usual characteristics with other Lope auto-graphs of the period 1602–10. His signature at the end of the play is preceded by the initial *M*. The letters *MLo* ending in a rubric are found at the end of Act I. The *M* is one of Lope's ways of expressing his love for Micaela de Luján, which lasted from 1599 to 1608.[7] Both Lope and Micaela de Luján had rented houses in Toledo during the summer of 1604, but in different *barrios*.[8] The initials *JM* or *JMJ* (= Jesus Maria Joseph) are written through a cross on the top center of each page containing the text.[9] A simple cross without the initials is seen on top of the pages with *repartos* for Acts II and III. Pages [62r], [63v], [65v], and [66v], bearing the *aprobaciones* and an invocation, also show the simple cross. A long line, mostly broken up into two or three segments and ending in a z-shaped rubric at the right-hand end, indicates that the stage remains empty.[10]

[6] See A. S. W. Rosenbach, *Books and Bidders*, p. 77. John Batterson Stetson, Jr. (1884–1952) was also in the diplomatic service as envoy extraordinary and minister pleni-potentiary to Poland, 1925–30, and had literary and academic interests centering on Portuguese. He translated Pero de Magalhaes, *The History of Brazil*, 2 vols. (1910).

[7] See Castro, "Alusiones a Micaela de Luján," pp. 267–77.

[8] San Román, *Lope de Vega, los cómicos toledanos y el poeta sastre*, publishes documents showing that Lope rented a house in the Barrio de S. Juste on August 10, 1604 (Doc. 183), and Micaela de Luján rented one in the Barrio de S. Lorente for one year (Doc. 182) and renewed the contract for another year on August 20, 1605 (Doc. 197). In the latter, Lope signs as a witness, "estante en Toledo."

[9] That "Lope's practice in this matter shows variations between earlier and later manuscripts" was established by W. L. Fichter, "New Aids for Dating the Undated Autographs of Lope de Vega's Plays," *HR*, IX (1941), 79–90. The great majority of plays carries the invocation, *JM*. A much smaller number are headed by *JMJ*. In our play, the second *J* is never clearly distinguishable. It could also be interpreted as an additional downstroke beginning the rubric. These forms of the invocation are similar to the one appearing on the facsimile of a page of *La buena guarda*, published in the *Catálogo de la exposición bibliográfica de Lope de Vega* (p. 10), and read as JMJ by W. L. Fichter, p. 81, n. 4. As Professor Fichter, to whom the autograph of *Carlos V* was inaccessible, assumed (p. 80, n. 2), the autograph does have the same invocations as the others of this period.

[10] After lines 268, 519, 879, also after 1911, last line of Act II. After 687, although the stage is empty, there is no rubric, perhaps because the stage direction, "ciérrese la cortina," indicates complete change of locale. Similarly, the rubric is omitted after 1493, where Lope wrote the stage direction, "vanse." Yet, there is a rubric after 2651 in addition to Lope's "vayanse." Essentially, Courtney Bruerton's explanation of the rubric, accepted by W. L. Fichter (ed.), *El sembrar en buena tierra*, note to line 408, p. 178, is confirmed.

A cross potent is regularly placed above or sometimes at the beginning
of stage directions.[11] Lope wrote quickly, often page after page without
any corrections at all;[12] other times, again, he did change the text, but
only in the course of writing and never as a revision after completion of
a longer portion. Occasionally stage managers changed the assignment of
speeches to characters, and consequently the text had to be altered when
such a person was addressed by another character. There is a clear distinction between Lope's own *tachaduras* and those by others. Lope always
tried to make the discarded version more or less illegible, either by a
series of loops or—less frequently—by veritable blots. Other hands simply
cross out with from one to three horizontal lines.[13]

     There are a number of passages marked by a first reader to be submitted
for acceptance or rejection to a final authority, probably the *autor*. Different decisions by the *autores* of different companies, or possibly even by
the *autor* of one and the same company for different performances in
different cities, are reflected in the *sí*'s and *no*'s on the margin of one and
the same passage.

Doodling and notations are found on some of the folios, mostly at the
end of acts and on blank pages, but also on the left margin of folio 6[v]
of Act I. On this latter page there is a series of six rubrics. The first is
MLo ending in a rubric. Four more are similar to, but somewhat less
elaborate than, the rubric after "Carpio" at the end of the play. A sixth
rubric is different from the first five. Rubrics similar to the first five can
be seen at the end of Acts I and II. On the blank space of folio 18[r], at
the end of Act I, there is also some doodling employing the letters of a
name or names. Not enough is recognizable to provide a meaningful
reading. At the bottom of the first page ([62r]) of the *aprobaciones* we find
some deleted sentences and some doodling. Below the last *aprobación,*
folio [64r], there is clearly written and not deleted "La famossa." The

---

[11] Omitted at 16+, 519+, 625+, 687+, 879+, 1853+.

[12] The following pages are free of even the slightest *tachaduras* made by Lope: Act I:
1r, 7r, 9r, 10v, 13v, 16r, 16v; Act II: 1r, 1v, 3v, 7r, 10r, 11r, 11v, 13v, 16r; Act III:
1r, 5r, 13v, 15v. That is 20 out of 95½ pages, or about 21 per cent.

[13] On the basis of the observed practice of deletion, and of the exterior form of fitting
the new text into the available space and also of the different ductus in handwriting, we
consider the changes of the text of lines 1910–1911, 2130–2134 and 2139, and 2626 as not
made by Lope. They have been worked in after the text was completely finished, not
in the course of writing, as in the authentic Lope changes.

following notations, letters, and signatures are more or less clearly legible:

Folio [46v], written from bottom towards the top along the left margin: "Dela de vmd lade Cqu^to [= Carlos Quinto]" and a crudely drawn man's profile turned to the left. The note is written on the blank verso page of the folio bearing the *reparto* for Act III. A possible explanation of this elliptic phrase is: "[Estas hojas son] de la [comedia] de vmd, la de [Carlos Quinto]." We may surmise that someone, an actor or an *autor*, had borrowed the third act from the person addressed, who was either the owner of the manuscript or the author Lope himself, and is now returning it to him.

Folio [65v]: "Dios mio me balga y ayude en las / tentaciones del demonio i la birgen / me ayude amen." Below: illegible scribbling. Below signature of "Franc[isco] Ruyz Ruyz [?]," "Franc[isco]" and the second "Ruyz" ending in an elaborate rubric.

Folio [66v]: "Jos [?] M Ju Ju Jesus / Jesus mio me balga y libre de lo que / no me se librar i la birgen sea [*sic*; sentence is incomplete]." Below: "*JMJ*" in the form of a monogram. Below: "Juan Lopez 1627."

The obscure notation on folio [46v] is written by a hand different from that of the two invocations. The latter two could be by the same hand, but neither the notation nor the invocations look as if they were written by Lope himself.

B. The Printed Editions and the Manuscript Copies

There are four printed editions and two manuscript copies. The play appeared for the first time in *Parte decinueve . . . de las comedias de Lope de Vega*, Madrid, por Juan Gonçalez, a costa de Alonso Perez, 1624. It is the twelfth play in the volume, occupying folios [261] to [280]. It has the same foliation in the two subsequent editions of *Parte XIX*, that of Madrid, 1625, manufactured by the same printer for the same bookseller, and in the third, "Valladolid, 1627, por Geronimo Morillo," with the colophon, "En Valladolid, por la viuda de Francisco de Cordoua, Año de M.DC.XXVII."[14]

---

[14] See H. A. Rennert, *Bibliography*, p. 28; Rennert y Castro, *Vida*, p. 452; and Pérez Pastor, *Bibliografía madrileña*, III, Nos. 2136 and 2232, for a description of the two Madrid editions. The copies of the Biblioteca Nacional were consulted and microfilms used.

The three *Parte XIX* editions are, except for the usual very small variants, identical, both in text and typographical arrangement. As we have said, the printed play is 434 lines shorter than the original. It omits sometimes two lines, sometimes entire *redondillas*; rewrites and shortens Carlos' speech before the Pope (lines 536–625) and a long *relación* (lines 1967–2137); and omits two entire scenes (lines 962–1093; 2652–2773).

The University of Pennsylvania Library possesses the Valladolid, 1627, edition from the Rennert collection. The title page is identical with the two Madrid editions except for place and year of publication. We are convinced that these are the only three editions of *Parte XIX* actually published. However, two other editions appear in the bibliographies. A Madrid, 1623, edition is mentioned by La Barrera, *Nueva biografía*, p. 375, and in his *Catálogo*, p. 446, and others have repeated this information. A Madrid, 1626, edition appears in a handwritten note in the Biblioteca Nacional copy, R 25199, of the Valladolid, 1627, edition, formerly owned by Gayangos: "He visto una de Madrid Juan Gonzalez 1626." According to La Barrera, *Catálogo*, p. 446, and *Nueva biografía* p. 377, a copy of either edition is assumed to be in the British Museum. Professor William L. Fichter in a personal letter of December 5, 1957, has thoroughly cleared up the confusion about the two supposed editions. He is sure they "never existed." It was Chorley, "who (with an 'assist' from Nicolás Antonio [*Bibliotheca Hispana Nova*, II, M., 1788, p. 77]) . . . led La Barrera and others to believe that these editions did or might exist." But Chorley "himself later changed his opinion." Professor Fichter offers convincing proof for this statement as follows:

There is in the British Museum a copy of the *Parte XIX* with a title page done by hand but simulating a printed page. On this title page, which I once examined, appears the date 1625. But the date originally read 1623, and the 3 was later changed to 5. This title page, like other similar ones, was made by Chorley, but whether it was he who changed the 3 to 5 I don't know. If it was, he must have done so after 1863, for in his MS *Tabla de la comedia nacional de España* . . . of that year he still lists a 1623 edition of the *Parte XIX*. This copy of the *Parte* in the British Museum is the 1625 edition and it is now correctly catalogued as such. (There is also another copy of the 1625 edition and I compared both very carefully at the time that I examined the Lope *Partes* there. Concerning the *tasa* and *fe de erratas* of the 1625 edition, they are respectively 27 febrero 1624 and 20 febrero 1624, so that obviously they could not have been in a book of 1623.)

Regarding the supposed 1626 edition, Chorley himself came to realize his error, for in a copy of his *Catálogo* with his own corrections and additions (described in Rennert's *Bibliography*, pp. 1–2) where the supposed 1626 edition is listed he crossed out the last 6 of 1626 and replaced it with a 5. This change must have been made in 1864, the date of the corrected *Catálogo*. The original error of 1626 was probably nothing more than a slip of the pen, for he had not listed in the B.A.E. *Catálogo* a 1625 edition, though he himself had a copy of it.

Antonio Restori, in his review of Volume XII of the Academy edition (*ZfRPh.*, XXX [1906], 489), also recognized the date 1626 as an error. Furthermore, he was aware of the fact that Menéndez Pelayo's text was not based on the Sanz de Pliegos manuscript copy of the autograph but on the *editio princeps* (see below).

The major cuts comprise 368 lines. However, only four omissions are identical with boxed-off passages of the autograph, three short ones (lines 475–479; 1898–1902; 2612–2615) and the second of the two scenes just mentioned. The cuts and the numerous changes in the wording of a line reveal that the *Parte XIX* edition is removed from, but still closely connected with, the original. The difference between omissions in the printed text and passages marked for omission in the autograph leads to the conclusion that the source manuscript for the *Parte* edition was *not* the autograph but another manuscript. The numerous changes in the wording of a line presuppose a copyist who did not look too carefully at his text but knew the language and versification of the *comedia* so well that he supplied his own version without substantially altering the text. Of course, the status of the printed edition may also be the result of the work of a series of copyists, one copying the copy of the other until we finally in ascending line reach the original. The stemma of the printed editions is simple:

$$
\begin{array}{c}
\text{Autograph} \\
| \\
X \\
| \\
1624 \\
\diagup \diagdown \\
1625 \quad 1627
\end{array}
$$

The *X* represents the immediate source manuscript for the *Parte* edition and whatever manuscript(s) may have come between it and the autograph. Coincidences between the Madrid 1624 and Valladolid 1627 editions, not shared by the Madrid 1625 edition, show that the Valladolid 1627 edition derives directly from the Madrid 1624 edition.

In modern times, the play was reproduced in Volume XII of the Academy edition (Madrid, 1901), pages 119–50. Although Menéndez Pelayo's *Estudio preliminar* publishes the *aprobaciones* and *licencias* from the Sanz de Pliegos manuscript copy mentioned below, the text of our *comedia* is the shortened one of *Parte XIX*, Madrid, 1624, with the usual modernization in spelling and accentuation and some insignificant modifications.

There are in existence two eighteenth-century manuscript copies of the autograph. The first was executed by Ignacio de Gálvez and finished on

June 18, 1762. It is one of thirty-two plays by Lope de Vega copied by him and collected in four bound volumes. It was completely unknown until the Marqués de Valdeiglesias made his find available to Agustín G. de Amezúa, who published a study about the collection in 1945.[15] Our play is the eighth in the first volume.[16] The copyist claims to have reproduced this and all other plays faithfully including *licencias* and *aprobaciones* and usually concludes, in the manner of a colophon, with this note: "Esta comedia queda copiada a la letra, corregida y enmendada como su original y clausuladas las dudas que rayadas y borradas se encontraron."[17] Amezúa advances the very plausible belief (pp. 14–15) that Gálvez found the autographs in the family archives of the House of Sessa. He prints in an appendix, "las variantes que ofrece el texto transcrito por [Gálvez] en su cotejo con el impreso en las dos ediciones académicas" (p. 79). However, a collation of the Gálvez transcript of *Carlos V en Francia* (pp. 98–117) with the autograph reveals a number of discrepancies (see Appendix). We do not know whether they are to be ascribed to Gálvez or to Amezúa.

The second manuscript copy is the fourth and last play in a volume of *comedias* by Lope, now in the Biblioteca Nacional of Madrid, "sacadas de sus originales . . . que se hallan en el Archivo del Duque de Sesa, por su archivero D. Miguel Sanz de Pliegos, en Madrid, año 1781." Only Tomo II is extant.[18] The copy was finished on November 20, 1781. Sanz de Pliegos is quite accurate within the principles he adopted. Like Gálvez, he copied everything "con sus correcciones, censuras y aprobaciones," but with his own—rather erratic—spelling and with complete freedom in the rendering of the stage directions. He accepts all corrections as the final word about the text of the *comedia* and does not make any distinctions between Lope's and someone else's corrections. His slips, relatively few in number,[19] and the free editing of the stage directions of Sanz de

---

[15] Agustín G. de Amezúa, *Una colección manuscrita y desconocida de comedias de Lope de Vega* (1945). The collection has a fifth volume with *comedias* of the eighteenth century (*ibid.*, p. 12).

[16] Amezúa, pp. 11, 34.

[17] *Ibid.*, p. 10; see also p. 77. Gálvez' spelling differs considerably from the autograph. Punctuation, be it Gálvez' or the editor's, breaks down almost completely with Act II.

[18] See A. Paz y Melia, *Catálogo* (2nd ed., 1934), I, 60, No. 408.

[19] José F. Montesinos (ed.), *El cuerdo loco*, p. 135, n. 2, also praises his "puntualidad poco acostumbrada en estos trabajos."

Pliegos, are of no importance for the critical apparatus. He is to be considered only in case of doubt as to the proper reading of a word difficult to decipher or in support of the reading of a word, some letters of which have now disappeared underneath the binding. In the few really difficult readings of the *aprobaciones* and *licencias* he gave up and copied only what he could make out without much trouble.

C. This Edition

This edition strives to reproduce Lope's autograph as faithfully as feasible.[20] Consonant with prevailing practice for the edition of autograph manuscripts of the *comedia*, we reproduce Lope's spelling, except for capitalization, accentuation, and separation of words. When one line of a verse is broken by change of speaker, Lope continued on the same line with the abbreviated form of the name of the new character. In this edition, we set out the name of the speaker on the margin of a new line and print the beginning of his speech as a metrical continuation of the last words of the preceding speaker, i.e., leaving blank the first part of the new line. Abbreviations have been resolved and the supplied letters are indicated within square brackets (e.g., *n[uest]ra*), with the exception of abbreviated character names and of *que* where no square brackets have been used. Square brackets, furthermore, indicate editorial interpretation, such as missing letters, letters hidden by binding, pagination not supplied by Lope, and occasionally, also, completion of a stage direction. The indefinite article is spelled by Lope with a *v*, and with *u* in combination with a preceding vowel in one word (e.g., *aun*). This special case is rendered by a bar (e.g., *a/un*).

The textual annotation has two sections. In the first, the status of the autograph is described, noting all corrections whether by Lope or by others. Every effort has been made to read the deleted words. What may seem bold conjectures is actually based on graphic or textual evidence, such as single letters still recognizable within a deletion; up and down strokes of letters, the central parts of which have been blotted out; words actually used by Lope a few lines above or—more often—below the deletion. Rhyme and meter are, of course, also of great importance for

---

[20] To a large degree we follow the principles which Professor W. L. Fichter has laid down in his model edition of the autograph of *El sembrar en buena tierra* (1944).

the correct, or at least probable, interpretation of a deleted word or verse. The second section records the variants of the *Parte XIX* and the Academy editions, exclusive of spelling variants and evident misprints. The letter P indicates that all three *Parte* editions have the same variant; P $_{4,5,7}$ refers to the editions of 1624, 1625, and 1627 respectively; A stands for the Academy edition; PA (without a comma), the most frequently appearing symbol, indicates uniform reading in all three *Partes* and the Academy editions.

For the constitution of an authentic text of a holograph manuscript, the variants of the printed editions are obviously not only of no value, but might also be considered out of place. Nor is the relationship between original and printed seventeenth-century editions of *Carlos V en Francia* different from numerous other known cases. Nevertheless, we decided to collate the *Parte* editions, because we consider a *comedia* edition incomplete without presenting the play in the form it finally took through the collaboration of the *autor*, the actors, the copyist, and the printers.[21] In this respect, a *comedia* can have much in common with a *romance* and its various versions.

II. THE PLOT AND ITS VERSIFICATION

ACT I

1. A Street in Nice

1–268   *Redondillas*

The scene centers around Pacheco, a boastful Spanish soldier. He is about to be arrested by a French captain for killing two French soldiers in a brawl when Francis I, king of France, appears. The King takes a liking to Pacheco and, as a token of a new era of friendship between himself and Charles V, frees him (line 134). The same sequence of events is repeated, but with Spanish soldiers and the Emperor Charles V. A Spanish captain arrests him for the same crime when Charles V comes on

---

21 Cf. Rennert y Castro, *Vida*, p. 287: " . . . nos aparece el teatro como un inmenso poema colectivo en el que todo el mundo reclama su parte y su derecho a colaborar. . . . La 'comedia' . . . excede el poder de los individuos que colaboraron en ella . . .; el género venía ya, en cierto modo, predeterminado." After speaking of "esta mística colaboración entre el poeta y la raza," the authors conclude: "¿ Qué mucho, pues, que sus [Lope's] obras cómicas quisieran reintegrarse—siquiera fuera a través de las manos rapaces de editores y representantes—a las vastas y anónimas fuentes que les dieron vida ?"

the scene. Pacheco is condemned to be hanged, talks himself out of the situation and is accepted as a lackey in Charles V's service (line 268).

269–340   *Octavas reales*

Garcilaso de la Vega appraises don Juan de Mendoza, who has just returned from Flanders, of the military events which led to the intervention of the Pope who brought the two adversaries to Nice to enter into peace negotiations under his auspices (line 336). At the end Fernandillo, don Juan's page, appears.

341–354   *Soneto*

"Fernandillo" actually is Dorotea,[22] a young lady *disfrazada de hombre,* who in a monolog tells us about the "yras de amor, leyes del gusto, fuerzas del desseo" that are compelling her to follow the man she loves.

355–519   *Quintillas*

Leonora[23] and Camila appear in a window. Leonora's admiration for Charles V is established. Dorotea, taken for a page by the *damas*, engages in a blustering conversation with them. Charles V and his court are passing by. Leonora confesses her uninhibited determination to *gozarle* (line 502).

2. At the Pope's Residence

520–535   *Octavas reales*

Pope Paul III and Charles V are in official conference. The Pope strongly disapproves of the Emperor's refusal to meet Francis in person.

536–625   *Romance* (e–o)

In reply, Charles talks with bitterness of Francis I's hostile attitude towards him and his family. Charles's speech is a *relación* about the political background of the present situation, just as Garcilaso's speech provided us with the military background.

---

[22] Thus is she called in the stage directions of the autograph (340+), but the audience does not learn her real name until line 1081.

[23] When her name appears the first time in the autograph (354+), its form is "Leonora," but in the *repartos* for Acts II and III it is "Leonor." In Act III, both this character and the Queen of France are called "Leonor."

626–657   *Octavas reales*

In a lively dialog with the Pope, Francis complains about Charles's *aspereza* (line 635), but declares his willingness to enter into peace negotiations.

Prose

Cobos reads the Emperor's conditions.

658–687   *Quintillas*

Francis and the Pope discuss these conditions.

3. A Street in Nice

688–879   *Redondillas*

Leonora and Dorotea talk about the former's love which, in Dorotea's opinion, is impossible because of the *desigualdad* of the Emperor and Leonora.

Pacheco and Serna, in dialog form, tell about the events following the Nice meeting. Charles intends to return to Spain with his fleet, Pacheco offers himself as a go-between for Leonora and promises her space on the boat.

4. At the French Court in Aigues-Mortes

880–929   *Sueltos*

Francis is complaining that Charles shuns him, when don Juan brings the message that Charles was forced by bad weather and damage to his ship to land in Aigues-Mortes.

5. On Charles's Galley

930–961   *Redondillas*

Charles is unhappy about the involuntary stopover, when a small boat approaches which brings out the French King. He boards the imperial galley. Scene and act end in mutual profession of friendship.

Act II

1. A Square in Toledo

962–1853   *Redondillas*

a). 962–1094   The dialog between don Juan and Dorotea is partly a lover's quarrel about the third woman, Leonora, partly a piece of exposition telling about the journey by sea and land from Aigues-Mortes to Toledo and summarizing the events leading to Charles's request for funds (lines 1042, 1074)—the Turkish menace, the mutinies of his various troops, and the threatening uprising in Ghent. *Exeunt* when Pacheco brings Leonora to meet the Emperor (line 1091).

b). 1095–1161 The two talk about Leonora's *bravo amor* (line 1141) for Charles, but are interrupted when

c). 1162–1237 The Grandees of Spain enter to attend the Cortes. Pacheco points out the individual nobles to Leonora. Finally the Emperor appears and

d). 1238–1293 Pacheco presents Leonora's wish to him. Charles rejects her, orders her sent home, and reprimands Pacheco severely.

e). 1294–1493 Pacheco realizes his fault, and Leonora's mind breaks after Charles's rejection. She thinks now that she is the Empress (line 1331) and in dialog with Pacheco complains bitterly about Charles's cruelty.

f). 1494–1546 The Grandees appear together with an *alguaçil* who hurries them on to make room for the Emperor. The Duque del Infantado takes offense, heated words are exchanged between him and the *alguaçil*, and the Duke stabs him with a knife. The Duke is arrested but released in the custody of other grandees.

g). 1547–1573 Carlos explains his need for financial support before the Cortes.

h). 1574–1701 Leonora, now completely out of her mind, berates the Emperor for his limitless ambition. Charles provides financially for Leonora and makes Pacheco her guardian (*ayo*, 1684). He sets the Duque del Infantado free and now offers to punish the *alguaçil*.

i). 1702–1853 A series of rapid scenes follows: the jealous Dorotea ("Fernandillo") challenges Pacheco to a fight (lines 1717–1741); Juan courts Leonora, pretending to be Charles (lines 1742–1782), when Dorotea returns and chases Juan away from her (lines 1783–1799). In a brief fight, Leonora bites Dorotea, then leaves (lines 1800–1805). Pacheco returns boastfully. Dorotea, revealing her disguise, enlists Pacheco's help to regain don Juan's love (lines 1806–1853).

1854–1911   *Sueltos*

The place of action is not clearly determined. Charles and his courtiers are dressed, *de camino*. The Emperor hears about the Ghent uprising and decides to accept Francis' offer of passage through France.

Act III

1. A Street in Paris

1912–1966   *Quintillas*

Pacheco tells his companion Serna that he (Pacheco) has been named
portero of the Emperor. Conversation turns to don Juan and Dorotea, and
Leonora. The Emperor likes her *locuras* and has admitted her to his court.
Juan and Dorotea have missed the Emperor's solemn entry in Paris.

1967–2126   *Romance* (i–o)

Pacheco relates Charles's journey from the French frontier to Paris and
his elaborate reception in the capital.

2127–2146   *Quintillas*

Dorotea takes leave from Pacheco. He and Serna chat about Dorotea's
unrequited love for don Juan.

2. At the French Court in Paris

2147–2651   *Redondillas*

a). 2147–2179 The Emperor and the Duke of Alba discuss the
magnificent reception in Paris.

b). 2180–2233 The French King and Queen appear accompanied by
Leonora *en háuito de loca*. The scene centers around the antics of Leonora's
locura.

c). 2234–2300 Francis yields his royal power to Charles during the
latter's stay in France. The two rulers exchange compliments. Charles
leaves the scene.

d). 2301–2402 Another scene of Leonora's *locuras* follows. *Exit* the
French court.

e). 2402–2651 Charles rules as King of France, granting *mercedes*.
  1. Bisanzón *tudesco* obtains "dos mil ducados de ayuda de costa"
     in recognition for his military services against the Spaniards.
     This is too much for Pacheco, who picks a fight with him in
     the presence of the Emperor. Charles confirms his delight with
     Pacheco's action (lines 2410–2559).
  2. Dorotea asks for justice. Charles promises to arrange that don
     Juan marry her (lines 2560–2586).

3. Pacheco, with a picaresque trick, deceives (*engañar*, 2589) the Emperor so that he assigns him one thousand ducats as "ayuda de costa" (lines 2587–2607).
4. The members of the Real Consejo ask for a raise in salary and receive one: from 1000 to 1500 ducats (lines 2608–2625).
5. Finally the Queen herself, his sister, asks for a *título* for one of the noblemen. They exchange courtesies. Time for departure is close at hand (lines 2626–2651).

3. A Street in Paris

2652–2681   *Sueltos*

Leonora's brother and uncle try to save the family honor by getting her away from the court.

2682–2817   *Redondillas*

a). 2682–2773 Leonora is being tied up, when Pacheco and Serna are passing by and, attracted by her shouts, free her and put her relatives to flight. Leonora, persisting in her madness, complains about Charles's disregard for her.

b). 2773–2817 A final allegorical display shows Spain and France embraced, blessed by the Pope. Charles leaves Leonora at the French court until his return from Flanders and takes leave from the King and Queen.

VERSIFICATION

ACT I

1. A Street in Nice

	Verseform	Principal Characters	Number of Lines
1–268	*Redondillas*	Pacheco	268
269–340	*Octavas reales*	Garzilaso, don Juan	72
341–354	*Soneto* ABBA ABBA CDC CDC	Dorotea	14
355–519	*Quintillas*, 25 ababa, irregularly interspersed with 8 aabba	Leonora	165

2. At the Pope's Residence

520–535	*Octavas reales*	Pope, Charles	16
536–625	*Romance* e–o	Charles	90
626–657	*Octavas reales*	Francis, Pope	32
657+	Prose	Cobos	
658–687	*Quintillas,* 5 ababa, 1 aabba	Francis, Pope	30

3. A Street in Nice

688–879	*Redondillas*	Leonora	192

4. At the French Court in Aigues-Mortes

880–929	*Sueltos* with 2 *pareados*	Francis	50

5. On Charles's Galley

930–961	*Redondillas*	Charles, Francis	32

ACT II

A Square in Toledo

962–1853	*Redondillas*	Dorotea, Leonora, Grandees, Charles, Pacheco	892
1854–1911	*Sueltos* ending in a *pareado*	Charles	58

ACT III

1. A Street in Paris

			Number of Lines
1912–1966	*Quintillas,* 9 ababa, 2 aabba	Pacheco	55
1967–2126	*Romance* i–o	*Relación*	160
2127–2146	*Quintillas,* 5 ababa	Dorotea	20

2. At the French Court in Paris

2147–2651   *Redondillas*★   Charles, Leonora,
                             Pacheco   505

★ Line 2423 is in excess and not rhyming, but grammatically necessary.

3. A Street in Paris

2652–2681   *Sueltos*   Orazio and Lidonio   30
2682–2817   *Redondillas*   Leonora, Pacheco;   136
                            Final Tableau:
                            Charles, Francis

SUMMARY OF VERSIFICATION

Number of Meters

	Act I	Act II	Act III
Spanish	3	1	3
Italian	3	1	1
	—	—	—
	6	2	4

Number of Passages

		11	2	6
Spanish meters:	*Redondillas*	6		
	Quintillas	4		
	Romances	2		
Italian meters:	*Octavas reales*	3		
	Sueltos	3		
	Soneto	1		
		—		
		19		
	Prose	1		
		—		

Total number of passages   20

Spanish lines: 90.2%
Italian lines: 9.8%
Redondillas 71.8%; *quintillas* 9.6%; *romances* 8.8%; *sueltos* 4.9%; *octavas reales* 4.3%; *soneto* 0.5%.

CONFRONTATION OF VERSIFICATION OF PARTE XIX
AND AUTOGRAPH

Morley-Bruerton, p. 38, based on *Parte XIX*	Autograph
5 *red.*	6 *red.*
4 *quint.*	4 *quint.*
2 *rom.*	2 *rom.*
3 *oct.*	3 *oct.*
1 *son* A	1 *son* A
2 *su.*	3 *su.*

Total passages: 17 (11, 2, 4)
Par. in *su.*: 2.3%
Spanish lines: 90.8%
Longest passages: *red.* 732
quint. 160
rom. 84
oct. 72
su. 49

Total passages: 19 (11, 2, 6)
Par. in *su*: 5.8%
Spanish lines: 90.2%
red. 892
quint. 165
rom. 160
oct. 72
su. 58

Morley-Bruerton, p. 24, based on *Parte XIX*	Autograph
Total line number: 2383	2817
red. 1764 74.0%	2024 (+ 1 line in excess) 71.8%
quint. 260 10.9%	270 9.6%
rom. 140 5.9%	250 8.8%
oct. 120 5.0%	120 4.3%
son. 14 .6%	14 .5%
su. 85 3.6%	138 4.9%

RELATIONSHIP OF METER AND PLOT

The employment of a given meter implies and creates a unity of mood. Within a long passage such as the uninterrupted *redondillas*[24] in Act II (892 lines), a great variety of events may happen but these events are presented in the same mood or tone: in this case, simply action moving on neither a low nor very elevated plane, carried on in dialog. There is little difference between the employment of *redondillas* and *quintillas*. *Octavas reales* are used where one would expect it, i.e., in matters of state. There is no reason why two passages of *versos sueltos* (lines 880–929; 1854–1911) could not as well have been styled in *octavas reales*, and the third (lines 2652–2681) even in an eight-syllable Spanish meter. The function of the *soneto* (lines 341–354) for the soliloquy of the lovelorn conforms to accepted rules. So does the use of *romance* as *relación* in Act III (lines 1967–2126). Charles V's complaints in *romance* to Pope Paul III about Francis' political actions may also be construed as a *relación*. A solemn political discussion between such *personajes* as Francis and the Pope (lines 658–687), styled in *quintillas*, could also have been presented in *octavas reales*, *tercetos*, or *sueltos*.

Carlos V en Francia offers a long passage of uninterrupted use of one meter, *redondillas*, covering a great variety of episodes. We furthermore note a certain lack of assurance in the handling of *octavas reales*, *sueltos*, and *romance*. It seems that Lope, in this play, is still experimenting. This impression—it is no more than that—is confirmed by Morley and Bruerton's "Discussion of Meters" (pp. 49–119). Lope's use of meters became more stabilized during the years 1604–6, and the changes which still did take place after 1606, such as the spreading of the use of *romance*, evolved gradually.[25]

---

[24] *Redondillas* are Lope's most stable meter, dominating in 1601–4. There are several plays before 1605 which have longer *redondilla* passages: *El hijo venturoso* (1588–95): 1240; *El lacayo fingido* (1599–1603): 1156; *La corona merecida* (1603): 1020; *El caballero de Illescas* (1601–3): 944; *La prueba de los amigos* (Sept. 12, 1604): 904 (Morley-Bruerton, pp. 49–50).

[25] Díez Echarri advocates a more detailed study of "la relación de metro y asunto" and of "la influencia de determinado verso en el desarrollo de nuestro teatro" (p. 39). Rudolph Schevill, reviewing Romera-Navarro's *La preceptiva dramática de Lope de Vega* in *HR*, V (1937), 95, thought that "whatever meter Lope used for various situations or episodes . . . constitutes by and large a fruitless discussion, since his theory is one thing and his practice frequently another." The metrical theories of the Golden Age, as

III. THE STRUCTURE OF THE PLAY

Carlos V en Francia is an episodic play, "cuyo principal intento / ha sido mezclar verdades / con fabulosos inventos."[26] It has a central figure, the Emperor, but no central theme. Two main strands, more or less tightly interwoven, create the canvas of its action: first the historical strand built around Charles V, and second the fictional strand with Leonora as the principal character. The two strands are fused by Leonora's violent passion for the Emperor which turns into madness. The Spanish soldier Pacheco, a member of the imperial household, constitutes the link between the Emperor and Leonora by introducing the lovesick girl to the stern sovereign. A third but definitely minor interest concerns Dorotea, who follows don Juan, her reluctant lover, disguised as his page.

The historical events occurred in the years 1538 to 1540. Act I dramatizes the summit meeting between Pope Paul III, the Emperor, and Francis I, which took place in and around Nice in June 1538, followed by a meeting of the Emperor with the French king at Aigues-Mortes on July 14 of the same year. Only a small portion of the events of Act II are historical and they do not take place in France at all, but in Toledo, during the Cortes which lasted from October 1538 to late February 1539. The place of action in Act III is Paris. Charles had travelled through France on his way to Ghent in Flanders in December 1539 and was solemnly received in the capital on January 1, 1540 and stayed there until the seventh. Except for the opposing views on their rights to Milan and other dynastic questions of the day that each sovereign separately presents to the Pope (lines 520–687), the play reflects the era of good feeling, the hope for peaceful co-existence which seemed to open up with the meeting of Aigues-Mortes. The Cortes of Toledo of 1538 dealt mainly with the Emperor's request to levy the *sisa*—a sales tax upon foodstuff—which would now also apply to the hitherto tax-free nobles. The grandees denied it. Lope, however, concentrated on a historically unimportant but dramatically more rewarding incident in which were involved the Duque del

---

expounded by Díez Echarri, seem to allow considerable freedom in employing the various meters. Only analysis of a sufficient number of plays will provide an answer to the problem. The only thing we do know, thanks to Morley and Bruerton, is that Lope changed his practice during his life.

[26] The final words of Cervantes' *El gallardo español* (*Obras completas*, ed. Aguilar, p. 227).

Infantado and an *alguaçil*, ending in the wounding of the police officer and the arrest of the grandee.

It is obvious that history offered little dramatic conflict and the only possibility of exploiting the actual events was in pageantry. Lope did it to the hilt in the second half of Act I and through much of Acts II and III. Yet, that would neither be enough nor of sufficient richness of texture to fill a three-act play. Love interest was completely lacking nor was there any suspense. Lope had to invent large portions of the action.

These fictional parts of the play are built with three main characters: Leonora, who falls in love with the fame of the Emperor and loses her mind[27] when she is rejected; Pacheco, the soldier, with some traits of the *soldado fanfarrón*,[28] and Dorotea, *la mujer disfrazada de hombre*. Leonora and Pacheco orbit around the Emperor's sun. Dorotea's part is of secondary importance, but linked with the main fictional action through her conversation with Leonora and Camila in Act I and, organically, through her jealousy of Leonora when don Juan cast an eye on her in Act II.

When we look for anything resembling suspense, we find it is not the suspense of a unified plot "comprising a complication, or causally connected series of motived incidents which are gradually unfolded" (Webster, s.v. plot), but rather a number of disconnected "complications." Leonora's rejection and subsequent madness occur about the middle of the play (lines 1238–1493), and afterwards audience interest becomes amusement through the various forms of Leonora's *locura*. A last complication is provided when Leonora's brother and uncle try to get her back to Nice against her will and fail (lines 2683–2773). Pacheco is condemned to death by hanging no less than three times and for three similar reasons: disrespect of the sovereign. Three times he is pardoned, thanks to the honourable motivation of his disrespect for the law. Two of the three times happen in direct sequence at the beginning of Act I, the third time, when he wounds the preposterous Bisanzón in the presence of the Emperor in Act III (lines

---

[27] José Montesinos (ed.), *El cuerdo loco*, pp. 159–72, studies *locura* as a dramatic motif in Lope, with whom it is very frequent. There are "locos verdaderos y locos fingidos" (p. 159) and it is not always easy to make a distinction (pp. 163, 169). Leonora, who is not mentioned by Montesinos, shares with other *locos* the "estribillo repetido monótonamente," giving expression to a complex (*idea fija*, p. 168) when she is obsessed with the question, "¿ Es él Díos? ¿ Soy yo Luzbel?" (lines 1357, 1381, 1449, 1493).

[28] See María Rosa Lida de Malkiel, "El fanfarrón," *Romance Philology*, XI (1958), 272, 274, 287–88.

2

2410–2559). Dorotea reaches her goal rather suddenly when the Emperor assures her marriage to don Juan (lines 2560–2586).

The play, then, is a series of scenes which—to a degree at least—are units in themselves. Yet, while there is no unifying plot, there is the unity of the protagonist. The Emperor is the center of the microcosmos of this play. All characters are arranged in relation to him, even Dorotea whose problem is evetually solved by the Emperor. Francis I is shown as Charles's antagonist, first as his adversary before the Pope (lines 626–687), then wanting to win the Emperor's affection (lines 880–929) and visiting him unaccompanied on the imperial galley (lines 938–961), and finally as a generous host (Act III). Queen Eleanor appears only in her quality as Charles's affectionate sister. The Pope's role is determined by the facts of history as the mediator between the two contending rulers of Christianity. The grandees during the Cortes, and the ministers and courtiers like Cobos and the Duke of Alba, owe their existence as minor *dramatis personae* to the Emperor. Even the clash between the Duque del Infantado and the *alguaçil* (lines 1494–1546) is connected with the Emperor, because it happened when Charles arrived at the Cortes and the Emperor intervenes.

Finally we should not forget that the audience had not only to hear but also much to see. As the stage directions indicate, quite a bit of stately pageantry was to unfold before the eyes of the spectators who would find themselves vicariously in the presence of the high and mighty of the past.

To sum up: *Carlos V en Francia* is an episodic pageant play, the unity of which is provided by the figure of Charles V.

IV. THE HISTORICAL PLOT

A. GENERAL REMARKS

History, for the dramatic poet, is a slice of life to be molded into a work of art like any other raw material. Yet, a dramatist, choosing a historical event or character as his topic, implicitly renounces the complete freedom a purely fictional plot allows. Events and characters have been preformed by "what actually happened" and by the image which the historical character created in his contemporaries and the succeeding generations.

While it is true that a literary work based on history can be understood by a public which knows nothing at all about the degree of historical accuracy with which the topic has been developed, we can gain an insight into the genesis of the historical play, novel, or ballad by setting it off against the background of "actual history". "Actual history" for the literary scholar means that kind of history which was accepted as "historical truth" at the writer's own times. Modern historiography based on search in the archives is of interest to him only when he wants to compare the historical tradition at the time of writing with the results of modern scholarship, so that he may see the historical theme in proper perspective.

It is not always necessary to assume that a writer had one or more direct sources in the form of books or manuscripts. He may have learned about his topic in his youth, he may have absorbed it through vast reading and reproduce the image left in his mind without recourse to definite books. Yet it is incumbent upon the editor of a historical play to study the literature available at the writer's time, both for the general concept of the chosen theme and for a possible direct source.

It is obvious that it would be futile to find the inspiration for *Carlos V*'s novelesque plots in a book or even in history. For the historical scenes, however, the question of accuracy and distortion is basic.

B. The Struggle for Supremacy in Europe, 1492–1538

The events of the years 1538–40 are merely an episode in the long struggle between the dynasties of Habsburg and Valois, later the Bourbons, which began with the invasion of Italy by Charles VIII of France in 1492 and ended only with the peace of Vervins (1598).[29] There were several areas contended by the two houses: Burgundy and the Netherlands, Italy and particularly Milan, Savoy and Naples, and Navarre.

At the time of the play the claim to Milan was the principal concern of the two rulers. The French house claimed a dynastic relationship of the House of Orleans to the Visconti family, rulers of the Duchy of Milan. Charles saw in it a feud of the Empire after imperial ambassadors had invested Ludovico Sforza with the dukedom in 1494. Its strategic and

---

[29] For a summary of the events preceding Nice see Cecilia M. Ady, "The Invasions of Italy," *The New Cambridge Modern History*, I: *The Renaissance* (Cambridge, 1957), 343–67, and C. A. J. Armstrong, "The Burgundian Netherlands," *op. cit.*, 224–58, for the years 1492–1515; for 1516–40, Stanley Leathes, "Habsburg and Valois," *The Cambridge Modern History*, II: *The Reformation* (Cambridge, 1903), 36–65 and 66–103; and F. C. Spooner, "The Habsburg-Valois Struggle," *The New Cambridge Modern History*, II: *The Reformation* (Cambridge, 1958), 334–58.

economic importance is obvious as the key to Italy, and for the Habsburg-Burgundian King of Spain and Emperor of Germany in particular, as the territorial link to his vast possessions north of the Alps. At the time of the play it had been under Charles's control since 1521.

In August 1515 Francis I enters the scene. He became king of France the same year in which Charles (born 1500) was declared of age. They were both candidates for the imperial crown which Charles won in 1519. Their rivalry dominates European power politics until Francis' death in 1547.

The Burgundian possessions of the Habsburgs in the Netherlands (Flanders) were technically a fief of France. They were administered during Charles's minority by Emperor Maximilian's daughter, Margaret of Austria (born 1480), two times a widow and Charles's aunt. Her father entertained a marriage project with the Dauphin of France, later King Charles VIII, which was rejected in 1483 (548–550).[30] She is followed in office by Charles's younger sister, Mary, widowed queen of Hungary, who is mentioned several times in the play. The Ghent uprising which she did not succeed in quelling was one of the major events of her tenure of office.

Also in the north there were some fortified places disputed between France and Spain. In one of the rapidly shifting political groupings, Julius II had formed a Holy League against France, which included Charles's maternal grandfather, Ferdinand of Aragon, and the King of England. The latter's forces conquered Tournai, a French enclave on the Scheldt (September 21, 1513), retroceded to the French in February 1519 and recaptured by Charles and still held by him at the time of the Nice meeting. Francis I asked for its return (line 663). But the French occupied the fortress of Hesdin in 1521 (line 657+) and kept it until 1553.

Inside France, the Duke of Bourbon was the only remaining representative of the great appanaged princes of the fifteenth century. He was to be deprived of his inheritance by litigation, in favor of the Crown. Although holding the office of Connétable de France he disregarded the King's summons and joined Francis' enemies (1523). That is why one of Charles's demands is restoration of the Bourbon territories to the Duke's heirs (lines 598–601, 657+).

---

[30] The numbers in parenthesis indicate the passages of the play referring to the historical events mentioned in the Introduction.

In 1524 a joint attack on France was planned in which the Duke of Bourbon took part. However, the Duke's forces were defeated and pursued by Montmorency, who became Connétable de France and appears as Memoranse in the play. The French advance was halted and reversed in the famous battle of Pavia on February 24-25, 1525 (292). Francis I was captured and brought to Madrid (lines 567; 955-956). He was released after he signed the Treaty of Madrid on January 26, 1526 (lines 573-575). Since the French king refused to ratify it (lines 277-278; 572), maintaining that he signed it under duress, its stipulations (*capítulos*) were issues still in 1538 and even later. They were: Francis was to marry Eleanor, the Emperor's older sister and widow of the King of Portugal, which he did (lines 571-572; 960). He renounced all rights to Milan, Naples, Genoa, Asti, together with the suzerainty over Flanders, Artois, and Tournai (line 663). He ceded to Charles the Duchy of Burgundy in which, however, the *dependencias* were not included. The Duke of Bourbon was to be pardoned and restored to his hereditary possessions. Other conditions have no bearing on our play.

In the spring of 1527 the restless imperial army, under the generalship of the Duke of Bourbon, moved upon Rome, but the Duke was killed when scaling the wall (lines 600-601); the city was sacked.

During the following twelve months Charles's situation in Italy worsened considerably. Suddenly, Andrea Doria, commander of the Genoese fleet, offended and slighted by the French, transferred his allegiance from Francis to Charles. This was a serious blow to Francis' ambitions and he had every reason to be resentful (lines 957-958).

Between the Ladies' Peace of August 3, 1529 and the death of Francesco Sforza on November 1, 1535, a precarious equilibrium existed.

We now have to examine the development of the military and diplomatic situation, during the years 1535 to 1538, which led to the summit meetings at Nice and Aigues-Mortes.

1. In northwestern Italy, Savoy under Charles's brother-in-law, Duke Charles III, was now on the Emperor's side, blocking Francis I's thrust into Italy. The French invaded it two times, first in March 1536 and again in October 1537. During the first invasion the French occupied the Duchy almost completely, including Turin. Some fortified places, however, were seized by the Spaniards under orders from Antonio de Leyva, Spanish commander in Milan. Upon the latter's advice, Charles hoped to achieve evacuation of Savoy by the enemy through a counterattack into Provence.

The offensive led as far as Aix, and the siege of Marseilles and Arles was considered. But the scorched-earth policy of the French commander Montmorency, who kept his troops encamped in Avignon and Valence, forced the withdrawal of the imperial forces to Italy in September 1536 (lines 283–316). Leyva died at this time and the Marqués del Basto was appointed as his successor. He recaptured some places lost to the enemy. However, in October 1537, the French under Montmorency made a second attempt which compelled the Emperor's troops to evacuate Pinerolo (lines 93–100) and Turin (line 170). Still, the French military advance came to a halt and an armistice was concluded in November 1537.

2. In the north, Francis proclaimed the resumption of the suzerainty over Flanders and Artois which he had again renounced in the Peace of Cambrai. He followed up this political action with a military advance. This military action, however, like the one in Savoy, soon came to a halt and a ten-month armistice was concluded on July 30, 1537.

3. Charles's most spectacular success was the defeat of Khair ad-Dīn, better known as Barbarossa, the Moorish pirate and commander of the Turkish fleet. In July 1538, the armed forces under his personal command captured the fortress of La Goletta, protecting the entrance to Tunis, and shortly afterwards Tunis itself (line 169). Francis had secretly supported Barbarossa (lines 556–563), and a few months after the fall of Tunis he concluded a treaty with Sultan Soliman.

4. A more spiritually inclined Pope, Paul III, from the Farnese family, followed Clement VII in October 1534. After Tunis, Charles's wandering court slowly moved up the Italian peninsula to Rome, where he was splendidly received on April 5, 1536. There he delivered his famous speech in Spanish, detailing his complaints against Francis I and culminating in the challenge to personal combat (lines 279–282). The relations between Pope and Emperor improved. On February 8, 1538, a defensive league against the Turk was concluded between the Pope, the Emperor, Ferdinand of Austria (Charles's brother), and Venice (lines 594–595; 1046).

Long-drawn negotiations on the ministerial level preceded the Conference of Nice and the actual summit meeting of Aigues-Mortes.[31] Finally, the Pope, despite his advanced age, journeyed to Nice from Rome.

[31] See Hayward Keniston, "Peace Negotiations between Charles V and Francis I (1537–1538)."

Charles—who had returned to Spain from Genoa on November 17, 1537 —sailed from Barcelona, and Francis slowly and hesitantly moved toward Nice to arrive there last. Both were lodged outside Nice, Charles in Villefranche (Villafranca), Francis in Villeneuve (Villanueva). The Pope was refused permission by the Duke of Savoy to stay in the castle of Nice and went to a Franciscan monastery outside the city limits. At Nice, the two monarchs never met person to person, but negotiated each separately with the Pope. Paul III had hoped to induce the two rivals to conclude a peace treaty, but had to be content with a ten-year truce, concluded on June 18, 1538, which confirmed the status quo and left all outstanding issues, particularly that of Milan, unsettled.

After the signing of the truce, the Emperor accompanied the Pope by boat to Genoa, whence he planned to return to Spain (lines 800–806).[32] It had been arranged at Nice that Charles and Francis meet at Aigues-Mortes on his return trip from Genoa. The arrangement was carried out.[33]

C. The Historical Plot

Act I

a). DIALOG BETWEEN GARCILASO AND DON JUAN, lines 269–336. Assuming that Garcilaso de la Vega is the poet, it is chronologically inaccurate to have him give the report on Charles's invasion of Provence. He died in Nice on October 13, 1536 of wounds received during the retreat.[34]

Garcilaso tells don Juan that the war has come to a halt because of the mediation of Pope Paul III (lines 274–276). This we can consider generally accurate. It is true that "Pope Paolo III continued throughout 1537 to urge further negotiations between Charles and Francis with a view to arriving at an understanding" (Keniston, "Peace Negotiations," p. 142a). He kept on pressing for peace during the truce concluded at Salsas early in 1538,[35] and he was credited with the truce of Nice as evidenced by the

---

[32] Sandoval, III, 51b.
[33] Sandoval, III, 51b–53a.
[34] "Combatiendo la torre de Muey en la salida de Provenza" (Sandoval, III, 19b). See Keniston, *Garcilaso*, pp. 158, 483–84.
[35] Ulloa, fol. 151r, bottom; see below, note 40.

solemn reception upon his return to Rome.[36] However, Lope disregards the ten-month truce of Bomy, signed July 30, 1537, concerning the Flemish front; the truce of Monzón, concluded November 16, 1537, ending hostilities at the southern front; and the peace negotiations at Salsas 1537–38.[37]

Garcilaso's report goes back to Charles's famous speech in Rome (April 17, 1536) before the Pope and an illustrious audience of cardinals and ambassadors. He links that speech of complaint against Francis with the military invasion of Provence in the summer of the same year, as if motivated by the same indignation, all in one sweeping sentence packed into one *octava real* (lines 277–284).

The description of the invasion (lines 285–300) follows Ulloa. Only in Ulloa we find reference to *catorze mil españoles* and *doze mil ytalianos*, to the Duke of Alba and Hernando Gonzaga named jointly, followed by Andrea Doria's mission during the expedition.[38]

The invasion of Provence (lines 301–316) was a failure (see above, page 38). Lope had to cover up the outcome. He does it by means of the old rhetorical device of the *praeteritio*: "No quiero referirte las empressas" (line 301), praising the valor of both sides, with emphasis, of course, on the Spanish performance (lines 303–304, 312). Lope distracts attention from the disaster by mentioning the "prodigio" of "otros dos soles / que el uno echaua sangre, el otro fuego," which appeared in the sky over

---

[36] Santa Cruz, III, 517–18. He was praised for having "conciliado los grandes corazones de los Reyes y de haber restituido la república cristiana y paz en la tierra y en la mar." Also the *Chiste real sobre las pazes* (1539) states at the beginning (p. 63): "El inmenso omnipotente / despues del papa clemente / en paulo diuinalmente / inspiro por elecion / en conclusion. / Paulo tercio asi inspirado / en el summo pontificado / puesto enla barca ha remado / con aquesta inspiracion / en conclusion." See also Paolo Accame, "Una relazione inedita," pp. 407–9.

[37] See Keniston, "Peace Negotiations."

[38] Ulloa, fols. 145v–146r:
Era Capitano de gli huomini d'arme sí Spagnuoli come Italiani don Hernando di Toledo Duca d'Alua, e de' caualli leggieri don Ferrante Gonzaga, sapientissimo e valorosissimo capitano. Et in uero lo esercito che allora ui condusse l'Imperadore fu il maggiore e il piu bello che egli hebbe giamai in guerra di Christiani in un campo solo [cf. line 285], eccetto quello che condusse in Vngheria. ... Percioche si ritrouaua uentiquattro mila Tedeschi e quattordici mila Spagnuoli e dodici mila Italiani con presso cinque mila caualli fra huomini d'arme e caualli leggieri, Fiaminghi, Italiani e Spagnuoli, cõ grã numero di artiglierie che p[er] la maggior parte si haueuano dall' armata, la quale hauendo commissione di uenire costeggiando dalla uicina marina prouedeua anco il campo di uettouaglia. Della qual armata era generale il Principe Doria.

Paris (lines 313–316). Ulloa and Sandoval leave no doubt about the outcome, but do not mention the celestial miracle.[39] I have not found it mentioned so far.

The last stanza (lines 317–324) brings the development back to the role of the Pope. He was disturbed by the feeling of hostility between the two sovereigns, which made it possible for Barbarossa to attack the Italian coast.[40]

Some acquaintance with Ulloa is evident in this passage, but much more important is the fact that a study of the historical accounts available shows how easily Lope mastered his material.

b). THE MEETING AT NICE, lines 520–687. The historically documented events at Nice determine Lope's dramatization. Since the two rulers did not meet face to face but negotiated only through the Pope and their ministers, it is obvious that Lope had to dramatize first the meeting of one monarch and then of the other with the Pope. True to the facts, the

---

[39] Ulloa, fol. 146v, top:

"A gli otto di settembre se ne tornò à dietro con lo esercito disfatto dalla fame, e malatia, di che morirono piu di uenti mila persone. . . . Lasciando libera la Francia . . . l'Imperatore perdè la occasione di entrar nella Francia. . . ." Sandoval, III, 19b: "Levantó el Emperador lo màs brevemente que pudo su campo, y recogiendo las guarniciones que se habían puesto por los lugares ganados, dió la vuelta para Génova." However, Sandoval, a few pages later, III, 23b–24a, sees the invasion as a victory. For him it was the carrying out of Charles's challenge to the duel in his speech before the Pope: "y aún estuvo treinta y tres [días] en Asaes [*sic*, Aix], como lo prometió, esperando que viniese el rey a darle la batalla, donde se podían ver de persona a persona" (23b). Charles wanted to win the "pundonor con su contrario. . . . Y esta es victoria como si lo venciera, esperar al enemigo en el campo señalado y no venir dentro del término a la batalla. . . . Ganada esta honra . . . se salió de Francia, y lo redujo, sin que nadie le hiciese salir, sino la enfermedad y hambre, que contra estos enemigos no hay fuerzas." Thus he argues to refute those who consider the "jornada . . . muy dañosa y costosa."

[40] Ulloa, fol. 151r, middle:

. . . il Marchese del Vasto si ritirò à Milano e lo esercito Francese . . . se ne tornò in Francia, quando in quel medesimo tempo essendo tutta l'Italia commossa, e il regno di Napoli non si tenendo sicuro, per il grande sforzo che faceua il Turco nella guerra contra Venetiani e anco scorrendo Barbarossa general nimico ne i mari di Calauria e di Sicilia, il Papa à cui apparteneua piu il p̃sier di questo crudel assalto del Barbaro infidele che à niun altro Principe per la dignità sua, se ben egli non era tocco nello stato della Chiesa, mosso da un'animo santo e pio, tramò, stando questa triegua in piedi, per mezzo de communi Ambasciadori, che si facesse uno abboccamento fra il Re e il Impe. con l'interuento suo, in qualche commodato luogo, per uedere di concludere qualche pace fra loro e che la Christianità non fosse tanto trauagliata: e finalmente hauendo amendoi trouati disposti, fu risoluto che si facesse in Nizza di Prouenza. . . .

Similarly, but more succinctly, Sandoval, III, 50a–b.

first to address the Pope is the Emperor, who is followed by Francis. This sequence of events made it easy to present the Emperor as the complaining, demanding, and aggressive party and the French king as the party put on the defensive. Of course, Lope had to reduce the various interviews of various duration between Emperor and Pope to one.[41] Francis actually met the Pope only once for a four-hour talk.[42] No record of what was actually spoken was available in the histories. Therefore, Lope based the Emperor's address on two distinct passages of Ulloa. For the recriminations against Francis (lines 541–575) he used—reversing the sequence of arguments—Ulloa's report of Charles's speech before the Pope of April 17, 1537 (fol. 144v). The Emperor's peace conditions (lines 580–609) closely reflect Ulloa's text (fol. 151v). One example for each section must suffice:

From the first part:

los *agrauios* que *la Casa*
de Austria por diuersos t[iem]pos
reçiuió de muchos *reyes*
de Françia sin merezellos.
Ya te dixe del *repudio*
por Carlos Otauo hecho
con Margarita mi tía.
  (lines 545–550)

tutte l'*inguirie che la casa*
d'Austria haueua riceuuto da'
Re di Frãcia fin dal *repudio*
di Margherita sua Zia fatto
da Carlo Ottauo (fol. 144 middle).

From the second part:

Ha de *renunçiar* Françisco,
Beatísimo Padre, luego
la amistad de Yngalaterra
y los hereges tudescos.
Ha de entrar en n[uest[ra liga
contra el turco y por lo menos
pagar lo que le tocare
para la guerra que enprendo.
  (lines 590–597)

che *renuntiasse* l'amicitia
che haueua il Re *co i Tedeschi*
heretici e col Re d'Inghilterra,
che entrasse in lega

con esso lui *contra i Turchi*
con *pagar* quella portione *nella*
guerra, o in danari, o in gente,
che fosse stata conueniente (fol. 151v
top).

---

[41] Four, according to Keniston, *Cobos*, pp. 208–10. Sandoval, III, 51a, says only "iban a días a hablar con el Papa o enviaban." Ulloa, fol. 151, is silent about this point.
[42] Keniston, *Cobos*, p. 210.

These conditions, then, were historical truth for Lope.[43] Actually, they were bandied back and forth by the sovereigns' emissaries in the peace negotiations preceding the meeting at Nice.[44]

Francis' meeting with the Pope is more freely handled. Yet, the names of the plenipotentiaries are historical: Mosiur de Memoranse (Anne de Montmorency) and el Cardinal de Lorena (Lorrain), for the French (lines 642–643), and Nicolo Perenoto de Granuela and Francisco de los Cobos, Comendador Mayor de Castilla, for the Spanish (lines 647–649).[45] Cobos reads Charles's conditions. They are the same as the ones formulated in Charles's *romance* before the Pope (lines 580–601). Francis' reply differs in part from the one reported by Ulloa (fol. 151v). In both Ulloa and Lope, Francis demands the return of Tournai, refuses to accept the Emperor's condition to hold for himself the fortresses of the Duchy of Milan with the French paying the occupation cost. In Lope, he bluntly refuses to give up his alliances and to contribute to the expenses of the league against the Turks, if he ever joins it at all. Ulloa is somewhat contradictory at his point. In the beginning, Francis declares his willingness to renounce his alliances with England and the German heretics,[46] but towards the end he states that he is not obliged "a lasciare niuna di quelle amicitie," unless he receives the Duchy of Milan completely unencumbered ("libero"). Other conditions to which Francis assented are not mentioned by Lope. Lope's major omission is the Emperor's pressing for the calling of a Church council to which Francis, according to Ulloa, consents.

The Emperor personally met his sister, Francis' wife, Queen Eleanor.[47] Lope did not bring this encounter on the stage, possibly because it would have diminished the dramatic effect of Francis' visit on Charles's galley off Aigues-Mortes. Also it would have duplicated the reunion of the family in France in Act III.

[43] Cf. also Cerezeda, II, 320: " . . . S.M. le rogaba [al Papa] y encargaba que hiciese venir al Rey de Francia en conocimiento de las muchas guerras pasadas y presentes que por su cabsa [*sic*] eran hechas."

[44] Keniston, *Cobos*, pp. 194–207.

[45] Sandoval, III, 51a. Cerezeda, II, 320, mentions Cobos, Granvela, and Montmorency, but also others. Ulloa, fols. 151r–152r, gives no names at this point.

[46] "Si piegaua il Re à renuntiare alla lega fatta con Inghilterra contra di lui, e torsi dall' amicitia de gli heretici Tedeschi" (151v, middle).

[47] Sandoval, III, 51a; Cerezeda, II, 320–21; Pedro de Gante, p. 33.

Lope did not use a number of episodes which history furnished him: to show the collapse of a hastily erected pier whereby a number of ladies of the court fell into shallow water would have been quite undignified.[48] A false scare of an impending attack of Barbarossa's forces ended rather ridiculously. Some sailors had mistaken dark clouds of dust, raised by a peasant winnowing beans, for smoke signals communicating with approaching corsairs. [49]

In this section Lope emphasized the negative aspect of Francis' reply and disregards minor incidents in the interest of a greater dramatic contrast and compactness. The relationship to Ulloa is remarkably close.

c). THE MEETING AT AIGUES-MORTES, lines 880–961. The significant deviation from historical fact, as it was available to Lope, is that in the play the meeting at Aigues-Mortes occurred by accident against the Emperor's will. In fog and darkness one of the imperial galleys collided with the Emperor's flagship, broke its rudder, "y así le fué forzoso, aunq[ue] no quiso / desenbarcar aquí" (lines 917–918). The accident itself is historical and told in many sources.[50]

We have seen that at Nice no direct negotiations took place between the two rivals. However, after the signing of the truce (June 18) things began to move. Queen Eleanor urged her brother to have a personal meeting with her husband. A definite invitation from Francis followed. Charles thereupon agreed that he would meet with Francis off Marseilles. On July 8, while they were at anchor near the island of Santa Margarita, off Cannes, a French galley brought out the ambassador, M. de Velly, with the news that Francis, for reasons of his health, would like to change the meeting place to Aigues-Mortes, a coastal town west of Marseilles, near Narbonne. To this the Emperor consented and he reached the island of Pomègues, off Marseilles, on July 13. These are the facts as established by modern historiography.[51] Lope follows his sources faithfully when he

---

[48] Sandoval, *loc. cit.*; Pedro de Gante, p. 34.

[49] Sandoval, *loc. cit.*; Pedro de Gante, pp. 27–29.

[50] E.g., Sandoval, III, 52a; Ulloa, fol. 152v.

[51] See Keniston, *Cobos*, p. 212. Some of the documentary sources for the events between Nice and Aigues-Mortes are: Charles-Quint, *Mémoires*, pp. 218–19, 220–21; and his letter to the Marqués de Aguilar, published in Lafuente, VIII, 326–28; Salinas, pp. 869–71; Santa Cruz, III, 517–21; Cerezeda, II, 323–27; Pedro de Gante, pp. 41–49; "Relazione inedita," pp. 414–17. The events are presented from the French viewpoint by Décrue, pp. 353–55.

had Charles decline an offer to enter Marseilles, but he suppressed Charles's readiness to meet at Aigues-Mortes. He simplified history for dramatic and practical reasons when he made Montmorency the ambassador to Charles whereas it was actually M. de Velly.[52]

Francis voices his bitter disappointment with Charles's refusal to visit Marseilles when don Juan enters to bring him the message that Charles is in port (line 919). The messenger's report about Charles's trip follows Ulloa.[53]

Francis is overjoyed, and when he hears that the Emperor is still on his galley he spontaneously decides to visit him informally, "solo, sin más que los remeros que la [la barca] lleben" (lines 922–923), even against Montmorency's warning. Here, Lope seems to dramatize Ulloa (fol. 152v), who tells that the King was alone delivering himself into the Emperor's power so that Charles, in turn, would be able to shake off his suspicion.[54]

[52] Ulloa, fol. 152r, bottom:

... doue fu dal Re uisitado per il mezo di Monsignor Vigli inuitandolo a riposarsi in Acquamorta, doue diceua il Vegli, che si sarebbe il Re trouato fra due giorni pregandolo, che per strada fosse uoluto entrare a ristorarsi in Marsiglia, dŏde hauea il Re leuato il presidio de i suoi soldati, e dato ordine che gli fossero portate le chiaui della Città, et il dominio di essa. L'Impe. lodata la magnanimità del Re, ringratiatonelo, rispose che ei sarebbe ito uolentieri a uederlo in Acquamorta: ma che nŏ accettaua l'entrar in Marsiglia, essendo necessitato di passar presto in Spagna.

(It is possible that Lope confused the meaning of the Italian verb *levare* ("to remove") with Spanish *llevar* ("to bring") since he wrote (line 886), "a ver las fuerzas de Marsell[a]," just the opposite of what Ulloa says.)

[53] Cf. Ulloa (fol. 152r-v) with lines 896–916 (verbal correspondence with Lope in italics):

E partito il Vegli, andò lo Imp. all' *Isola di Hieros*, oue *per il maluagio temporale fu sforzato di starsene* quattro giorni: nel *quinto*, benche anco regnasse quel uento contrario, uolle rientrar in mare cercŏdo *con la forza de i Remi*, far sostenere e restringere la contrarietà del uento, il quale cessato, si ritrouò *nel far del giorno* a dieci miglia lungi da *Marsiglia*, *doue da uenti galee del Re essendo* salutato, cō allegrezza fu accōpagnato *fino alle Pomeghe*, doue essendo entrato, fu dal *castello che è sopra lo scoglio*, dalle castella [152v] circonuicine, et da tutte le galee del porto *tiratogli molti pezzi d'artiglierie*, e fattogli grande honore, si fermò egli con le galee *per mezo il castello* mentre alcuni suoi gentilhuomini *andarono a diportarsi in Marsiglia*, oue si trouarono alzate le catene del porto, accioche ognuno ui potesse *entrare*. Et *rifrescate* le galee dell' Imperadore di uettouaglia, *uerso la sera* si mise in mare accompagnato dall' armata del Re, e *leuatasi una fortuna si dileguarono le galee tuttee*, e molte si urtarono l'una l'altra non senza gran pericolo, e particolarmente *quella dell' Impe. che urtata d'un'altra nel timone si spezzó*.

[54] "Al fine peruenuto in Acqua morta, fu riceuuto con grande honore essendo dal Re incontrato *solo* sopra un *battello*, mettendosi nelle forze di Cesare, acciò senza alcun sospetto potesse mettersi nelle sue in Acquamorta."

Actually the encounter between the two sovereigns began much more according to protocol. First the King sent Montmorency to announce the King's intention to visit the Emperor on his galley. The Emperor accepted and Montmorency returned with the reply. The King at once came out on a boat, however, not alone and in one boat as Lope has it, but in five boats and with Montmorency, the Cardinal of Lorraine, and other nobles of his court. On their way out to the port, the French party met a Spanish group of envoys, the Duke of Alba, Cobos, and Granvelle, who were to insist the King "no tomase trabajo de ir en barco por el peligro, sino en una galera, para que desde las popas se saludasen y hablasen" (Sandoval, III, 52a). The actual reason was that the Emperor did not wish to be obliged, by the King's visit to his galley, to go ashore himself.

The scene shifts to the Emperor's galley. Charles impatiently talks with Andrea Doria about the mishap of the broken rudder. At this moment a little boat pulls alongside with Francis aboard, who bids him welcome to his own territory. The Emperor, quite surprised, receives him with dignity and respect. Francis' extrovert and winning ways are well contrasted with the Emperor's Spanish *gravedad*. The scene and the act end with Francis granting pardon to Andrea Doria and the courtiers' marvelling at the sudden friendship between the two rivals.

Again, Ulloa (fol. 152v) is closest to Lope's version of the event,[55] although with the difference that in Ulloa the Emperor brings about the reconciliation between Andrea Doria and the King during his conversations in the tower of Aigues-Mortes and not on the galley.[56]

The real summit meeting with great festivities and exchange of gifts took place in the town itself. Lope leaves it to the imagination of his public that relations between Charles and Francis were cordial, friendly, and

---

[55] "Si dice, che quando il Re Francesco montò dal battello su la galea dell' Imperadore, che abbracciatolo con grande allegrezza gli disse, *Fratello*, eccomi *la seconda uolta tuo prigione*; et Cesare con grande humanità lo raccolse." There is a basis in fact. An eyewitness, the secretary Gámiz, assistant to Ambassador Salinas, writes (Salinas, p. 871): "Estando yo presente dixo el Rey a S. M. que venía a ponerse en su poder con sus hijos, para que dél y ellos hiciese a su voluntad."

[56] According to Cerezeda, II, 324–25; Pedro de Gante, p. 45; Sandoval, III, 52a; and "Relazione inedita," p. 416, the meeting took place on board the Emperor's galley. In Sandoval's version and in the "Relazione inedita," the French king is rather reluctant to grant that pardon. There also was a shipboard conference, between the two sovereigns and their advisers, of nearly two hours, which Lope does not mention.

peaceful from now on after they had extended mutual invitations to each other (lines 959–960). In Act III Lope dramatizes a situation similar to the festivities at Aigues-Mortes. So he avoided duplication.

ACT II

a). THE INCIDENT BETWEEN THE DUQUE DEL INFANTADO AND THE ALGUAÇIL, lines 1494–1573, and 1686–1701. This incident is historical and well documented.[57] It took place during the last tournament[58] organized during the Cortes in honor of the Emperor, on January 12, 1539.[59]

The purpose of the Cortes of Toledo of 1538 was to raise funds for Charles's far-flung military enterprises. Charles requested the tax-exempt nobles to consent to the sales tax (*sisa*). The nobles resisted and finally refused their consent. The Emperor dismissed the Cortes on February 1, 1539 and they were never called again for the purpose of taxation (Sandoval, III, 70b–71a). The spokesman for the nobility was not the *Almirante* [de Castilla] as Lope has it (1496), but the *Condestable* [de Castilla, don Iñigo López de Velasco]. Lope softens the historical truth when he presents the nobility as willing to grant the Emperor's wishes (lines 1497–1499, 1555–1559), whereas it is clear from his own lines 1527–1529 that they refused his request for money.

According to Sandoval (III, 71b), "acertó, por su desgracia, el alguacil a dar con su vara en las ancas del caballo del duque del Infantado," but did not touch the Duque himself as the play has it (1505).[60] The details of the incident follow the version of Sandoval,[61] who in turn based it on Ulloa and Pontus Heuterus[62] with one exception. It was the Condestable

---

[57] See Menéndez Pelayo, *Estudios*, VI, 27–30, who transcribes Sandoval, XXIV, ch. ix (*BAE* ed., III, 71b–72b). See also Santa Cruz, IV, 22–23; Ulloa, fol. 155v; and Salinas, pp. 902–3.

[58] Santa Cruz, IV, 22.

[59] Salinas, p. 902.

[60] Santa Cruz, IV, 22. See also Ulloa, *loc. cit.*; and Salinas. Santa Cruz is not specific on this point.

[61] Cf. Sandoval, III, 71b: "El duque . . . volvió a él y preguntóle: '¿ Vos conocéisme?'" and Lope, line 1506: "Hombre, ¿ conozéysme?" Sandoval also reports a slightly different version of "otro autor," in which the *alguaçil*, named Francisco Sánchez, answers: "Sí, señor, bien sé que vuesa señoría es el duque del Infantado" (cf. Lope, line 1511). Ronquillo (line 1526) also appears in all sources.

[62] Pontus Heuterus, *Rerum belgicarum libri quindecim* (Antverpiae, 1598); Sánchez Alonso, No. 6294.

in his capacity as *justicia major* and not the Duque de Alba (line 1538) who, together with the grandees, took the initiative in conducting the Duque del Infantado to his home (lines 1538-1541).

Shortly after the incident Charles changes his mind, frees the Duque, and offers him the punishment of the *alguaçil* (lines 1686-1701). Comparing Ulloa (fol. 155v), we see that the wording of lines 1698-1699, "Deçid al Duq[ue] si gusta / que al alguaçil se castigue," is similar to the Italian text but that reference to the Duque's magnanimity has been omitted.[63]

b). THE NEWS OF THE GHENT UPRISING, lines 1854-1911. Lope's interference with the historical facts is caused by the dramatic necessity of telescoping the events into a straight sequence. In the *comedia*, the news of the revolt in Ghent comes at the end of the Cortes. Actually, the Cortes terminated on February 1, 1539. The Empress died on May 1, the courier from Flanders arrived in October 1539, and Charles started his journey on November 11 (Santa Cruz, IV, 43; Sandoval, III, 84b: "por el mes de noviembre"). Furthermore, in Lope, the Emperor's counsellors advise him to accept Francis' offer of safe conduct through France (lines 1894-1902); in Santa Cruz (IV, 43) and Sandoval (III, 84a) their advice is negative; Ulloa (fol. 159v) is silent. Finally, the invitation to travel through France reached Charles through diplomatic correspondence (Cerezeda, II, 398-99; Santa Cruz, IV, 43; less definite Sandoval, III, 84a), not through the direct offer of a French ambassador as in Memoranse's speech (lines 1884-1892). But Charles did leave Cardinal Tavera of Toledo and Francisco de los Cobos in charge of the government of Castile, as Lope has it (lines 1904-1907) and as is confirmed by Santa Cruz (IV, 43) and Sandoval (III, 84b).

In this passage it is not possible to link Lope with a definite source.

ACT III

a). CHARLES'S JOURNEY THROUGH FRANCE AND RECEPTION IN PARIS, lines 1967-2126. Pacheco's *relación* in *romance* about the Emperor's journey from the French-Spanish frontier to Paris and his solemn reception in the

---

[63] "E poi con miglior consiglio fece intendere al Duca che *se era contento* egli farebbe che quel *ribaldo fosse seuera[me]nte castigato*, ma il Duca ringratiando l'Imperadore non uolle che fosse fatto morire, anzi ordinò che alle sue propie spese fosse medicato, e poi come fu guarito li perdonò e gli fece un dono di cinquecento scudi."

capital agrees most closely with Sandoval's version (III, 84b–86b), particularly for the entry in Paris.

As to the travel towards Paris, Sandoval, Santa Cruz, and the *Cronique* do not always mention the same stopping places and other details, but do agree on most. For instance, according to Lope (line 1986), Francis alone, without the Queen, meets Charles at Bles (Blois); according to Santa Cruz (IV, 41) at Lozes (Loches); and the *Cronique* (p. 278) says Amboise.[64] Sandoval (p. 85a) reports that both King and Queen met the Emperor at Châtellerault (Castellerao). Lope omits certain episodes occurring during the trip. The King's son Charles, Duke of Orléans, playfully says to the Emperor, when meeting him at the French frontier: "'César, César, date por cautivo.' Y el Emperador, sin responderle, con los ojos alegres y risueños, le abrazó y acarició, prosiguiendo su camino" (Sandoval, III, 84b–85a). Another incident took place in Amboise where a fire broke out, which aroused Charles's suspicions but also his instincts of defense and self-preservation. "Procuraba valerse de la duquesa de Estampes [Madame d'Étampes]," the King's influential mistress. As if by accident, he dropped a ring which she picked up, but the Emperor refused to take it back because "siempre fué costumbre de los reyes y emperadores que lo que se les cae de las manos no lo vuelvan a ellas" (85b). If Lope knew about these details he may have disregarded them because the intrusion of the ugliness of political reality would disturb the majestic dignity and superiority of the Emperor's person when confronted with his adversary.

For the reception in Paris (lines 1987–2126) Lope, essentially, presents Sandoval's version. Santa Cruz (IV, 53–58), almost literally taking over the *pliego suelto* entitled *El grande y muy sumptuoso recibimiento* . . . is much more detailed than Sandoval and a collation shows that he is not the direct source.

Lope gives relief to the person of Charles V by isolating him from the whole parade. He develops (lines 2077–2093) the remark by which Sandoval ends his description (86b) about the Emperor's walking "tan solo y triste y humildemente vestido" and then has the Emperor enter the royal French palace between the sons of the King, as in Sandoval. Here

---

[64] Santa Cruz gives the correct report (see Foronda y Aguilera, p. 479). Sandoval, III, 85a, is definitely inaccurate about the date of the first meeting of Emperor and King, taking place "en el mes de enero del año 1540," whereas, actually, the Emperor was in Paris the first week of January and moved on toward Ghent on January 7 (see Foronda y Aguilera, p. 481).

and there he elaborates his prose text, perhaps under the obligation of the i–o *romance*. He increases the numbers, changes the order in which the various marching groups appear, but, on the whole, Lope follows the Sandoval version faithfully.

The following confrontation of Lope's *relación* about the Emperor's reception in Paris (lines 1987–2110) with Sandoval's report shows visually Lope's poetic development of source material. We print in italics not only the words in which both authors agree, but also similar syntactical patterns, although they may differ in vocabulary.

Lope, lines 1987–2110

Sandoval, III, 86a–b

El recibimiento que el rey
mandó hacer al Emperador en
esta ciudad fué tan grande, que
es razón se diga con alguna par-
ticularidad, porque en él quiso
el rey mostrar la grandeza de su
ánimo y reino y buena voluntad.
Díjose por cierto que al proprio
rey, la primera vez que entró en
París a se coronar no se había hecho

No quiso por humildad tal; solo faltó que *el Emperador,*
el Çesar de España inuicto *por su modestia, no quiso*
entrar en caballo blanco, *entrar en caballo blanco.*
uso de a[que]l reyno antiguo.
Pero *salió media legua* *Salió la clerecía* en proce-
de París a reçiuillo sión *media legua de la cuidad,* y
el clero y órdenes sacros eran tantos, que de solos frailes
que fué vn número infinito, *había seiscientos franciscos,*
como el estudio es tan grande, *cuatrocientos dominicos, trecientos*
sin clérigos y vezinos; *agustinos* y *otros de otras religiones,*
que a dozientas mil personas *que eran estudiantes.*
llegó el número que pinto. Venían casi *docientas mil personas,*
Hubo, que es cosa notable, con *docientos arcabuceros* a
seysçientos frayles françiscos, caballo, vestidos de librea de la
de San Agustín treçientos ciudad, trecientos archeros, docien-
y quinientos dominicos. tos ballesteros de la misma
Dozientos arcabuzeros librea con recamos de plata;

(Lope, lines 1987–2110)

(Sandoval, III, 86a–b)

de a caballo París hizo
que con armas y casacas
hiziesen plaza y camino.
Luego *treçientos archeros*
con los dorados cuchillos
y *otros dozientos soldados,*
todos de tela vestidos,
la color blanca y sembrados
de çifras de cañutillo,
en que al español león
abraçaua el franzés lirio.
Veyntiquatro regidores
morado brocado rizo
adornaua en *forros* blancos
de siempre blancos *armiños.*
Çien mançebos çiudadanos,
de quatro en quatro dist[intos],
con paramentos de tela

yban en *caballos frisios*
con *doze vanderas blancas*
de la çiudad y tendidos
los tafetanes al viento.
De sus diuisas testigo,
con *trezientos ofiçiales*
de su corte entró luçido
el Preboste de París
y su *criminal ofiçio.*
La Corte del *Parlamento*
formaba vn Parnaso, vn Pindo
de dotores y abogados,
insignes por sus escritos.
Venían *doze Virreyes*
a mula, todos *vestidos*
de grana y *los Presidentes*
con capuzes de lo mismo.
Luego el *Consejo Seglar*

todos los oficiales communes,
vestidos de escarlata;

veinte y cuatro regidores,
vestidos de *morado* con *forros*
de varias pieles, *cien mancebos*
ciudadanos de los más nobles
en muy hermosos caballos,
vestidos de terciopelo con
guarniciones de oro, todos, de una
manera *con*
doce banderas ricas de la ciudad.
Luego *docientos y cincuenta*
oficiales de la corte a caballo
con ropas largas.
Detrás iba *el preboste de París,*
acompañado de los abogados,
y del Consejo y *procuradores*
del crimen. Luego venía el
Parlamento con *doce virreyes*
en mulas, y *vestidos de grana.*
Los presidentes, con capuces
de lo mismo, aforrados en *ar-*
miños, acompañados de *los con-*
sejos eclesiástico y seglar
Los cuatro *generales de los confines*
de Francia: los señores de la Cámara
de las cuentas de Francia, con otra
mucha nobleza y oficiales del reino.

(Lope, lines 1987–2110)

y *el Eclesiástigo* vino
en largo aconpañamiento
de criados y de amigos.
De los confines de Françia,
bordados, gallardos, ricos,
entraron los generales,
todos por el mismo estilo.
Luego la *Chançillería,*
y de vn *telliz amarillo*
adornada una hacanea
con mil perlas y zafiros.
Sobre esta vna caxa azul
que con clabos de oro fino
guardaua de Françia el sello,
blassón del cielo venido.
El Gran Chanciller tras él,
de cuyos ombros altiuos
pendían a las espaldas
tres cordones de oro asidos.
Luego el Consejo Real,
los prebostes y continos
entre *arcabuzes* y *picas*;
que armas guardan bien los libros.
Tras estos vino *la guarda*
de tudescos y *suizos*
con dozientos gentilombres.
　Dor.
¡Brabo aplauso!
　Serna.
¡Nunca visto!
　Pacheco.
Tras los *capitanes* destos
los caballeros antiguos
del *Orden del Rey* venían
a yleras de çinco en çinco.　2070
Con *Monseñor de San Paulo*
yba vn español Fabriçio,

(Sandoval, III, 86a–b)

Venían *después* los oficiales
de *la Chancillería*, y *sobre*
una hacanea traían *el sello*
real ricamente *aderezados de*
seda y oro, y allí junto el
gran chanciller de Francia
vestido con los del Parlamento.
Seguíase *luego el Consejo real*
con muchos *arcabuceros* y
piqueros, con dos *prebostes*
del Consejo del rey. Luego
la *guarda* ordinaria de
suizos con docientes gentiles-
hombres y dos *capitanes*, y
los caballeros de la orden
del rey, soberbiamente vestidos.

Luego iban el *duque de Alba,*
monsieur de San Paulo y Granvela,

(Lope, lines 1987–2110)

vn *Duque de Alba,* vn Toledo,
famoso del Tajo al Nilo.
Tras *el Cardenal Borbón*   2075
yba el magno Carlos Quinto
[Elaboration 2077–2090]
sino por mayor grandeza   2091
de *paño negro* vestido
con vn sombrero de fieltro.
[Elaborated to 2102]
Seys cardenales tras él
y quarenta y seys obispos
y con *quinientos archeros*
los dos duq[ue]s conozidos
de *Vandon y de Lorena.*
Entró en fin *entre los hijos*
del Rey, que eran con sus piedras
guarniçión de su vestido.   2110
Françisco y Leonor mirauan
desde vn balcón de oro y vidros
con el *cardenal Farnesio,*
por Paulo a París venido,
cómo entraua el Quinto Carlos.
Que lo primero que hizo
fué ver la yglesia y dar gr[aci]as
a quien le dió el bien que digo.
Fué a palacio y de *Leonor,*
su hermana, bien reçiuido.
Cenó con el Rey de Francia
y sus gallardos sobrinos.
De casamientos se trata.

(Sandoval, III, 86a–b)

después de dos cardenales, Tornón
y *Borbón; cerca de ellos iba el*
César *en medio de los dos hijos*
del rey, el uno vestido de tela
de oro, el otro de plata. *Detrás*
de ellos otros *seis cardenales*
y el *duque de Vandoma, y el de*
Lorena, y otros señores, y
cuatrocientos archeros de la
guarda del rey con su librea.
El rey estaba a vna ventana,
y el *cardenal Farnesio y la*
reina

a otra; con ella, madama Margarita,
hija del rey, con otras muchas damas.
Hízose una gran salva de artillería.
Fué recibido a la puerta de San
Dionís debajo del palio de brocado labrado de águilas.
Había muchos arcos triunfales,
y tanta gente, que dijo el Emperador
que serían seiscientas mil personas.
Fueron de esta manera *hasta la*
iglesia mayor, y de allí *a palacio,*
donde *cenaron juntos los reyes,* y
con ellos *el cardenal Farnesio*
y Margarita, hija del rey . . . .
Fué bien notado ver tan solo y
triste y humildemente *vestido*
al Emperador, porque no llevaba
más que un sayo de *paño negro* y
una caperuza de luto.

b). CHARLES, ACTING KING OF FRANCE, lines 2234–2300. There is a basis in fact about Francis' turning over his sovereign authority to Charles during his stay on French territory. Santa Cruz, IV, 56, reports: "Delante de [Carlos] iba el Gran Canciller de Francia y cuatro criados suyos con ropas de carmesí pelo que llevaban una mula con sus guarniciones y gualdrapa de lo mismo, donde iba el sello del Rey, y el Condestable llevaba el estoque delante de Su Majestad. Y por estas dos personas con sello y estoque significaba que Su Majestad tomaba el mando y el palo del Reino de Francia."

Santa Cruz's source here and for the entire report on Charles's reception in Paris (pp. 53–58) is the *pliego suelto* entitled *El grãde y muy sumptuoso | recibimiento que hizieron | en la gran cibdad de Paris: al | Inuictissimo Empera-dor y rey | nuestro señor.*[65] He copies this *relacíon* almost word for word.

The anonymous French *Cronique du Roy Françoys premier de ce nom* (ed. Georges Guiffrey [Paris, 1860], pp. 317–18), at the end of its very detailed description of Charles's journey from Bayonne to Paris and his reception there (pp. 275–319), confirms the Spanish *relación* and Santa Cruz:

Depuis que ledict seigneur Empereur fust entré à Baione, le Roy luy bailla puissance de conférer toutes (318) offices vacantz pour lors en son Royaulme; et aussi des bénéfices, comme abbayes et aultres estans en la présentacion du Roy avec puissance de délivrer tous les prisonniers, et leur donner grace et rémission de tous crismes et délictz, excepté de lèze majesté; suivant lequel povoir, par toutes les villes où il passa, depuis Baione jusques en Flandres, il bailla rémission à tous les prisonniers et les feist mectre hors des prisons, où plusieurs criminelz chargez de grans et énormes crimes furent délivrez; et mesmes à Paris, onquel lieu il en sortit des prisons en grant nombre, tant de la concier-gerie du Palais, de chastellet, de four l'evesque, de l'officialité que aultres prisons dudict Paris.

Et fault notter qu'il est impossible que audict seigneur Roy, on eust peu faire plus grand honneur, quant il eust faict entrée de novel en sondict royaulme, qui nous donne vray tesmoignaige que ledict seigneur est bien obey en sondict royaulme, quant, à son simple commandement, on fist tant d'honneur en toutes sortes et manières audict seigneur Empereur et en si peu de temps.

D. CONCLUSION

Lope's familiarity with the historical facts is rather amazing. If we allow for a reasonable amount of Spanish patriotism to color his interpretation,

---

[65] Reprinted in *Pliegos sueltos sobre el Emperador Carlos Quinto*—Relaciones en prosa (Valencia, 1958), pp. 85–96. A photostatic copy of the same *pliego* in the Biblioteca Nacional has also been consulted.

we find his presentation of the events fair, objective, and generally accurate, with one major exception, occurring in Act II.

Quite a few details of the historical background of the decades before the main political events of the play are found here and there in the play and our verification showed them to be accurate. The dialog between Garcilaso and don Juan brings the audience up to date on the events immediately preceding the meeting at Nice in a sweepingly told exposition. It is here where Lope's Hispanic loyalty glosses over an event, Charles's disastrous expedition into Provence, which can not be judged otherwise than as a defeat.

As for the meeting at Nice, we observed streamlining and condensation in the dramatic narrative, but still essentially faithful adherence to the facts. The encounter between Charles and Francis at Aigues-Mortes was entirely due to accident, according to Lope. The sources accessible to him show, however, that it was carefully prearranged. The Spanish dramatist distorts the facts to suit the image of the Emperor he wished to create: the gravely dignified Imperial Majesty, defender of peace, faith, and justice, who not only does not seek Francis' friendship, but also would rather keep away from him in lofty aloofness becoming to his imperial rank.

The historical events of Act II are again telescoped into a rapid sequence of events. The historical reports on the incident during the Cortes are rather uniform and Lope reproduced the event without deviation. But he glossed over the Emperor's unsuccessful attempt to levy the *sisa* from the nobles and made it appear as if Charles had gained their support while, actually, they opposed him. Lope could not use a diplomatic exchange of notes for Francis' invitation that the Emperor travel through France, so he had Memoranse deliver the invitation in person. Actually, Charles's ministers were more cautious than in our play in their opinions as to the acceptance or rejection of the French offer. In Lope, they are guided by the noble sentiments of chivalry and honor.

The *relación* of Charles's journey through France and his solemn reception in Paris leans heavily on the source material incorporated into Sandoval's narrative of the events.

If we now turn to Lope's direct sources, it would seem that we have established a close relationship with Alfonso Ulloa's *Vita dell' invittissimo e sacratissimo Imperator Carlo V* (first edition, Venice, 1560) for the events of Act I. In Act III, we find Lope taking over much of the source of Sandoval or Sandoval himself.[66]

In conclusion, we may say that Lope, although, of course, first and foremost a dramatic poet, shows no mean gift as a historian or chronicler. There is much more fact than fiction in the historical portions of *Carlos V en Francia*.[67]

[66] Fray Prudencio de Sandoval, *Historia de la vida y hechos del Emperador Carlos V* (Primera parte, año 1604; Segunda parte, año 1606, Valladolid, por Sebastián de Cañas). The events of Paris appeared in Volume II, so that they would not have been accessible to Lope in printed form. However, as the date of the *aprobación* "Valladolid, 22 de abril 1603" shows, the work was completed and Lope could have had access to the manuscript. We note that the *aprobación* is signed by Fray Gregorio Roiz (*BAE*, LXXX, 4), the same person evidently—despite the spelling "Ruiz"—who gave the *aprobación* for our play in Valladolid on May 9, 1607. There may or may not be some significance in this coincidence. Secondly, it is well known that Lope aspired to the post of court chronicler (see Rennert, *Life of Lope de Vega*, pp. 197, 224, 280). He could have personally known Sandoval, who held this post (see title page of first edition in *BAE*, LXXX, p. xlv, and in biographical sketch, p. xviii).

[67] Menéndez Pelayo, in the Introduction to his edition in *Ac.*, XII, already saw that Lope followed history faithfully in all three acts (*Estudios*, VI, 24–25, 27, 30). As a good representative of the "relaciones contemporáneas" available to Lope he prints Pedro de Gante's *relación* of Aigues-Mortes (pp. 25–27). For Act II he copies Sandoval (pp. 27–30). In Act III Lope likewise "se muestra fidelísimo a las relaciones contemporáneas, entre las cuales merece especial recuerdo el rarísimo pliego gótico que lleva por título *El grãde y muy sumtuoso recibimiento . . .*" (p. 30, see above p. 54), but Menéndez Pelayo does not offer any selections.

E. Gossart, *Charles Quint et Phillipe II dans l'ancien drame historique espagnol*, writing in 1924, does not contribute anything significant to the evaluation of our play. He praises (p. 16) the characterization of the Pope ("conciliant, paternel"), the Emperor ("réservé, jaloux de ses droits et de son autorité"), and Francis I ("moins défiant, expansif, porté à céder à la permière impulsion"). For the events of Act III, he emphasizes (p. 18f.) that the cordiality depicted in the play does not correspond to political reality. No other discussions of *Carlos V en Francia* have come to my attention.

F. O. Adam Jr., *Some Aspects of Lope's Dramatic Technique* (1936), p. 9, lists *Carlos V* as one of three plays in which "the main plot deals with army affairs while the subplot treats of the affairs of individuals in the army." The other two plays are *La nueva victoria de don Gonzalo de Córdoba* (1622) and *El Brasil restituido* (1625).

Diego Marín, *La intriga secundaria* (Toronto, 1958), lists our play only in the Apéndice, (p. 190) as having one "intriga secundaria (separable)," but emphasizes in the Conclusión (p. 171) that in Lope's dramatic technique the subplot can be organically related to the main plot and it serves to heighten its significance through contrast or parallel. This is certainly true for *Carlos V en Francia*.

The image of Charles V, as reflected in Spanish and European literature, is a subject much too vast to be approached here. A poor beginning has been made in Gossart's monograph. For plays about the Emperor see the list in Paz y Melia (2nd ed., 1934), I, 61. Epic poems about him are: Jerónimo Sempere, *Primera parte de la Carolea, trata de las victorias del Emperador Carlos V, Rey de España* (Valencia, 1560). There is also a *Segunda parte.*—Luis Zapata, *Carlo famoso* (Valencia, 1566).—Juan Ochoa de la Salde, *Primera parte de la Carolea. Inchiridion, qve trata de la Vida y Hechos del Inuictíssimo Emperador Don Carlos Quinto de este nombre . . . recopilado en dos partes* (Lisbon, 1585). Cervantes, *Don Quijote*, I, vii (ed. Rodríguez Marín [M., 1927], I, 235) condemns *La Carolea*, but it is not clear which one is meant.

On May 29, 1623, there occurred a major public disturbance when Prado, the *autor*, announced in the Corral de la Cruz that he was ordered to stop the performance of "la Comedia de la primera parte del Emperador Carlos Quinto." "Amotinóse la gente, que estaba el Corral lleno, pidiendo a voces la de Carlos Quinto." The next day, however, the *comedia* was given without admission charge. "Concurrió infinita gente, que estuvieron en pie, por no haber bancos." There is no evidence that the play referred to was Lope's *Carlos V en Francia*, where no "primera parte" is mentioned nor a "segunda parte" promised. The incident is reported in the anonymous *Noticias de Madrid, 1621–1627*, ed. A. González Palencia (Madrid, 1942), pp. 59–60. Professor Edward M. Wilson kindly called my attention to this news item.

CARLOS QVINTO EN FRANCIA: COMEDIA FAMOSA

de Lope de Vega Carpio

DEDICADA

A GABRIEL DIAZ, MAESTRO DE

Capilla insigne, en el Real Monasterio de la Encarnación.

Aviendo oýdo en vna fiesta vn villancico en ecos, cuya música v. merced compuso con tanto artificio, que la nouedad admiró la embidia, y la dulçura suspendió el entendimiento: que no sin causa dixo Homero, que Iúpiter ministraua a los Músicos lo que cantauan: que es lo mismo, que dezir san Agustín, que era don de Dios: confirmé justamente la opinión que de v. m. tenía, digno concepto de su raro ingenio, y la gracia que a los Españoles en todo genero de música vocal, o instrumental ha dado el cie-/lo, tan propria en ellos, como mal imitada de [261v] otras naciones. A la voz, que era el alma de la letra, en lo alto de vn claustro repetía los últimos acentos otra tan parecida y suaue, que a la mayor atención se le ocultara la diferencia: y assí mismo a las demás, que juntas formauan la responsión con otras tantas tan iguales, como si impelido el ayre en algún valle cerrado, o lugar cóncauo, por no dexarle resoluer, resultara quebrándose. Assí describen el Eco Aristóteles, Temistio, y Plinio.

Bien pudiera dar a v. m. mayores alabanças por la celestial música q̃ compuso en las honras de la Reyna nuestra señora, celebradas en la Encarnación, de cuya insigne Capilla es v. m. Maestro: pues fué tan admirable y única, que la pudieran embidiar Guido, Andrea y Franquino: pero en la primera que digo hallé para mí más causa, por estar diuidida en son, número y palabras, ligadas a Armonía Ríthmica, o Métrica, definición que hizo Platón de la Música artificial en el tercero de su República; que san Agustín no excluye los Poetas, antes los admite por músicos en este género, y porque en aquellos ecos descubrió con más dulçura la fertilidad del arte, y en la nouedad y inuención, la grandeza de su ingenio: pues pudo entonces prouarse con demostración Matemática aquel sonido armónico [262r] *del cielo, que dizen, que oyó Pitágoras, y que | nosotros no oímos por la continuación desde q̃ nacemos, o por el daño que hiziera a los oídos, como quieren Boecio y Plinio: pues excediendo el sentido, le puede destruir, como el Sol la vista. Esta afición me ha obligado a pagar a v. m. cõ la memoria de la dirección desta Comedia el gusto de aquel día, si bien tan desigual en todo, muestra de mi inclinación y ánimo: v. m. la reciba con el que le merece mi deseo: y pues los Poetas llaman cantar al escriuir, oígame a mí estos versos:*

> *Gabriel, tu música humana*
> *assí imita la diuina*
> *que el alma en éxtasi inclina*
> *a la inmortal soberana:*
> *toda la demás es llana,*
> *que en los ecos de aquel día,*
> *mostró bien la melodía*
> *con que a todos te adelantan,*
> *que son ecos quantos cantan*
> *de tu diuina armonía.*

Dios guarde a v. m.

> *Su Capellán.*
> *Lope Félix de Vega Carpio.*

Gabriel Dias (*sic*), of Portuguese birth, studied music in Spain. He was *primer chantre* of Philip IV's chapel. He composed religious music as well as a great many *villancicos* (Pena, Joaquín and Higinio Anglés, *Diccionario de la Música Labor* [1954], s.v.).

FIGVRAS DE LA COMEDIA

El Emperador
El Rey de Francia
El Duque de Alua
El Duque del Infantado
Don Iuan de Mendoça
El Marqués del Basto
Pacheco soldado
Serna
Dos soldados Españoles
Garcilasso
Vn Embaxador
[Quatro] soldados Franceses
Monsiur de Memoranse

Vn Capitán Francés
Vn Capitán Español
Vn Alguazil
El Alcalde Ronquillo
Leonor dama
La Reyna
Camila criada

Fernandillo Dama en habito de hombre toda la Comedia

El Papa
Bizanzón Tudesco
Andrea Doria
[Cobos, Comendador Mayor de León]

The Dedication and the Cast of Characters of the whole play are reproduced from *Parte XIX* (Madrid, 1624), with modern accentuation and punctuation. Variants between this edition and those of Madrid, 1625, and Valladolid, 1627, are insignificant.

Acto P[rimer]o

Pacheco soldado, la espada desnuda, quatro franzesses sobre él y/un capitán.

PACHECO.	¡Fuera digo!
CAPITÁN.	¡Date preso!
PACHECO.	¿Presso vn español, villanos?
CAPITÁN.	¡Da las manos!
PACHECO.	¿Yo las manos?
	Noble soy, honor profeso.
CAPITÁN.	Mira que soy capitán.
PACHECO.	¿Qué ymporta, si eres franzés
	y yo español?
CAPITÁN.	¿Tú no ves
	que te matarán?
PACHECO.	No harán.
SOLDADO.	Déxanos darle la muerte
	que tiene tan merezida.

5

10

JM: These initial letters of the religious invocation *Jesús María* end in a rubric. Lope put a bar through the letters which, when combined with the first downward stroke of the *M*, results in the sign of the cross. See Introduction, p. 15. No title page or cast of characters for Act I. The cast of characters preceding the text has been taken from *Parte XIX*, with editorial additions of characters not listed given in square brackets.
The title was first written, probably not by Lope, to the right of *ACTO P̥*, then crossed out. A different hand wrote the title to the left in clearer writing with stronger strokes, *Carlos 5º/en francia*, framed by two rectangular lines to the left and underneath the title. The line underneath touches the *A* of *Acto*. *P̥[rimer]*: Written with a capital *P* and a small *o* on top. *Pa*, written in the upper right-hand corner of the folio, indicates *hoja primera*.

PA: *Sale Pacheco, retirándose de un capitán francés y de dos soldados.*
P: Dexame dalle. A: Dejadme dalle.

PACHECO.	Yo sabré vender mi vida.
[SEGUNDO.]	¡Qué temerario!
[TERCERO.]	¡Qué fuerte!
[CUARTO.]	Hasta el mismo aloxamiento
	de n[uest]ro rey se retira.
CAPITÁN.	No le matéis, que ya mira 15
	n[uest]ro rey su atreuimiento.

Mosiur de Memoranse, caballeros
y el rey Françisco de Françia.

MEMORANSE.	¡Plaza, desbiaos! ¿Qué es esto? [IV]
	Su Magestad está aquí.
PACHECO.	Ríndome, señor, a ti.
	Ya estoy a tus plantas puesto. 20
	Mándame cortar el cuello
	y el brazo que te offendió.
FRANÇISCO.	¿Quién eres?
PACHECO.	Yo.
FRANÇISCO.	¿Quién?
PACHECO.	Aún yo.
	Señor, no açierto a sabello.

12–16   There is manipulation by a different hand of the assignment of these lines to various characters. *Segundo, Tercero, Cuarto* were originally written with numerals without the *o* of the cardinal number. The 3 is most clearly recognizable. It was changed to *So*. The 4 is almost entirely covered by the *C* of *Ca*, to whom lines 13–14 were assigned; but the horizontal bar of 4 is still clearly visible. Only lines 15–16 were originally assigned to *Cap*. Although blotted out, *Cap* is still clearly visible underneath the blot. In view of this interpretation we conclude that the 2 was changed to *a* and the *C* and *p* placed in front and after it so as to read *Cap*. The underlying 2 explains the unusual form of the *a*.

16+   A line, broken into two segments, is drawn above, another broken into three segments, underneath the stage direction.

---

12   PA give first half of line to *Soldado 2°* and the second half to *Soldado 1°*.

13–14   PA give these lines to *Soldado 2°*.

16+   P: *Sale el Rey de Francia, y Monsiur de Momoranse y gente de soldados, el Rey con bastón.* P₅: *Memoranse.* Also line division is different in P₅, ₇. A: *Salen. monsieur, Memoranse.*

18   PA: *viene.*

23   PA name this character *Rey* here and subsequently in this scene.

	Soy español, y nazí	25
	en el Reyno de Toledo	
	con apellido que puedo	
	osar dezírtele a ti.	
FRANÇISCO.	Mendoza te llamarás.	
PACHECO.	Pacheco soy.	
FRANÇISCO.	¡ Gran nobleza,	30
	gran balor, gran gentileza!	
	Del duq[ue] deudo serás	
	de Escalona.	
PACHECO.	No, señor.	
FRANÇISCO.	Pues, ¿ ay Pachecos sin él?	
PACHECO.	Mi apellido tomé dél,	35
	no de su sangre el balor.	
FRANÇISCO.	¿ Cómo?	
PACHECO.	Dió leche mi madre	
	al Marqués, que ya lo es.	
	Criéme con el Marqués	
	mientras que uiuió su padre,	40
	y todos en Escalona	
	Pachequillo me llamauan	
	siendo niño y me tratauan	
	como a su misma persona.	2[r]
	Crezí y saliendo trauieso	45
	pasé de paje a soldado,	
	y aunque pobre, soy onrrado.	
FRANÇISCO.	¿ Por qué le llevaban presso?	
CAPITÁN.	Mató dos alabarderos	
	de tu guarda.	
FRANÇISCO.	Pues, ¿ por qué?	50

---

29   A word of about four letters ending in *s* (?) crossed out before Mendoza.

48   Lope wrote *lleban*, which would make the line one syllable short. The change was made either by himself or by another hand, after *presso* was written. SP: llebabas.

---

34   PA: Pacheco.

38   PA: Duque.

40   PA: desde que murió mi padre.

CAPITÁN.	Lo que yo ui te diré,
	con algunos caualleros
	que todo el suçeso uieron.
PACHECO.	¿Yo no te diré lo çierto?
FRANÇISCO.	Pues, di, ¿porqué los has muerto?
PACHECO.	Porque no se defendieron.
MEMORANSE.	El español tiene humor.
PACHECO.	Vsase mucho en España,

que se tiene por hazaña
tener humores de [honor]. 60
    Señor, yo llegué a jugar—
estrella con que nazí,
porque del juego salí
y al juego pienso tornar.
    Que Escoto, a fee de quien soy, 65
me ha dicho que en los dos puntos
que naçí jugauan juntos
Venus y Marte al rentoy.
    En fin llegué donde hauía
guarda a tu real persona, 70
de Françia digna corona
y del mundo monarquía.
    Jugué, perdí, y dixe allí, [2v]
luego que me lebanté:
"Si a françeses lo gané, 75
con franzeses lo perdí."
    Díxome çierto soldado:
"Si las pazes no se hizieran,
los españoles perdieran
lo que de Françia han ganado." 80
    Repliqué: "El Emperador

---

51   One or two letters (*te* ?) crossed out before *ui*.
60   Lope wrote *amor*.
70   q̃— or *c*——*p*——*ed*—(*puede* ?) crossed out at beginning. New start of line with *guarda*.

---

60   PA: honor.
73   PA omit *y*.

3

tiene la paz por diuisa
y sólo ha venido a Nisa
a confirmarla mexor.

    Y pues el Papa las haze   85
por bien de la cristiandad,
graçias a Su Santidad,
de quien la concordia naze;

    que si durara la guerra,
yo tuuiera que jugar   90
lo que supiera ganar
con la espada en v[uestr]a tierra."

    "Pues, ¿porqué—me respondió—
no nos aguardó el marq[ué]s
del Vasto?" Dixe: "Franzés,   95
si el Marqu[é]s se retiró

    de Piñarolo, no fué
porque le faltó balor,
mas porque estaua mexor
en Aste." Esto sólo hablé,   100

    quando, bolando en el uiento,
me tocó vn mentís la espada,   [3r]
de cuya ofensa indignada
hizo ygual atreuimiento.

    Vinieron mil sobre mí,   105
y entre tantos yo no sé
a quién herí, a quién maté,
mas sé que me defendí.

FRANÇISCO.   Soldado, vos soys honrrado
y Pacheco, y así os doy   110
mi palabra que fuí y soy

---

89   *la g* crossed out before *durara*. Lope intended to write *la guerra durara*, but changed
       word order and rhyme scheme at the spur of the moment.
93   One or two letters crossed out before *me*.

---

97   P: Pinarolo. A: Piñarolo.
98   PA: falta.
106   PA omit *y*.
111   PA: la palabra.

a v[uest]ro nombre inclinado.
Por él y por el Marq[ué]s
de Villena, yd norabuena,
pues el Marq[ué]s de Villena   115
v[uest]ro dueño dezís que es;
  que pues yo he venido a Nisa
a hazer con el Çésar paz
tras el odio pertinaz
y la dilaçión remisa.   120
Todas sus cosas es bien
que ponga sobre los ojos.
Ya pasaron los enojos,
ya la enemistad tanbién.
  Ydos libre por soldado   125
de Carlos y por Pacheco.
Tomad este anillo.

PACHECO.   Oy trueco
el ser, pues tu sol me ha dado;
  que pues me ha dado tu sol,
tu soldado vengo a ser.   130

FRANÇISCO. Yo debo faborezer   [3v]
todo soldado español,
  que he uisto el balor que tienen   ✠
con las armas en las manos.
        Entrense. [Quede Pacheco.]

    ✠ *Salga vn capitán español y algunos soldados.*

---

125   *Ydos* written on left margin to replace crossed out *vete*. Lope had forgotten that Francisco addressed Pacheco with *vos*.

133   Two to three letters of a word joined with *q[ue]* completely blotted out.

134+ *Entrense* written on right margin of line 134. Separating line. Cross potent and new stage direction on left margin, written in three lines; *nos soldad* underlined. The *n* of *salgan* was added later, perhaps by a different hand. New margin set with line 135.

---

113   PA: por vos y.
122   PA: mis ojos.
124   PA: y la.
134+ *PA: Vanse. | Quede Pacheco y salen un capitán español y dos soldados.*

CAPITÁN.	Oy que dos reyes cristianos	135
	a firmar las pazes uienen,	
	oy que el Papa los juntó	
	aquí en Nisa de Proenza,	
	vn soldado sin vergüenza	
	a romper la paz llegó.	140
SOLDADO.	A dos franzeses a muerto.	
CAPITÁN.	¿Qué dirá el Emperador,	
	si de su parte vn traydor	
	rompe la paz y el conzierto?	
SOLDADO.	Aquél es.	
CAPITÁN.	¡Date a prisión!	145
PACHECO.	Españoles, ¿qué queréis,	
	si soy español y veys	
	que los maté con razón?	
SOLDADO.	¡Date al capitán, villano!	
PACHECO.	No conozco al capitán.	150

✠ *Todos le acuchillen.*

	¡Así los buenos se dan!	
CAPITÁN.	¡Date a prisión!	
PACHECO.	¡Meted mano!	
CAPITÁN.	¡Matalde!	
SOLDADO.	¡Muera el traydor!	
CAPITÁN.	¿Que con tal atreuimiento	
	hasta el mismo aloxamiento	155
	llegue del Emperador?	
	¡Matalde!	

---

149   A different (?) hand changed *Sol* to *Cap*.
150+   Cross potent and stage direction to the left of lines 150–152.

---

141   PA give this line to *Soldado 1º*.
145   PA give the first half of the line to *Soldado 2º*.
149   PA give this line to *Capitán*.
150+   PA omit the stage direction.
153   PA give the second half of this line to *Soldado 1º*.

SOLDADO.   Ya el Çesar sale
a las vozes y rüido.   4[r]

✠ *Carlos Quinto salga y el Marq[ué]s del Vasto y gente.*

CARLOS.   ¿Qué es esto?
CAPITÁN.   Vn ombre atreuido,
con quien ni tu nombre bale   160
ni las espadas que ves,
y es digno de gran castigo,
que del franzés, ya tu amigo,
mató dos ombres o tres.
CARLOS.   ¿Porqué a la justiçia suya   165
no te entregaste, homizida?
PACHECO.   Por conseruar esta uida
para defender la tuya.
Que en Túnez, en la Goleta,
en Viena y en Turín,   170
y quando enprendiste el fin
de la lutherana seta,
te seruí, aunque pobre, sólo
con la sangre; que ésta gasto
por ti, dígalo el del Vasto,   175
en Aste y el Piñarolo.
Verdad es que los maté,
quando a hazer las pazes vienes.

158+   Lope or another hand crossed out *Marq[ue]s*, changed *s* to *d* and wrote *duque* to
the right of *Marq[ue]s*, worked *A[l]ba* into the syllable *Va* of *Vasto*, crossed out the
syllable *sto*, but failed to cross out the *l* of *del* and to insert the *l* in *Alba*.
Cf. the corresponding change in character, lines 242 and 251.

163   Lope wrote first *por* (?) *que del Franzes amigo*, then crossed out *por* and wrote
ya tu amigo after the crossed-out *amigo*.

---

157 (*ya*)–158. PA give those lines to *Soldado 2º* and add *el* before *ruido*.
158+   PA: *Sale el Emperador con su* [A: *un*] *bastón, y el Marqués del Basto y algunos
soldados.*
159   PA name the character *Emperador* and thus subseqently in this scene.
162   PA omit *y*.
174   PA: *con mi sangre.*

	Pero ¿ quál soldado tienes		
	ni quál español lo fué	180	
	que sufra vn mentís de Franzia ?		
CARLOS.	Tienes, soldado, razón.		

Pero quitar la ocasión
era agora de ymportanzia.
No escuso el dar a entender   185   [4v]
al de Françia que he sentido
que español se aya atreuido
a n[uest]ras pazes romper.
Llebalde vos, capitán,
y a la vista del quartel   190
de Franzia le ahorcad.

PACHECO.   Cruel
sentenzia a Pacheco dan
tus manos sienpre piadosas.

CAPITÁN.   ¡Ea, caminad, soldado!
PACHECO.   ¡Señor, oye, aunque enojado!   195
Pues tus armas gloriosas
    para humildes y proterbos
que te enojan y bendizen
parçere subiectis dizen
et debelare superbos.   200
    Oye, Señor, assí veas
tu Filipe, que ocho años
tiene agora, rey de estraños
reynos, en que tú lo seas.
    Assí crezca y así robe   205
tu fama en n[uest]ro hemisferio

---

197   ——*ntes* (*antes?*) *el* crossed out at beginning.
199   *sujetis dizen* crossed out and replaced by the present text on the right margin.
201   The letter *a* (?), attached to the *s* of *señor*, crossed out. Perhaps Lope intended
      to write first *así*; the dot is still visible above the *e* of *señor*.

---

184   P: era. A: es.
195   PA: engañado.
202   PA: Filipo.
206   PA: la fama por [A: con] su hemisferio.

que se diga que el imperio
parte con el mismo Jobe.
   Assí el *Plus vltra* adelante
con que el otro mundo mides;   210
así venga a ser Alçides
de donde tú fuiste Atlante:
   y assí Filipe produzga   5[r]
otro Filipe tan bueno
que a todo el mar ponga freno   215
y el mundo a sus pies reduzga.
   Y deste Filipe venga
otro y tantos que no acabe
el tienpo vn nombre tan grabe
ni el mundo otro dueño tenga.   220

CARLOS.   ¿Qué quieres?

PACHECO.   Quando enprendieron
los franzeses darme muerte
me llebaron desta suerte,
porque de otra no pudieron,
   hasta el mismo aloxamiento   225
del Rey. Salió y supo el caso,
y por ti detubo el passo
su enojo a mi atreuimiento.
   Si estimando tu persona
me perdonó, ¿será hazaña   230
que castigue el Rey de España
lo que el de Françia perdona?

---

209   Lope wrote first *aquel*, then crossed out *aqu*.
210   Lope started to write *los dos mundos*, but stopped at *mu* and continued immediately with the present version.
213   Two letters attached to the *F* of *Filipe* crossed out. The second was possibly an *l*.

---

210   PA: que con este mundo mides.
212   P: de adonde.
213   PA: y de Felipe.
219   PA omit *vn*.

CARLOS.	El pudo como agrauiado;
	yo no, porque le respeto.
PACHECO.	Pues dame aq[ue]se decreto 235
	sólo en vn papel firmado,
	porque al de Françia le llebe,
	y luego me ahorcarán.
	O dígale el Capitán
	lo que a matarme te muebe. 240
CARLOS.	Notable español, Marq[ué]s.
MARQUÉS.	El balor y las razones
	merezen que le perdones,
	y porque Pacheco es [5v]
	vn soldado mui honrrado 245
	y le he visto pelear.
CARLOS.	Deso y del modo de hablar
	le estoy algo afizionado.
	¿ Qué ofiçio podrá tener
	açerca de mi persona? 250
MARQUÉS.	La buena suya le abona;
	tu lacayo puede ser.
CARLOS.	Ya, Pacheco, estáis acá;
	yo os llebo en amparo mío.
PACHECO.	¡Dadme esos pies!
CARLOS.	Ese brío 255
	mucho contento me da.
PACHECO.	Dadme esos pies, o segundo
	Çesar, porque dellos sé
	que con sólo vn puntapie
	podrán derribar el mundo. 260

---

242   Another hand, with heavy ink, changed *Mar* to *Duq.* However, in line 241, this character is addressed as *Marqués;* cf. lines 158+, 251.

251   *Mar* crossed out, *Duq̃* written to the left of *Mar* and in turn crossed out; cf. lines 158+, 242.

257   After *pies, q——— pued* (?) crossed out and *o segundo* written to the right.

---

237   PA: lo.
256   PA: muy gran contento.

Soy v[uest]ro lacayo y soy,
en ser del Çesar lacayo,
de v[uest]ro sol algún rayo,
pues çerca de vos estoy.
Y rayo vuestro, ¡por Dios,   265
que ha de ser . . . !

CARLOS.   ¡Vente conmigo!
PACHECO.   Vida en muerte, honrra en castigo
sólo pudo hallarse en vos.   [*Vanse todos.*]

✠ *Entre Garzilaso de la Vega y don Ju[an] de Mendoza.*

GARZILASO.   En fin, llegáis agora.
JUAN.   Y con disgusto
del camino de Flandes, ya por largo,   270
ya por haberle echo sin mi gusto.   6[r]
GARZILASO.   ¿De qué os quexáis, pues es honrroso el cargo?

---

261   *Ya* crossed out after first *soy.*
265   Lope started out to write *pues——i——s.* He crossed out the first two words
       and wrote *y* with heavy ink over *s.* The margin of this line is moved farther
       to the right. This new margin is observed to line 270 inclusive.
266   *q ha de ser* is written on the margin to the left of a crossed out word (*tendré?*),
       amigo after *Ven* crossed out, followed by *te.*
268+   Broken line after verse 268, ending in a *rúbrica.*
       Stage direction: the *z* of *Garzilaso* is crossed out and *d. Ju⁰* written above it by
       a different hand. The stage direction is underlined.
269–340 A different hand reversed the original assignment of speeches. However, the
       plot requires that don Juan is the character who returns from a trip to Flanders
       (cf. line 1034). The long report on the military situation is addressed to don
       Juan (cf. line 321). The proper assignment of the speeches follows from these
       facts. SP, who follows the corrected versions, is forced to change *don Juan* to
       amigo in line 321, producing a faulty ten-syllable line.
269   Lope wrote *Gar* with enough space between the name and the text to allow
       other hands to write in *Ju⁰*, above which was written *Cap.* The same situation
       prevails at line 272. The changes have been made by a hand or hands different
       from Lope's.
269   *gar* written over *Ju⁰.*

268+   PA: *Salen Garcilaso y don Juan de Mendoza.*

JUAN.   No pensé hallar a Carlos Quinto augusto
                aquí en Proenza.

GARZILASO.   Ya se ha puesto embargo
                a la guerra de Françia.

JUAN.   ¿De qué modo?   275

GARZILASO.   Su Santidad puso remedio en todo.
                Después que Carlos, por no haber cunplido
                Françisco la palabra en Madrid puesta,
                de Paulo Terzio en Roma reciuido
                con tantos arcos, regozijo y fiesta,   280
                hizo aquella oraçión que al mundo ha sido
                por sus graues palabras manifiesta,
                su campo los neuados Alpes passa
                por darle guerra hasta en su misma cassa.
                  Nunca Su Magestad mayor le tuuo.   285
                Catorze mil los españoles eran
                y doze mil ytalianos huuo,
                que las montañas desazer pudieran.
                Por general el Duq[ue] de Alba estuuo,
                para que con el Alba amanezieran   290

---

273   The changes made were *Ju⁰*, to *Gar*, to *d Ju*. The *d* was put before *Ju* and the *ar* of *Gar* not crossed out.

274   *Gar* changed to *Ju⁰*. The *Ju⁰* was crossed out without replacement.

275   Name of character changed from *Ju⁰*, now illegible, to *Gar.*, to *Cap. Suerte* crossed out before *modo*. After he had found the proper wording of line 276, Lope changed *suerte* to *modo*.

276   *Gar* crossed out, replaced by *Juan* (*sic*), written by a different hand. Line 276 is preceded by a line crossed out: *ya la causa . . . di* (?) *la causa . . . aduierte*.

277–340 From here on, Lope indicated the beginning of a new stanza of *octavas reales* (except lines 293 and 333) by capitalizing the first letter and setting it out on one or two spaces to the left.

277–324 These lines are marked off with a line drawn along the left margin. Opposite line 279 is written *se diçe*, opposite lines 308–309, with an upward slant from left to right *esso todo*. There are six *rúbricas* on folio 6v, between lines 297 and 314.

286   *soldados* crossed out, *los* written above it.

---

279   PA: por Paulo.
284   P₇ omits *en*.
285   PA: la.

en Françia a darles tan pesado el día
como Carlos la noche de Pauía.
　　Tanbién lleuaua çinco mil caballos
entre los hombres de armas y ligeros
don Hernando Gonzaga, que a mirallos　　　　295
paraua el sol los suyos lisongeros.　　　　　　　　[6v]
Pudo mui bien el Çesar sustentallos,
aunque por montes ásperos y fieros,
porque por la ribera que el mar laba
Andrea de Oria el campo sustentaba.　　　　　300
　　No quiero referirte las empressas
de Carlos contra Françia, pues no basto,
el balor, las hazañas y las pressas
del Duq[ue] de Alba y del Marq[ué]s del Vasto,
ni las de Françia en la memoria impresas;　　305
que en vano el tiempo y las palabras gasto,
pues tuuieron mil vezes a Saboya
como los griegos la abrasada Troya.
　　Assí crezió la guerra; que hasta el çielo
mostró con mil sangrientos arreboles　　　　310
la discordia fatal del franzés suelo,
la enemistad y furia de españoles.
Viéronse por París en alto buelo
a los lados del sol otros dos soles,
que el vno echaua sangre, el otro fuego,　　315
prodigio que en el mundo se vió luego.
　　Mas viendo el Papa el gran rigor que hauía
entre aquestos dos prínçipes cristianos

291　*estos soldados españoles* deleted and replaced by *a darles tan pesado el día,* written below.

292　The first word of the line was to begin with *p,* changed to *o* by Lope. *les dio* (?) crossed out before *Carlos.*

305　A letter blotted out after *ni.*

307　Lope set out to write *y . . . Saboya,* crossed this out and started a new line.

312　A *g* is recognizable under the *f* of *furia,* written in heavy ink as if to blot out the word *guerra.*

315　Lope blotted out *y el o* and continued with *el otro fuego.*

291　PA: darle.

y que por su rigor a Ytalia ardía
Barbarroxa con turcos y africanos, 320
trató la paz y es oy, don Ju[an], el día, 7[r]
si lo quieren los cielos soberanos,
que se han de ver el rey Françisco y Carlos,
porque Su Santidad viene a juntarlos.
 En fin le obedezieron y han venido 325
a Nisa de Prohenza.

JUAN.   ¿Y ha llegado
Su Santidad?

GARZILASO.   Con gran riqueza ha sido
de Carlos reciuido y aloxado.

JUAN. Abránse a justas pazes reduçido.

GARZILASO. Françeses y españoles se han hablado. 330
Vnos y otros se aloxan casi juntos,
sin enojarse ni mirar en puntos.

JUAN.   ¿Al Çesar no será posible hablalle?

GARZILASO. ¿No veys que ya salir a hablar quería
sobre esta paz al Papa? Aconpañalle 335
será mejor en tan solene día.

[*Salga Fernandillo.*]

JUAN. ¡Fernandillo!

GARZILASO.   ¡Buen paje!

JUAN.   De buen talle.
¡Fernandillo!

DOROTEA.   ¡Señor!

JUAN.   A la hostería
buelue y dirás que al Çésar acompaño.

GARZILASO. No es malo el paje.

JUAN.   Es vn suçeso estraño. 340

✠ *Quédese sóla Dorothea.*

326–340 In the MS the assignment of the speeches is reversed; the change of names is
written with heavy ink over the original name by a different hand.

---

319   PA omit *a* before *Ytalia*.
336+   PA add *Sale Fernandillo*. PA call this character *Fernandillo* throughout.
340+   PA: *Vanse los dos.*

DOROTEA.   Yras de amor, estrellas enemigas,
leyes del gusto, fuerzas del desseo,
¿a dónde me llebáis, dónde me veo
al cabo de tan ásperas fatigas?
    Y tú, cruel, que a tanto mal me obligas   345
que le estoy padeziendo y no le creo,
¿porqué me enlazas, quando no peleo,
y quando me defiendo, me desligas?
    ¿Dónde por tierra y mar llebas sujeto   [7v]
vn corazón tan flaco? Amor, aduierte   350
que tienes de cobarde mal conzeto.
    ¿Qué gloria esperas, si me das la muerte?
Mas ¡ay! que dixo bien aquel discreto
que es sólo para amar la muger fuerte.

✠ *En vna ventana Leonora dama y Camila.*

LEONORA.   Desde aquí podremos ver,   355
Camila, al Emperador.
CAMILA.   Con razón muestras tener
afiçión a su balor
y a su inuençible poder.
LEONORA.   Apenas la causa entiendo;   360
pues sin nacer española,
siempre sus partes defiendo.

341-354 The sonnet is boxed in by two straight lines running above line 341 and below line 354, respectively, and a wavy line on the left margin. *No* is written on the left margin of folios 7r and 7v. A new margin about four spaces inside, is established with line 341.
355   A new generous margin of about nine spaces is established.
354+   The stage direction is written in three lines on the left margin. A large asterisk
and   appears underneath and a cross opposite line 357 on the right margin. The
357   marks seem to be not by Lope.
359   *inuençible* written by Lope over an illegible word. On top of *inuençible, gallardo* is written with weak ink, probably by a different hand.

---

346   PA: lo estoy. lo creo.
354+   PA: *Salen a la ventana Leonor y Camila.*

CAMILA.	No eres en Ytalia sola	
	ni de escucharte me ofendo.	
	Es Carlos el más notable	365
	prínçipe que oy tiene el mundo.	
LEONORA.	Dondequiera que se hable	
	de su balor sin segundo,	
	de su grandeza admirable,	
	muestro tan grande affiçión,	370
	respeto y ynclinaçión	
	que doy bien que murmurar.	
CAMILA.	Oy le veremos pasar.	
DOROTEA.	Damas de Proenza son	
	que salen a las ventanas	375
	a ver al gran Carlos Quinto.	
LEONORA.	Por sus glorias soberanas	
	su persona h[e]royca pinto	
	y grandezas más que humanas.	8[r]
	No cuentan de Sçipión	380
	ni Alexandro tantas cosas.	
DOROTEA.	¡Ha, damas, las del balcón!	
	Que digo, damas hermosas,	
	¿aguardan conversaçión?	
LEONORA.	Si soys español, tendremos	385
	oy conuersaçión con vos.	
	Si no, el balcón çerraremos.	
DOROTEA.	Español soy.	
LEONORA.	¡Bien, por Dios!	
DOROTEA.	¿No lo dizen los estremos?	
LEONORA.	Dízelo el ayre de alçar	390
	la mano al sombrero y dar	
	cuerpo y pie con tal donayre.	

---

373   *veréis passar* crossed out; new version written to the right.
378   Lope, by mistake, wrote *horoyca*.
392   *con el* (?) blotted out before *pie*; *cuerpo y* written to the left. Lines 393–394
        follow the new margin.

---

365   PA: que es Carlos.
376   P: el gran.
379   PA: y excelencias.

Parezéis hijos del ayre
en el ayre del andar.

DOROTEA. No se lo parezca, pues 395
que el buen ayre sólo es
con las damas que requiebran.
Pesados son quando quiebran
lanzas en pecho franzés.
Mas por mi vida, ¿a quién son 400
más afiçionadas? ¿Dónde
las lleba su inclinaçión?

LEONORA. A España, el alma os responde;
que es exçelente nazión.

DOROTEA. Pues, díganlo mui de veras; 405
que España es reyna, es señora
de quanto bien consideras.

LEONORA. Español eres agora.
¿Que fueras, si no lo fueras?

DOROTEA. Quando no hubiera naçido 410 [8v]
español, sólo franzés,
damas, quisiera haber sido.

LEONORA. ¿Que tanta nobleza ves
en el franzés apellido?

DOROTEA. Si de aq[ue]stas dos naciones 415
no me hubiera hecho el çielo,
no quisiera ser.

LEONORA. No pones
mal tu gusto. A todo el suelo
sus méritos antepones.

---

393 Five letters, —*d*——, blotted out before *parezéis*.
400 Four or five letters (*s*—*l*——?) blotted out before *a quien*.
413 *q* is joined to a preceding syllable (*por*?), later deleted.
415–419 Marked for omission with connected lines above, below, and to the left. Three *no's*, two on the left margin, inside and outside of the line, and the third on the right margin.
418 One or two words deleted after *gusto*, *a* is written with heavy ink, deleting the two-letter word (*en*?) underneath.

---

403 PA omit *os*.
418 PA: en todo.
419 PA: tus.

DOROTEA.	Español huelgo de ser;	420
	de no lo ser, franzés fuera;	
	de no ser franzés, no ay ser	
	adonde mi ser cupiera;	
	antes dexara de ser.	
LEONORA.	No digas tal, que no ay cosa	425
	como ser; que el no haber sido	
	es la más triste.	
DOROTEA.	La hermosa	
	nación que en suerte he tenido	
	oy haze Carlos gloriosa.	
	Agora veréys passar	430
	a quien tienblan tierra y mar.	
	Mas ¿ queréisme dar vn dedo	
	desa ventana?	
LEONORA.	No puedo,	
	que tengo a quien dar pesar.	
DOROTEA.	Si vos no le reçiuís,	435
	dadme liçençia y veréis	
	el ombre que allá subís.	
LEONORA.	¿Qué haréis?	
DOROTEA.	Matarle.	
LEONORA.	¡No haréys!	
	Que no haréis lo que deçís.	
DOROTEA.	¿Cómo no? No tengo en él,	440 9[r]
	ni en otros diez, para vn tajo.	
	Subidme al balcón, que dél	
	le echaré, por Dios, abajo,	
	como a Luçifer Miguel.	
LEONORA.	Brabo soys.	
DOROTEA.	Soy español,	445
	más pobre que el caracol.	
	Con esto os puedo seruir.	
	Abrid, que quiero salir	
	al rayo de v[uest]ro sol.	

---

429   PA: famosa.
431   PA: de quien tiembla.
443   PA: lo.

LEONORA.	¿Por qué os llaman fanfarrones?	450
DOROTEA.	Porque todas las naçiones,	
	vnas de otras embidiosas,	
	ynfaman n[uest]ras gloriosas	
	empressas y altos blasones.	
	Sabemos dezir y hazer,	455
	y porque se vsó el retar	
	en España, que es poner	
	con la execuçión del dar	
	la gloria del prometer.	
	Pero el Çesar viene ya.	460
	Poned los ojos en quien	
	todo el bien del mundo está.	
CAMILA.	Este nos dirá tanbién	
	qué gente con Carlos va.	

✠ *Música, aconpañamiento, Carlos detrás con el tusón por los*
   hombros. Sin hablar se entran.

LEONORA.	¿Ha hecho tal ombre el çielo?	465
	Si me enamoró su fama,	
	por su talle me desbelo.	
	Dichosa, amiga, la dama,	
	si tiene tal prenda el suelo,	
	que merezca en dulçes lazos	470
	aquellos gallardos brazos	[9v]
	de quien tiembla el Assia, el mundo.	
CAMILA.	La tierra y el mar profundo	
	le ofrezen dulçes abrazos.	

455–459 Boxed in on three sides, open on the right margin, with two *no*'s on either
        margin. The lower *no* on the left margin is scarcely visible.
464+   Two horizontal lines mark the end of the scene: one underneath line 464; the
        other, in two segments, underneath the stage direction.

---

453   PA: ofenden.
464+   PA: *Sale el Emperador con mucho acompañamiento, y éntrase por la otra puerta y
       quita el sombrero.*

	Estos serán sus amores,	475
	al son de trompas y caxas;	
	que a conquistar sus fabores	
	corren con muchas ventaxas	
	los Çésares venzedores.	
	¿De qué sirbe que te agrade?	480
LEONORA.	Ay, Camila, si la fama	
	tanto a querer persuade,	
	¿qué hará la uista que ynflama	
	y a/un fuego tantos añade?	
CAMILA.	Pues, ¿cómo pones tu amor	485
	en Carlos, Enperador	
	de Alemania y Rei de España?	
LEONORA.	No fuera de Amor hazaña,	
	si le ygualara en balor.	
	Conzertar desigualdades	490
	es del Amor la grandeza;	
	que en yguales calidades	
	la misma naturaleza	
	conzierta las voluntades.	
	Yo le quise retratado	495
	y agora le quiero uisto;	
	y de manera me agrado	
	que sé que el ayre conquisto	
	y no despreçio el cuidado.	
	Humilde soy, ya lo veo,	500
	pero soy muger.	
CAMILA.	¿Qué yntentas?	

475–479 Boxed in on four sides and each line individually crossed out, two *no*'s on left margin. The first *no* has some doodling on top.
489   After *en* a heavily blotted out letter (*p*?, beginning the word *poder*?).
492   One letter after q̃ deleted.
492–493 There is an asterisk on the right margin between these two lines. It is probably nothing but doodling.
500   Two words, probably *claro está*, deleted before *ya lo veo*.

475–479 Omitted in PA. Marked for omission in MS.

LEONORA.	Gozarle.	
CAMILA.	¡Estraño desseo!	
	Luego, ¿admitida te cuentas?	
LEONORA.	No será mucho trofeo.	
	¿Vn ombre de humilde ser	505 10[r]
	a/una muger de balor	
	no la puede merezer	
	y puede al mayor señor	
	gozar qualquiera muger?	
	¡Ah, hidalgo! ¿Queréis llebarme	510
	donde esta junta se ha hecho?	
DOROTEA.	Abridme y podéis fiarme	
	v[uest]ro honor.	
LEONORA.	¡Entrad!	
DOROTEA.	Sospecho	
	que éstas quieren engañarme.	
LEONORA.	Entrad, español, os ruego.	515
DOROTEA.	Aquí ni pierdo ni gano,	
	porque haré que sepan luego	
	que, si no gan[o] la mano,	
	hemos empatado el juego.	

Descúbrase vna cortina y sobre vnas gradas se vea Paulo Terzio en vna silla con almohadas a los pies y Carlos Quinto en otra y algunos caballeros y alabarderos a los pies de las gradas. La música es forzosa.

---

503   Lope first assigned this line to *Leo*, then deleted the name.
505   *quebrar* (?) *puede vna muger* crossed out.
518   Lope wrote *gana*, a slip for *gano*; cf. PA.
519+   Broken line, ending in *rúbrica*, indicates end of scene. No ✠.

---

504   PA: fuera.
505   PA: bajo ser.
512   PA: Abrid.
518   PA: gano.
519+   PA: *Vanse. Sale* [A: *Salen*] *el Emperador, el Duque de Alba, y acompañamiento; descubren un sitial al Papa; llega el Emperador a besalle* [A: *besarle*] *el pie.*

PAULO.   Mucho me pessa, Carlos, y podría   520
              deçir que a la común yglessia pessa
              que, hauiéndonos juntado aqueste día
              para esta paz que es de mi ofizio empressa,
              no quieras ver con pertinaz porfía
              al rey Françisco, si es que el odio çessa;   525
              pues mejor las presençias conzertaran
              lo que aquestos capitulos declaran.
                  Si él quiere verte, hijo, ¿por qué niegas
              tu rostro al que ya tienes por tu amigo?   [10v]
              ¿Por qué a mis brazos disgustado llegas,   530
              quando con tanto amor estoi contigo?
              Si por la paz vniuersal me ruegas
              y yo el exemplo de quien sabes sigo,
              hagamos bien los dos lo que debemos,
              porque a n[uest]ras cabezas ymitemos.   535
CARLOS.   Beatísimo Padre Paulo,
              de aq[ue]ste nombre terzero,
              no sin causa, pues lo eres
              de n[uest]ra paz y conzierto.
              Otra vez representé—   540
              y agora te represento—
              en tu conclaui sagrado
              y apostólico colegio
              los agrauios que la Casa

520–521 *decir* (?) before *podría* crossed out. SP: *y decir podría | que a la común yglesia mucho pesa,* which makes line 520 too long.

---

520   PA name this character *Papa.*
522   PA: *en este día.*
523   PA: *de que es mi oficio empresa.*
524   PA: *desigual porfía.*
526   PA: *estas paces concertaran.*
527   A: *los que.*
529   PA: *a quien ya.*
534   PA: *hagamos, pues.*
536   PA name this character *Emperador.*
540   PA: *Ya otra vez.*
542–543 Omitted in PA.

de Austria por diuersos t[iem]pos   545
reçiuió de muchos reyes
de Françia sin merezellos.
Ya te dixe del repudio
por Carlos Otauo hecho
con Margarita mi tía.   550
Mas ¿para qué te refiero
cosas de t[iem]pos passados,
quando en los presentes vemos
las muchas causas por quien
del rey Françisco me quexo?   555
Quando a la guerra de Túnez
passé con piadoso çelo,
hizo amistad con el turco
y le escriuió de secreto.
Cartas se hallaron entonzes   560 11[r]
en que se vió y todos uieron
que embiaua a Barbarroxa
muniçiones y dineros.
Esto contra mí sería.
Mas ¿para qué trato desto,   565
si después de tantas guerras,
tiniéndole en Madrid presso
y hauiéndole regalado
como a/un hijo (que bien puedo
deçir que así le traté,   570
pues que le di en casamiento

548–575 Boxed in on three sides, open toward right margin. *Sí* written on left margin
         of folios 10v and 11r.

---

547   P$_7$: merecello.
548   PA: Ya te he dicho.
550–555 Omitted in PA.
557   PA: partí.
558–559 Omitted in PA.
561   PA: ve, y todos vemos.
566   PA: de muchas cosas.
567   PA: teniéndole.
568   PA: y habiéndole yo tratado.

mi propia hermana) rompió
lo que fué en aq[ue]l acuerdo
por los dos capitulado
y con omenaje eterno?   575
Por estas causas, o Padre,
ver a Francisco no quiero;
pero la paz conçertada
la abrazo, estimo y açeto.
Daré a Milán a su hijo,   580
el Duq[ue] de Orliens, propuesto
que se le doy como en dote
del tratado casamiento
con la hija de mi hermano,
el rey Fernando, y sin esto   585
han de ser restituidas
al de Saboya, mi deudo,
las tierras que le han tomado,
hasta verse su derecho.
Ha de renunçiar Francisco,   590 [11v]
Beatísimo Padre, luego
la amistad de Yngalaterra
y los hereges tudescos.
Ha de entrar en n[uest]ra liga
contra el turco y por lo menos   595
pagar lo que le tocare
para la guerra que enprendo.
Ha de bolber el estado
a los hijos y herederos
del duque Borbón, difunto   600
quando puso a Roma el çerco.

---

576   A word beginning with *s* (*santo*?) crossed out before *o Padre*.
601   Lope deleted *çerco* before *el çerco*. He wanted to add the definite article.

---

573   PA: concierto.
575   PA: homenaje hecho.
576–589 Omitted in PA.
592   PA: de Barbaroja.
598–601 Omitted in PA.

Todo es justo lo que pido
y que me tengas te ruego
por hijo y rueges a Dios
conserbe a España, mi reyno,   605
en la fee de su seruiçio
y del alemán ymperio
estirpe las heregías
del apóstata Luthero.
Y con esto humildemente   610
los pies sagrados te besso
por sustituto de Cristo
y suçesor de San Pedro
en mi nombre y de mi hijo
Filipe, a quien te encomiendo;   615
que porque tiene ocho años,
no le truxe donde vengo
con toda humildad y amor
a los pies que reberençio.   12[r]
Y en la fee del que por mí   620
fué en la cruz clabado y muerto
como prínçipe [crist]iano
morir y uiuir protesto.
Toma, Padre, este papel
y guarde tu vida el çielo.   625

---

620   Two letters of an incompleted word (*pu*[*es*]?) deleted at beginning of line. Left-hand margin of lines 621–625 follows *y*.
622   Lope abbreviates the word with a wide *x* and *p*, representing Greek χρ; cf. also line 685.

---

604   PA: ruegues.
605   PA: España y mis reinos.
606–609 Omitted in PA.
610   PA: y con tanto.
612–613 Omitted in PA.
615   PA: Felipe, el cual te encomiendo.
620   PA: en nombre.
621   PA: y preso.
623   PA: vivir y morir.

El Enperador se baxa de las gradas y saliéndose por el teatro con
música baya entrando por la otra parte el Rey de Françia y
subiendo las gradas besse el pie al Papa. Abrázele y siéntele
junto a/ssí. Trayga el tusón de Françia, que es vn S. Miguel,
al pecho.

FRANÇISCO.　　　¿No me quiso aguardar Carlos?

PAULO.　　　　　　　　　　　　　　　　　No creo

que de su voluntad debes quexarte.

La paz estima con ygual desseo.

FRANÇISCO.　　　¿Quiere darme a Milán?

PAULO.　　　　　　　　　　　　　　Sí quiere darte;

mas lee este papel.

FRANÇISCO.　　　　　　　　　　　　Mui lexos veo　630

de mi yntención a Carlos.

PAULO.　　　　　　　　　　　　¿No fuí parte

para que juntos se tratasen pazes?

FRANÇISCO.　　　Bien a tu offiçio, Padre, satisfazes.

　　　Pero, Señor Beatísimo, no puedo

dexarme de quexar de su aspereza.　　　635

PAULO.　　　Lean las condiziones, que yo quedo

a la fianza de su gran nobleza.

FRANÇISCO.　　　Pues tú verás que de la paz no exçedo,

humillado a los pies de tu cabeza,

pues para confirmarla están nombrados　　　640

628　　　Two letters deleted at beginning of line.

633+　　*capitulos de paz entre el Cessar y el rey Fran⁰* crossed out. Lope intended this line in
　　　　prose as the heading for Charles's peace conditions, now placed following line
　　　　657, after further dialog.

636　　　Another hand (?) changed *que yo* to *que no*.

625+　　PA: *Vase el Emperador y salen por otra parte el Rey de Francia y gente.*
626　　　PA indicates this character as *Rey.*
626　　　PA: *esperar.*
630　　　PA: *toma.*
630 (after *papel*) + *Toma el papel y dásele al Duque de Alba.*
635　　　PA: *dureza.*
639　　　PA: *grandeza.*

de la parte de Françia dos legados.
Mosiur de Memoranse está presente [12v]
y de Lorena el Cardenal.

PAULO. Reçela,
Françisco, el Çésar. Vengas diferente.

FRANÇISCO. La paz no sufre ardid ni amor cautela. 645
¿Qué legados nombró?

PAULO. Quando se ausente,
Nicolo Perenoto de Granuela
y Cobos quedarán, que es de Castilla
Comendador Mayor.

FRANÇISCO. Tu sacra silla
es tribunal tan justo que bien creo 650
que tendrá mi justicia el lugar justo.

PAULO. Leed Comendador.

COBOS. Siempre el desseo
del Çessar fué la paz.

FRANÇISCO. Oyrla gusto,
aunq[ue], pues no me quiere ver, bien veo
que duran las reliquias del disgusto. 655

COBOS. De aq[ue]l acuerdo de Madrid se acuerda.

FRANÇISCO. Su amigo soy; yo haré que el odio pierda.

Lea Cobos.

Capitulaçiones con que asienta la paz
Carlos Quinto, Çesar Máximo, Enperador

644–657 A new margin established, several spaces to the left.
647 Lope started with *Françisco,* then crossed it out.
652, 656, Above the original text, now crossed out, another hand wrote *Duque de Alua*
657+, *decid.* This version was crossed out with pale ink and *comendador* restored,
658 written below the original text probably by a third hand. *Cobos* was changed
to *duq* in the other lines by the second hand.

---

646 PA: él se ausente.
648 PA: quedará.
651 PA omit *el.*
653 PA: de oilla.
654 PA: ver, yo creo.
657+ PA: *Lee el Duque.*
Prose 2 PA: Carlos V. PA omit *Çesar Máximo.*

de Alemania y Rey de España, con el
Cristianísimo Rey de Françia, Françisco
de Valoes.   *5*
Primeramente, casándo el Duq[ue] de
Orliens, su hijo, con hija del rey Fernando, su
hermano, le dará a Milán, reserbando por
tres años p[ar]a sí las fortalezas.
　Yten, en debolberle el Rey Cristianísimo a   *10*
Hedín al Çesar, al de Saboya / sus tierras   13[r]
y a los herederos de Borbón su estado.
　Más, ha de dexar la amistad de los
tudescos hereges y entrar en la liga
contra el turco, pagando lo que le   *15*
tocare de parte en armas y dineros.

FRANÇISCO.	Quedo, Cobos, no leáys,	
	que son fuertes condiziones.	
PAULO.	Hijos, mal os conformáis.	660
FRANÇISCO.	Oye, Padre, estas razones.	
PAULO.	Vanas razones me days.	

Prose 3　After *con, Françisco de Valoes* crossed out.

Prose
6–7　After *Primeramente* Lope crossed out *dara a Milan al* and wrote *casandosu* [*sic*] *el* above it, consequently deleting *casandose el* in line 7. Lope stopped for the change after *el*, trying to write above the crossed-out version a word beginning with *c*. In the corrected version, he forgot to delete *su* in *casandosu*. Despite the change, the sentence is still awkward because the first *su* refers to *Françisco* and the second to *Carlos V*.

Prose 8　*El . . .* blotted out before *a Milan.*

Prose 11　New page begins with *sus.*

Prose 7　PA: con hija de su hermana [*sic*].

Prose 8–9　PA: dexando reservada . . . la fortaleza.

Prose 10–11　PA: mas ha de dar el Rey Christianísimo a Endín al César. Omit *al de Saboya sus tierras.*

Prose 12　PA: sus estados.

Prose 14　PA: nuestra liga.

Prose 15–16　PA: y por lo menos pagar lo que le tocare de armas y dinero.

661　　PA: dos razones.

662　　PA: Lejos de la paz estáis.

FRANÇISCO.   A Tornay me ha de bolber
        Carlos, y no ha de tener
        las fortalezas que dize   665
        de Milán, con que autorize
        a mi costa su poder.
        ¿Cómo puedo yo dexar
        las amistades que tengo?
        Y si en la liga he de entrar,   670
        no he de pagar; que no vengo
        a perder, sino a ganar.
        Hagan la guerra a su gusto;
        ni quiero parte ni dalla.

PAULO.   Françisco, çesse el disgusto.   675
        Carlos está ausente y calla;
        Dios sabe lo que es más justo.
        Despaçio lo trataremos;
        las treguas por los diez años
        por lo menos confirmemos,   680
        pues en esto no ay engaños.

FRANÇISCO.   Yo digo que en paz quedemos.   [13v]
        Y con tanto el pie te besso.
        Ruega a Dios, Padre, por mí.
        La fee de [Crist]o confiesso   685
        y morir como nazí
        en la que adoro y professo.

        Báxesse con música de las gradas y çiérrese la cortina.

        ✠ *Salgan Dorotea y Leonora.*

---

663   One or two letters deleted before *bolber*.
665–666 *de Milan* deleted at beginning of line 665. New margin established in line 666
        underneath *las*.
685   *Cristo* abbreviated *Xpo*; cf. line 622.
687+ Broken lines above and underneath first sentence of stage direction indicate
        end of scene. The syllables *–tina* of *cortina* are written on a second line, at the
        same level as the broken line.

---

673   PA: haga.
685   PA: profeso.
687   PA: confieso.
687+ PA: *Vanse. Sale Leonor y Fernandillo.* P₇: *Vase.* A: *Salen.*

LEONORA.	¿No tienes tú quien me llebe
	tras el Çésar que se va?
DOROTEA.	Brauo frenesí te da. 690
	Loco amor tus passos muebe.
	Admirado me has.
LEONORA.	¿De qué,
	si sabes lo que es amor?
DOROTEA.	Si he llorado su rigor,
	Dios lo sabe, y yo lo sé. 695
	Pero mira que se aumenta
	amor entre los yguales;
	que desigualdades tales
	conuierte amor en afrenta.
	¡Tú con vn Emperador 700
	de Alemania y Rey de España!
LEONORA.	Esa, Fernando, es hazaña
	de Amor, si es que es dios Amor.
DOROTEA.	Bien dizes, porque ha de hazer
	milagros, si Amor es dios. 705
LEONORA.	El juntarnos a los dos
	como milagro ha de ser.
	Que ame el cordero la obeja,
	la loba al lobo y el abe, 14[r]
	al abe, en su forma cabe, 710
	la misma se lo aconseja.
	Mas que vna simple cordera

---

688   New margin, far to the right, established.
696–699 Boxed in on three sides, open to the right; *no* written on left margin.
709   *abe* is written with heavy strokes, as if to cover up a word or letters written underneath.
710   For *abe* Lope seems to have intended to write first a word beginning with *l* (*lobo?*; cf. line 709). After *abe*, *no es ... graue* (?) deleted and the new words written on the right margin.
711   Two letters at beginning of line crossed out.

---

690   PA indicate this character as *Fernandillo* throughout this scene.
709–710 PA: loba al lobo, el ave al ave,
          en su misma forma cabe.

ame a/un león desigual
y que a/un águila caudal
vna tortolilla quiera,   715
  esso es milagro de Amor
y así lo ha sido querer
a Carlos vna muger
de tan humilde balor.
  Tú me has de llebar a quien   720
me dé a Carlos, pues no es santo;
que los ombres aman quanto
çerca de los ojos ven.
  Gózele y múerame luego.

DOROTEA. Prinçipios tienes de loca.   725
El mismo amor me proboca.   [*Aparte.*]
  ¿Por qué me espanta su fuego?

LEONORA.   ¿No podrá ese caballero
que sirbes llebarme a él?

DOROTEA. No osaré tratar con él   730
lo que me pides, ni aun quiero;   ✝ *Aparte.*
  que le adoro y es ageno
de mi amor; pues si te vee,
podrá ser que al rey te dé
con salba, que eres veneno.   735

LEONORA.   ¿Qué dizes?

DOROTEA.   Que es sospechoso
el soldado con quien vengo
y que en posesión le tengo

732-734 Lope rewrote these lines after having written *por q* at the beginning of line 734, now crossed out. 732: After *y no le ofendo* (?) crossed out and replaced by *y es ageno*. Lope forgot to delete the first *y*. 733: *mucho le . . . y s . . .* crossed out. *de mi amor* written on the left, *pues si te vee* on the right margin.

714-715 PA: y que un águila caudal
        a una tortolilla quiera.
716   PA: ese.
725   A: tiene.
727   PA: tu fuego.
728   A: este.

de atreuido y de amoroso.
Vive Dios, si le doy parte 740 [14v]
de que vienes desse modo,
que se lebante con todo
y que no me alcanze parte.
Querría que a Carlos fuesses
con quien tan fiel te llebase 745
que, después que él te gozasse,
siquiera vn huesso me diesses;
que algo merezco por ser
el cabestro destos toros.

LEONORA. Mejor te cautiben moros 750
que yo venga a tu poder.

DOROTEA. Ríete desso.

LEONORA. ¿Por qué?

DOROTEA. Las mugeres de tu humor
Soys como arina.

LEONORA. Mi amor
tiene vn dueño, vn dios mi fee. 755

DOROTEA. Tres partes la arina tiene:
flor, media arina y salbado
y/una muger de tu estado
a tener las mismas viene.
Goza la flor vn señor 760
y paga el primer bocado,
porque comen regalado
en los deleytes de amor.

744-747 Boxed in on three sides, open to the right. The line under verse 747 is drawn only half across. *No* is written on the left margin.
749 One or two words crossed out after *el.*
753 The *la* of *las* drawn with heavy line as if to blot out letters written underneath.
754 One or two letters blotted out before *Mi.*
755 One or two letters blotted out before *tiene.*

---

743 PA: dexe parte.
748 P_7: alguno.
754 PA: son.
760 PA: el señor.

La media arina tras él
come el mayordomo acaso;   765
que es escritura en traspaso
y se sustituye en él.
     El salbado, que ya es
lo vil destos tres linajes,
viene a ofiziales y pajes   770
y aun a lacayos después.
     Y desta suerte vendrás,   15[r]
Leonor, a parar en mí.

LEONORA.   Quedo, gente viene aquí.

✠ *Entren Pacheco y Serna, lacayos del Enperador.*

PACHECO.   Viue Dios, que estimo en más   775
     que el oficio que me ha dado
el ser v[uest]ra camarada,
Serna, porque en siendo onrrada
haze al que la tiene onrrado
     y deste agradeçimiento,   780
quando Dios nos buelba a España,
veréys si el que os acompaña
es ombre de cunplimiento.

SERNA.   Los soldados como vos
parezen mui bien al lado   785
de Carlos.

PACHECO.   Fuí su soldado
desde que naçí ¡por Dios!
     y no haze mucho en honrrarme
desta plaza.

---

777   SP: ṽro.
780   *El fuego* (?) deleted at beginning of this line. New left-hand margin on the
      remainder of folio 15r, lines 781–801, matches *y*.

774+   PA: *Salen Pacheco y Serna.*
776   PA: al. han.
777   A: vuestro.
781   PA: me lleve.
787–788 PA: y ¡por Dios!/que no haze.

DOROTEA.	Estos soldados
	conozco.
LEONORA.	¿Quién son?
DOROTEA.	Criados 790
	del Çésar. Quiero informarme
	si a España se ha de bolber.
	Dios guarde a vuesas merzedes.
LEONORA.	Si fiar de alguno puedes,
	no lo dexes de enprender. 795
PACHECO.	Vuesa merçed sea venido
	en buen ora. ¿Qué nos manda?
DOROTEA.	Pensamos que el Çésar anda
	de partida o que es partido.
PACHECO.	Aconpañó con su armada 800
	al Papa.
DOROTEA.	¿Hasta dónde fué?
PACHECO.	Hasta Génoua, en que el pie [15v]
	le bessó y haziendo aguada
	mandó las proas poner
	desde Génoua la bella 805
	a España.
DOROTEA.	¿Entrará en Marsella?
SERNA.	¿Cómo? Ni aun la piensa ver,
	aunq[ue] Françisco le ruega
	que entre en ella y se regale.
PACHECO.	Con diuerso yntento sale, 810
	aunq[ue] a la vista nauega.

---

800   Crossed out *Al papa . . . s.* New line written underneath.
804   At beginning of line, *deste puerto* (?) deleted. New left-hand margin for the
          remainder of folio 15v, lines 805–831, matches *mandó.*
805   Lope began this verse with *a España,* then crossed it out and started a new line.

---

789   PA: a estos soldados.
792   PA: han.
804   PA: volver.
805   PA: desde Génova hacia España.
806   PA: ¿Entrará en Marsella? A carries note: "verso incompleto."
807   PA omit *aun.*

DOROTEA.   Dezían que el Rey de Françia
             quería verse con él.
SERNA.   Húyele Carlos, que dél
             no espera paz de ymportanzia.   815
               ¿Vays vos a España, por dicha?
DOROTEA.   Y llebo esta dama allá.
PACHECO.   ¿A España? Pues, ¿a qué va?
DOROTEA.   Llébala çierta desdicha.
               Dará vna cadena a quien   820
             la llebe al Enperador;
             que aun para ablar a/un señor,
             esto es menester tanbién.
PACHECO.   Los dos çerca dél estamos.
             El se enbarca; vamos juntos,   825
             que yo entiendo mal los puntos.
DOROTEA.   Quedo, por mi vida, y bamos;
               que tiene çiertas joyuelas
             y habemos de yr a la parte.
PACHECO.   Treynta abrazos quiero darte.   830
               ¿Quién eres?
DOROTEA.   Paje de espuelas
             de vn soldado y español.   16[r]
PACHECO.   ¿Quién es?
DOROTEA.   Don Ju[an] de Mendoza.
PACHECO.   Pues ¿qué pretende esta moza?
DOROTEA.   Verse en los rayos del sol   835
               quiere.
PACHECO.   ¿Qué ay que te abergüenze?
DOROTEA.   Ver de Carlos en presençia
             donde tiene la potençia
             con que las batallas venze.
PACHECO.   No entiendo bien al misterio.   840

---

814   To the left of *Ser* there appears in different ink and by a different hand *Dorotea*
      and underneath *Pachc.* or *Pache.* One thick pen stroke crossed out both *Ser* and
      Dorotea. Lope abbreviates the name of Pacheco to *Pa*, Dorotea to *Do*.

---

822   PA omit *aun*.

4

DOROTEA.   Quiere, escucha te suplico,
            medir las uñas y el pico
            al águila del imperio.
PACHECO.   Agora entiendo peor.
            ¿No puede liso dezirse?   845
DOROTEA.   Quiere con Carlos medirse,
            para ver quál es mayor.
                Quiere ser enperadora,
            y está por serlo perdida,
            si no por toda la vida,   850
            a lo menos por vn ora.
PACHECO.   Ya entiendo. Déxame bella.
            Dios guarde a vuesa merzed.
            Por mi fee, que haze merzed
            con vella, porque es mui vella.   855
                Si queréys, señora, hablar
            al Çésar, venid conmigo;
            que su casa y canpo sigo
            y oy quiere alargarse al mar.
                No os faltará en la galera   860
            de aquí a España conpañía.
LEONORA.   Estimo la cortesía.
PACHECO.   La suya parte ligera.
                [En la que] voy pod[réy]s yr
            y es fuerza que luego sea.   865 [16v]
LEONORA.   Soy muger. Amor dessea
            porfiar hasta morir.
PACHECO.   El señor Serna es mi amigo;
            bien yrá vuesa merzed.

848–851 Boxed in on three sides, open to the right; *No* is written on the left margin.
859   Lope started one letter (*q*?), blotted it out with *y*, but wrote another *y* besides,
        without deleting the first.
862–864 These lines, at the bottom of the page, blurred from much handling. SP:
        podréis.

---

849   PA: y por eso está perdida.
857   PA: veníos.
864   PA: podéis.

LEONORA.	Espero toda merzed. 870
	Carlos, por la mar te sigo
	y por el ynfierno osara,
	si allá fueras, como Eneas.
SERNA.	Vamos, porque el gusto veas
	con que vn español te ampara. 875
PACHECO.	¿Vienes?
DOROTEA.	¿No quieres que passe?
PACHECO.	Pues ya çarpan. Ven tras mí.
DOROTEA.	Graçias a Dios, que salí
	de que don Ju[an] la topase. [*Vanse.*]

El Rey de Françia, Memoranse y [gente.]

FRANÇISCO.	¿Que no quiere seruirse de mi casa? 880
	¿Que no quiere pasar Carlos, mosiures,
	siquiera por Marsella y Aguas Muertas?
MEMORANSE.	Yo le di tu recado y de tu parte
	le pedí, las rodillas por el suelo,
	que, pues pasaua por Marsella, entrase 885
	siquiera a ver las fuerzas de Marsell[a],
	que todos le darían puerta y llabes.
FRANÇISCO.	¿Qué tiene Carlos, mi cuñado, príncipes?
	¿No se fía de mí? ¿Piensa, por dicha,
	que tengo de prenderle yo en mi tierra, 890
	la paz jurada y por terzero el Papa?
	Pues ¿cómo, si yo fuí su presso en guerra,
	en paz le he de prender?

879+   A broken line, ending in a *rúbrica*, indicates end of scene.   Stage direction:
        Lope forgot to write *gente*. SP and PA supply it.
880   New margin, far to the right, established to bottom of page.

---

870   P₇: mucha merced.
879+   PA: *Sale* (A. *Salen*) *el Rey de Francia y Monsiur* (A: *monsieur*) *de Memoranse y*
        gente.
883   PA omit *y*.
886   PA: siquiera por las puertas del castillo.
890–892 PA reduce these three lines to two, omitting the idea of verse 891:
        PA: que yo le he de engañar? Pues ¿cómo puedo,
          si fuí su prisionero en justa guerra?

MEMORANSE.   Pues ¿no le obliga
              Leonor, su hermana, reyna a[m]ada [nuestra]
              y tu muger? Mui poco amor te muestra.   895   17[r]

              ✠ *Jua[n] entre.*

DON JUAN.   Carlos, que con mal t[iemp]o ha nauegado,
              en la ysla de Hieros detenido,
              salir quiso por fuerza de los remos.
              Que estubo en ella. Al quinto día
              hallóse al alba çerca de Marsella,   900
              donde le hizieron salba con gran gusto
              veynte galeras tuyas que vinieron
              con él hasta las Pomas, y el castillo
              que está sobre sus peñas, disparando

---

894   Second half of this line at bottom of page blurred from handling.

895+   It seems that Lope wrote first *entre* and then to the left *Jua*. The *J* is hidden by
             the binding. In addition to the cross potent, there is some kind of a *rúbrica* on
             the left margin between lines 895 and 896. Here, as well as line 919, there is
             interference with character designation, as if to assign these speeches to Pacheco.
             However, in line 928 this character is definitely indicated by *Do Ju⁰*.

895+   SP: *Sale vn Mensajero.*

896–918,
919–920,   SP assigns these lines to *Mensag.⁰*
928

896–897   SP: ha venido / nabegando en la Ysla. Line 896 is one syllable short, 897 one
             syllable too long in SP.

899   Lope deleted *con tpo fuera Carlo* and wrote *q estubo en ella* on the left margin.
             As the line stands, it is corrupt as to versification (only nine syllables) and sense.
             SP: con los qe estubo en ella.

901–915   These lines are boxed in on four sides in four different sections: a) 901–903,
             b) 904–906, c) 907–912, d) 913–915. The first three sections each are further
             marked for omission by several diagonal lines and horizontal lines crossing out
             the first word or words of each line. Sections b, c, and d are joined by a long
             bracket on the left. To the left of lines 901–903 is written *no*, to the right *sí*.
             To the left of lines 904–906 a *no*, but crossed out; in the middle of lines 904–915,
             opposite line 909, appears a weak *no*, and opposite line 914 some doodling
             which could be interpreted as *S* and *J* plus a *rúbrica*.

---

894   PA: su hermana amada, reina nuestra.

895+   PA: *Sale un mensajero.*

899   PA: de los que estuvo en él al quinto día.

904   PA: las peñas.

estraña cantidad de artillería,   905
le reçiuió con sus vezinos todos.
Pasó por medio dél y en tanto fueron
muchos de los señores españoles
a Marsella en que hallaron lebantadas
las cadenas del puerto. Entraron dentro   910
y olgáronse de ver el alegría
con que fueron de todos reçiuidos.
Tomó refresco y al venir la noche
creçió el mal t[iem]po y fuéles neçesario
que se apartasen las galeras todas.   915
Rompió el timón en la que Carlos viene
y así le fué forzoso, aunq[ue] no quiso,
desenbarcar aquí.

FRANÇISCO.   Pídeme albriçias:
Carlos está en mi tierra.

DON JUAN.   Está en tu puerto,
aunque de la galera no ha salido.   920

FRANÇISCO.   Oy quiero que mi amor conozca Carlos.
Apréstame vna barca, porque solo,
sin más que los remeros que la lleben,
le quiero visitar y asegurarle.

[MEMORANSE.] [Señ]or, ¿qué dizes? Mira no te lleben   925
[otra vez] donde. . . .

[FRANÇISCO.]   [Calla, Memoranse,]
que Carlos es quien es, yo el Rey de Françia.   [17v]

---

911   *Regozijo* (?) crossed out before *alegría*.
925-926 First part of line 925 and almost all of line 926, at bottom of page, blurred out
        by handling.

---

906   PA: Le recibieron todos sus vezinos.
907   PA omit *y*.
911   PA omit *y*.
913   PA: y al volver la noche.
914   PA omit *y*. fuéle.
916   PA: vino.
917   Pa omit *y*.
922   PA: aprestadme.
923   PA: de dos remeros.

DON JUAN.   ¡Grandeza estraña!
MEMORANSE.   A Carlos ha venzido,
               pues en su tierra se le da rendido.

✠ *Descúbrase con faena vn espolón de galera y Ca[rlos] enél*
   con otros prínçipes y Andrea de Oria y el d. . . .

CARLOS.   A desdicha lo he tenido.   930
ANDREA.   Señor, no tengáis pesar.
CARLOS.   ¡Que aquí viniese a llegar,
               garzés y timón ronpido!
               Andrea de Oria, ¿qué haremos?
ANDREA.   Señor, no ay que prohejar,   935
               sino sufrir y esperar
               hasta que el t[iem]po troquemos.

✠ *Vayan dos remeros sacando vn barquil[lo] al teatro y en él el*
   Rey de Françia.

FRANÇISCO.   ¡Acosta, acosta! ¡A la orilla
               llega! ¡Aborda a la galera!
ANDREA.   Vn franzés a la ligera   940
               se açerca en vna barquilla.
               ¡Jesús!
CARLOS.   ¿Qué te espanta, Andrea?
ANDREA.   ¡El Rey de Françia, Señor!
CARLOS.   Notable amor y balor.

---

928   PA assign the words *Grandeza estraña* to Memoranse.
929+   PA: *Vanse. Hacen ruido de desembarcar. Salen el Emperador y Andrea Doria y gente.*
         PA write the name "Doria" throughout the scene.
931   PA: tomes pesar.
933   A: bauprés y timón.
935   PA: porfiar.
936   PA: aguardar.
937   PA: esperemos.
937+   PA: *Dentro el Rey de Francia.*
941+   PA: *Sacan al rey dos grumetes.*
942   PA: ¡Jesús, Jesús! Emp. ¿Qué te espanta?

✠ *La barca aborde a la galera.*

FRANÇISCO.	Tu magestad sacra sea	945
	a mi tierra bien venido.	
CARLOS.	¡Jesús, señor!	
FRANÇISCO.	¡Llega aquí!	
CARLOS.	¿V[uest]ra magestad ansí?	
FRANÇISCO.	Hermano, la mano os pi[do].	
	[Dádme]la, dádmela, [hermano].	950
	Veysme aquí en v[uest]ra prisión	[18r]
	segunda vez.	
CARLOS.	Estas son	
	de vn príncipe soberano	
	hazañas de eterna gloria.	
FRANÇISCO.	Aquí estoy como en Madrid.	955
	¡Prended, rescatad, pedid!	
CARLOS.	Que perdonéys a Andrea de Oria.	
FRANÇISCO.	Yo le perdono por vos.	
CARLOS.	Entrad, comeréys conmigo.	
FRANÇISCO.	Ved a v[uest]ra hermana, amigo.	960
ANDREA.	¡Qué amistad!	
ALBA.	Trazóla Dios.	

Con chirimías y salba de la chusma se çierre.

MLo [*Rúbrica.*] *Fin del p*[*rimer*]*o acto.*
[*Rúbrica.*]

944+   An illegible word deleted underneath the cross potent. *La* is written to the right of the deleted word.

947   Lope originally gave the whole line to Carlos, making it end in *por aquí.* Then he crossed out *por aquí* and squeezed in *Fra llega aq*[*ui*]; *ui* is covered by the binding.

949–950 The portions of the text in square brackets are blurred from handling.

957   The final *a* of *Andrea* is written on top of the *e.*

958   Lope deleted *Dios* and replaced the word by *vos.*

961, 961+ Text underlined by broken lines. The first *rúbrica* begins with *MLo.*

944+   Omitted in PA.

961+   P₄,₅ A: *Vanse.* P₇: *Vase.*

Los q[ue] hablan en el 2º Acto

D. Ju[an] de Mendoza
Dorotea.
Pacheco
y Leonor
Carlos Quinto
Cobos
El Duque del Infantado
El Conde de Benauente
El Condestable de Castilla
Vn alcalde de corte
Vn alguaçil
Mosiur de Memoranse
Don Albaro de Sande
[El Duq[ue] de Alba.]

[Rúbrica.]

Cast of characters written on unnumbered folio with verso blank. A simple cross in the center on top of page. Immediately to the right of all characters, except *Vn alcalde de corte* and *vn alguaçil*, there is a cross. In addition, the first five characters and *Mosiur de Memoranse* have a vertical dash to their left. Four characters, from *El Conde de Benauente* to *vn alguaçil*, show a dash, slanted upward from left to right. Vertical rubrica in blank space below name of last character.

Fol. 1r: JM in center of page, as usual (cf. note before Act I). *Pª* written in the upper right-hand corner of the folio. The number 2 is written with large elaborate strokes, resembling a capital Z. This folio and, to a lesser degree, the blank folio [19a] opposite are soiled black, from much handling, on the lower half of the margin.

Don Ju[an] de Mendoza y Dorotea en su háuito de paje.

JUAN.   Estraña vienes de çelos,
                 çelos a todas las oras.
DOROTEA.   Pienso. . . .
JUAN.   Piensas mal.
DOROTEA.
                            . . . que adoras.
JUAN.   Que adoro plega a los çielos.   965
DOROTEA.   Esta muger está neçia,
                 que ha dado en esta locura.
JUAN.   Sus méritos y hermosura
                 quien tiene çelos despreçia.
                    Mira que te tengo amor   970
                 que en obras se puede ver
                 y que uiene esa muger
                 siguiendo al Enperador.
DOROTEA.   Harto procuré escondella
                 de tus ojos nauegando,
                 no temiendo ni pensando   975
                 que era tan hermosa y bella,
                    sino al verla tan liuiana,
                 que es lo que al ombre proboca;
                 que muger que en libre toca   980
                 el passo a su gusto allana.

978–981   This *redondilla* boxed in on three sides with the line under verse 981
          reaching only the *p* of *passo.* Two *no*'s, one below the other, on the left margin.
          To this was added a heavy pen stroke on the right side with two heavily
          penned *no*'s, one below the other, on the right margin.

961+   See note on cast of characters, p. 104.
962–1093 Omitted in PA.

	No temo yo su hermosura	
	sino su façilidad.	
JUAN.	Bien sé que la libertad	
	la pretensión asegura.	985
	Pero puesto que pareze	
	liuiandad dexar su cassa	1[v]
	y que a tierra estraña passa,	
	diuerso nombre mereze;	
	que no sigue vn español	990
	de los que en el campo van,	
	ofiçial o capitán.	
DOROTEA.	Pues ¿ qué sigue?	
JUAN.	El mismo sol.	
DOROTEA.	Y mientras el sol no açeta	
	que entre sus rayos se abrase,	995
	¿ no puede ser que topase	
	allí çerca otro planeta?	
JUAN.	En toda la enbarcaçión	
	te consentí que creyesses,	
	quando aq[ue]sta muger vieses,	1000
	tu propia ymaginación:	
	en la entrada de Marsella	
	y quando desenbarcamos	
	en Barzelona y tomamos	
	puerto con mal tiempo en ella,	1005
	en el camino después	
	de Valençia a esta çiudad,	
	o ya por su libertad	
	o ya porque hermosa es.	
	Mas que llegando a Toledo,	1010
	donde Carlos cortes haze,	
	tengas çelos, ¿ de qué naze?	
DOROTEA.	Naze de que amor es miedo.	

1002–1009 Two *redondillas* boxed in on four sides, marked with two slightly slanted dashes on the two left-hand corners. On the left margin, we read, in vertical sequence: *si, no, si.* Of these, *no* is the most conspicuous in size and by its heavy inking. It covers some doodling in which the letters *go* or *jo* could possibly be recognized.

JUAN. 　¡Vna muger estrangera!
　　　　¿Dónde las ay tan hermosas?　　　　　1015
DOROTEA.　En las pasiones çelosas
　　　　luego la razón se altera;
　　　　no reyna el entendimi[ent]o　　　　　　2[r]
　　　　ni los sentidos discurren,
　　　　sino las cosas que ocurren　　　　　　1020
　　　　al primero mouimiento.
　　　　El reyno de la hermosura
　　　　dizen que es esta çiudad,
　　　　que ya por antigüedad
　　　　primero lugar procura.　　　　　　　1025
　　　　Pero si en tus ojos veo
　　　　a Leonor inclinaçión,
　　　　más justos mis çelos son,
　　　　donde te lleba el desseo.
JUAN.　　Ya me cansas, Dorotea,　　　　　1030
　　　　y a no me ser tan forzoso
　　　　esperar a que el famoso
　　　　Carlos las cosas probea,
　　　　para que de Flandes vine,
　　　　de Toledo me partiera,　　　　　　1035
　　　　antes que ocasión te diera
　　　　a que tu amor desatine.
　　　　Las cortes que Carlos haze
　　　　en Toledo para ver
　　　　si España con su poder　　　　　　1040
　　　　a su yntençión satisfaze
　　　　y con dinero le acude
　　　　para la guerra a que van
　　　　contra el turco Solimán,
　　　　antes que el tiempo se mude.　　　1045

1018–1029 Boxed in on all four sides. Two *no*'s on each margin, one above the other
　　　　with blank spaces corresponding to two or three lines between them.
1038　　On the left margin there is a mark consisting of two horizontal dashes joined
　　　　by a vertical line on the right. A weak, hesitant line runs down from this
　　　　mark fading out towards the end of the folio (line 1049). It looks as if some-
　　　　one had considered this passage for omission.

Los de la liga jurada
con tan santo pensamiento
son el mismo fundamento
de mi propuesta embaxada,
    porque la Reyna María,   1050   [2v]
que con ella me enbió,
mal contenta despidió
la española ynfantería;
    que como pazes se han echo
con Franzia, la soldadesca,   1055
ya española y ya tudesca,
viendo que çesa el probecho,
    piden paga y en motín
rebelados se defienden
y sin dineros no entienden   1060
que tendrá su enojo fin.
    Los que están en Lombardía,
que después de tanto gasto
no paga el Marq[ué]s del Vasto,
muestran mayor rebeldía   1065
    y los de don Bernardino
de Mendoza en la Goleta,
que de tal suerte inquieta
la paga y la paz indina
    que don Albaro de Sande   1070
contra ellos campo forma.

1049   Lope wrote first *jornada*, then immediately to the right, *embaxada*.

1050–1073 This passage is boxed in on four sides. After line 1053 a subdivision seems to have been made with different ink later on. There is also a mark to the left of line 1074, which may correspond to the mark to the left of line 1038 indicating the end of the passage considered for omission. In addition, there is a sort of cross after *pide* (line 1074), the crossbar of which starts through the -*de* of this word. Four *no*'s, two on each margin of the text, are placed one above the other at irregular distance, to the right and left of line 1056, to the left of line 1061 and to the right of line 1064.

1057   Lope erroneously wrote first *probecha*, then he or somebody else made the correction.

1069   Lope undoubtedly wrote *indina* as the sense required, thus violating the rhyme with *Bernardino*. He or someone else changed *indina* to *indino*. SP: *indino*.

De todo Carlos se ynforma
y el mal estado de Gante
y pide a España dinero.
Bien será que te reportes; 1075
que en acabando las Cortes
partirme a Flandes espero.

DOROTEA. Como yo tus ojos vea
menos trauiessos, don Juan, 3[r]
y que solamente van 1080
al alma de Dorothea,
que duren ruego a los çielos
las Cortes vn siglo.

JUAN. Aguarda;
que siento venir la guarda.

DOROTEA. La tuya serán mis çelos. 1085

JUAN. Creo que los grandes son
que a las Cortes han venido.

DOROTEA. Pues que el Çesar no ha salido,
oy tendrás resoluçíon.
¡Ay de mi negra ventura! 1090
Pacheco tray a Leonor.

JUAN. Mira que al Enperador
yntroduzirla procura.
Dexa esos vanos antojos. [*Vanse.*]

Pacheco y Leonor.

PACHECO. Llégate, Leonor, aquí; 1095
que yo haré que ponga en ti
el Emperador los ojos;

1075   *d——j——* deleted at beginning of line.
1082   *Pido* (?) at beginning of line and *plege a* after *duren* deleted.
1085   Line halfway below verse 1085 indicates the approaching of new characters.

1094   PA assign this line to Pacheco and read *deja ya vanos.*
1094+   PA: *Salen Pacheco y Leonor.*

porque estoy ya tan pribado
y çerca de su persona,
desde que vió en Barzelona   1100
que maté vn ombre a su lado
en çierta reboluçión
que suçedió en su presençia,
que desde aq[ue]lla pendenzia
me muestra grande afiçión.   1105

LEONORA.   ¡ Ay, Pacheco! Si quisiese
Amor que el César mirase
lo que me cuesta y llegasse
a que mi pena entendiesse,
por justa y bien empleada   1110   [3v]
daría mi perdizión.

              Tocan.

Qué es esto?

PACHECO.   Los grandes son
que para aq[ue]sta jornada
junta Carlos en Toledo.
Mira con qué magestad   1115
passan y la gran çiudad
los mira.

LEONORA.   Si no es que puedo
ver a mi Carlos, no ay cosa,
Pacheco, a mis ojos grande.
Haz que a verle entrar me mande   1120
aq[ue]lla presençia hermosa,
aq[ue]llas sienes çeñidas
de laurel por mil vitorias,
que apenas a sus historias
se podrán ver reduçidas;   1125
aq[ue]l pecho que tenblaua

1099   P: y acerca.
1106   P: Y Pacheco.
1111+   PA: *Suenan cajas dentro.*
1115   PA: gravedad.
1124   PA: de sus.

el Asia, quando le uió
armado en blanco, y entró
por Túnez, que en tierra estaua;
   aq[ue]l que desde aq[ue]l día   1130
Çesar Africano llama
y haziendo los de la fama
diez onrró su compañía;
   porque nunca de Trajano,
de Çesar ni Sçipíón   1135
cuentan más obstentazión
en el aplauso romano.
   Gózele yo, y esta vida
se acabe allí.

PACHECO.	Loca estás.	
LEONORA.	Cuerda estoy. Merece más.	1140
PACHECO.	¡Brauo amor!	
LEONORA.	Estoi perdida,	4[r]

no lo dudes. Si comiendo
me acuerdo, en lo que me dan
como a Carlos; porque están
su rostro mis ojos uiendo.   1145
   Si vebo, allí a Carlos bebo,
como el mordido de rabia
que ve el perro que le agrabia,
dentro del agua que pruebo.
   Si duermo, mis sueños son   1150
que Carlos me trata mal.
Si me uisto, estoy mortal;
Carlos mis vestidos son.
   Si vna pared uiendo estoy,

1154   This line had first one version now illegible, but probably beginning, as now, with *si*. There followed a second version, *si miro alguna pared*, the first three words of which were written over the first version to blot it out. *Pared* was the rhyme word of both versions. For the final form, Lope wrote *si vna* on the left margin and *uiendo estoy* to the right of *pared*.

1145   PA: a Carlos mis ojos viendo.
1148   PA: veo el perro que me agrauia.

allí le miro pintado.   1155
Como sombra está a mi lado
por dondequiera que voy.
No sé qué tengo de hazer.

PACHECO.   Oye, que los grandes van
al alcazar.

LEONORA.   Mal podrán   1160
con el sol resplandezer.

✠ *Entren con música y aconpañamiento los grandes que puedan,
llebando en medio el Cardenal Tabera, y bayan passando
con orden.*

PACHECO.   Aquel alto es don Fernando
de Toledo, Duq[ue] de Alba;
que está del ocaso al alba
su sol el Asia temblando.   1165
Aquel en la paz afable
y en guerra vn firme peñasco   [4v]
es Yñigo de Velasco,
de Castilla Condestable.
Aq[ue]l que la ancha cuchilla   1170
terzia de aq[ue]lla manera
es Luis Enríq[ue]z Cabrera,
Almirante de Castilla.
El que después yba enfrente
y uiste que habló con él   1175
es don Pedro Pimentel,
gran Conde de Benauente.

1164   *Desde* (?) deleted after *q.*

1156   PA: va.
1161   PA: sin el sol.
1161+   Omitted in PA.
1165   PA: el sol del Asia.
1170   PA: el ancha.
1174   PA: el que va después enfrente.

Es el de las plumas roxas
que a los dos se sigue luego
el Marqués de Denia, Diego   1180
Gómez Sandobal y Roxas,
  y aquel que lleua a su lado
y de tenerle se goza,
Yñigo López Mendoza,
gran Duque del Infantado.   1185
  Aq[ue]l de la roxa vanda
que yba en medio de los tres,
don Juan de Cúñiga es,
Conde ylustre de Miranda.
  Es el otro, y cuya espada   1190
ganó estatuas de alabastro,
Pedro Fernández de Castro,
Conde de Lemos y Andrada,
  y aq[ue]l cuyo talle ayroso
muebe a tenerle afiçión,   1195

1178–1180 The original version of these lines was:
(*aql*) *de las plumas roxas*
(*era el famoso marques*)
de Denia / (*don* ?) *Diego* (*es*).
The words in parenthesis are deleted. For the new version Lope wrote *Es*,
three letters now deleted, and *el* to the left of line 1178, *q a los dos se* to the left
and *sigue* to the right of the completed deleted line 1179, and *el marques* to
the left of line 1180.

1182   The original line began with *el* (?). This word and two or three letters after
lleua were deleted. An attempt was made to write a new beginning of the
line in the left space, of which *y* is still recognizable. *Y aquel* was finally
written into the available space left of the deleted second version. The
margin of lines 1183–1189 is moved two to three spaces to the left.

1190   The original form of this line was *aquel de la roxa* (?) *espada. Es el otro* was
written on the left, *y cuya espada* on the right margin.

1194–1195 The final version is written on the right-hand margin. Of the discarded
version, we recognize *y . . . ql del talle ayroso, y* written in front of a heavily
deleted spot.

1182   PA omit *y*.
1186–1193 Omitted in PA.
1194   PA omit *y*.

don Pedro Téllez Girón,
Duq[ue] de Osuna famoso.
   Con don Albaro Bazán,   [5r]
de los turcos rayo y fuego,
yba el gran Marq[ué]s de Priego,   1200
sangre del Gran Capitán.
   Dos Duques de dos Medinas
son los dos que juntos van,
Çeli y Sidonia, Guzmán
y Çerda, cassas diuinas.   1205
   Mira el de Béjar allí,
Marq[ué]s de Gibraleón,
Cúñiga, cuyo blasón
el Africa tienbla aquí.
   Es aquél que con tal lustre   1210
de canas onrra su cara
don Ju[an] Manrriq[ue] de Lara,
de Náxara Duq[ue] ylustre.

1198–1200 The original version was:
Es don Albaro Bazan
aql q le sigue luego
con el gran Marqs de Priego
Later *con* was written to the left of deleted *Es*; *de los* to the left and *Turcos*
rayo y fuego to the right of the completely discarded line 1199, *yba* to the left
of deleted *con*. Note that the discarded version repeats *sigue luego* of line
1179.

1203–1204 These lines originally read:
yban juntos porque son
çeli y sidonia blason
Son los dos is written to the left, *q juntos van* to the right of the discarded
version of line 1203. *Guzman* is written to the right of deleted *blason*.

1207   At beginning of verse, *q va* (?) deleted. The margin of lines 1208–1209
matches *Marq[ué]s* of line 1207. Lines 1210–1221 are properly centered.

1210   Lope wrote first *de tant*, deleted it when he realized that he would have a
nine-syllable line, and went on with the present text.

1200   P: Pliego.
1213   PA: Nájera.

	Yba con el de Maqueda	
	y el Comendador Mayor	1215
	Cobos, que el Enperador. . . .	
LEONORA.	Tenblando el alma me queda,	
	luego que su nombre escucho.	
PACHECO.	Mas no te quiero cansar	
	ni en tanta grandeza hablar,	1220
	que es tarde y me obligo a mucho.	

        Mil títulos y señores
        dexo que vienen allí.
        Pero no es justo que ansí
        calle los debidos loores   1225
           a aquel insigne prelado
        que ba onrrándolos a todos,
        aunq[ue] de tan barios modos   [5v]
        yba de todos onrrado.
           Aquél es el Cardenal   1230
        de Santa Cruz, justamente
        de Castilla Presidente
        y Ynquisidor General.
           Su nonbre es don Ju[an] Tabera,
        Arçobispo de Toledo.   1235

1218	*Escucho* deleted after *q*. Change made for the sake of the rhyme.
1222	Lope began the line first with *mil prínçipes*, deleted these two words and wrote *mil titulos* in the small space to the left. For the remainder of the folio (lines 1223–1227 he followed the new margin.
1223	Lope wrote *alli* to the right of crossed out *aqui*.
1227	Lope probably wrote first *q yba onrrado dellos dos*, then crossed out *y, do dellos dos*, and went on with ——*ndolos a todos*.
1231–1232	Lope deleted after *Cruz, digna silla*(?)/*presiden*, and wrote *justamente* to the right of line 1231. Lines 1233–1237 match the new margin established by *de* of line 1232.

1214	PA: y va.
1220	PA: y en.
1225	PA: sus divinos.
1226	PA omit *a*. P₄, A: perlado.
1233	A: e.

Pero proseguir no puedo.
Su Magestad sale; espera.

✠ *Guarda de alabarderos con librea, si la hubiere; acompañamiento y el Enperador. Llégase a él Pacheco y dízele mirándole con buena gr[açi]a.*

CARLOS.	¿Quieres algo?	
PACHECO.	Hablarte quiero.	
CARLOS.	¿Trahes algún memorial?	
PACHECO.	Tu magestad imperial	1240
	sepa que oy soy su terzero.	
CARLOS.	¿Qué dizes?	
PACHECO.	Ponga los ojos	
	en esa hermosa muger.	
CARLOS.	¿Esta? ¿Qué puede querer?	
PACHECO.	Tráenla çiertos antojos	1245
	desde Nisa de Proenza.	
CARLOS.	¿Es muger de algún soldado?	
	Habla. ¿De qué estás turbado	
	y ella mira con vergüenza?	
	Si algo me quiere pedir,	1250
	dile que me llegue a hablar.	
PACHECO.	Lo que quiere negoziar	
	no lo puede aquí dezir.	
	Enamoróle tu fama,	6[r]
	confirmóla tu presençia	1255
	y quiere que des liçençia. . . .	
CARLOS.	¡No más! A la muger llama.	

1237	The original line *q sale Carlos espera* was already underlined to indicate appearance of new characters when Lope crossed it out. Underneath he started with *Carlo*, crossed it out, and went on with the present line.
1237+	The first *e* in *dizele* looks almost like an *o*.

1237+	PA: *Sale el Emperador, el Duque de Alba y acompañamiento, y llega Pacheco a tirarle de la capa.* P₅: *Salen.* P: *allega.*
1254	PA: enamoróla.
1256	PA: y pide.

PACHECO.	Llega, Leonor.
CARLOS.	¿Qué me quieres?
LEONORA.	¿No lo sabes?
CARLOS.	No lo sé;

pero desde oy más sabré   1260
lo que sabéys las mugeres.
¡Cobos!

COBOS.	¡Señor!
CARLOS.	Dalde a ésta

con que a su tierra se baya.

LEONORA.   Tu respeto me desmaya
y mátame tu respuesta.   1265

CARLOS.   Dalde quatro mil ducados
y no esté vn ora en Toledo.
De ti, Pacheco, ¿qué puedo
deçir? ¿Cómo los soldados
   en estas cosas se enplean?   1270

PACHECO. No sé lo que te quería.

CARLOS.   Pacheco, amor te tenía.
No permitas que me vean
   tales mugeres a mí,
que ni tú serás soldado   1275
ni yo Carlos, si as pensado
que eso cabe en mí y en ti.
   Quando estemos en la guerra,
tráheme cabezas de moros
a trueco de los tesoros   1280
que la bella España ençierra.
   Si te ha enseñado el seruir
con desseo de agradar

1262	The text read first *Cobos*. This was replaced by *duq de alva* written above *Cobos*. The *Cobos*, indicating the character speaking, was not changed.
1270	Lope started to write *se enp* when he discovered he had omitted *cosas*.

1262	PA omit *de Alua* and assign the reply to *Duque* (P) or *Duque de Alba* (A).
1272	A: me tenía.
1277	PA: esto.
1282	PA: a seruir.
1283	PA: el deseo.

a lisongear y a errar,
a pretender y a fingir,   1285   [6v]
   mejor con vna ventaja
estarás en Lombardía.

PACHECO.   No pensé qué pretendía
esta muger.

CARLOS.   La boz baja
y aprende para otra vez   1290
a respetar mi persona,
porque no siempre perdona
el más piadoso juez.

✠ *El Enperador se baya y queden solos Pacheco y Leonor.*

PACHECO.   Señor, juramento hago
a la que traygo ceñida   1295
por vida v[uest]ra y por vida. . . .
Fuésse; tengo el justo pago.
   Mas por vida, a deçir torno,
del Marqués que me crió,
porque presumáis que yo   1300
de otras enpressas me adorno,
   de daros el primer día
que en la guerra esté con vos
más cabezas. . . . Mas ¡ por Dios,
que fuera mexor la mía!   1305
   ¿ Qué hize, triste de mí?
¿ Cómo al mismo sol llegué?
¿ Cómo sus rayos turbé
y a su valor me atreuí?

1298   Last word, *buelbo*, deleted and replaced by *torno* written immediately to the
        right.
1309   Lope wrote first *y su sol escurezi*, then wrote the present version immediately
        to the right.

1288   PA: No entendí.
1293+   PA: *Vase el Emperador y los demás y el Duque.*
1308–1309 PA: ¿ cómo a su cielo miré / y a sus rayos me atreví?

Pero bien se lo he pagado, 1310
pues de su alcazar eterno
caygo por mi mal gouierno
al çentro de mi cuidado.
    No conozí su virtud,
atreuíme a su balor; 1315
el rayo de su furor 7[r]
vendrá contra mi salud.
    Moriré por el oydo;
palabras de rey y malas
son de artillería balas 1320
que matan con el sonido.
    ¿ Qué te pareze, Leonor,
lo que he medrado por ti?

LEONORA. ¡ O, qué lindo para mí!
¡ Quedo, quedo, Enperador! 1325
    ¡Enperador, quedo, quedo;
que andamos todos errados!
"Dalde quatro mil ducados
y no esté vn ora en Toledo."
    Malos años y mal mes, 1330
que yo soy la Enperadora.

PACHECO. Esto nos faltaua agora.
¿ Qué tienes?

LEONORA.   ¿ Ya no lo ves?
    Tengo vna desconfiança,
que fué esperança fingida; 1335
tengo vna cansada vida
que nunca a la muerte alcanza;
    tengo vna sentençia injusta
de vn injusto atreuimiento;
tengo vn alto pensamiento 1340
que de mis desdichas gusta;

1314–1317 Omitted in PA.
1319   PA: de un rey.
1325   P: que yo quedo Emperador.
1330   A: malos amos.
1332   PA: me faltaba.

                    tengo vn alma de Faetón
                    que al sol quiso hurtar el carro;
                    tengo vn yntento bizarro
                    de ymposible execuçión.   1345
                    Tengo mil dificultades
                    que allanaua el ser muger,   [7v]
                    si el amor supiera hazer
                    cadenas de voluntades.
                    Mis eslabones de plomo   1350
                    y los del oro de Carlos
                    no supo el rapaz juntarlos,
                    aunque le dixeron cómo.
                    Tengo esta pena cruel.
                    Mas ¿por qué Carlos condena   1355
                    esta alma a ynfierno de pena?
                    ¿Es él Dios? ¿Soy yo Luzbel?

PACHECO.   Leonor, Leonor, ¿cómo es esto?
                    ¿Estás en ti?

LEONORA.   Pues ¿en quién?
                    ¡Que sufriera el mal también   1360
                    en que tanto amor me ha puesto!
                    ¿Quieres saber lo que ha sido?

PACHECO.   Sí, amiga; espera, reposa.
                    No seas pintura hermosa
                    sin alma. Cobra el sentido;   1365
                    que vna tan bella muger
                    dará lástima a las piedras.

LEONORA.   ¡Bien con el ofiçio medras!
                    Paçiençia abrás menester.
                    Que mates moros te dize   1370
                    y que no traygas mugeres

1350   The original line crossed out: *Como de yerro le tomo* (?).
1355   Original line crossed out: *y . . . g . . . sufrir*(?) *vna pena.*
1368   Lope had mistakenly assigned this speech to *Pac.* It is doubtful who made the
        correction.
1370   *Dize* written to the right of deleted *manda.*

1358   PA: ¿qué es aquesto?
1360   A: quién. tan bien.

para liuianos plazeres,
porque a la guerra desdize.
¡Mirad dónde puse yo
mi voluntad, mi memoria,   1375
mi entendimiento, mi gloria
y quánto bien Dios me dió!
En vn soldado cruel,   8[r]
armado de furia y yelo
con que me arroja del cielo.   1380
¿Es él Dios? ¿Soy yo Luzbel?

PACHECO.   Pensé, Leonor, que sintiera
la desgr[açi]a en que he caydo
con el Çesar y he sentido
el verte desa manera.   1385
Pensé partir con el eco
de las palabras que ohí,
donde supiera que fuí
soldado onrrado y Pacheco;
y hasme dado tal dolor   1390
que, viendo el mucho que tienes,
con dos manos me detienes:
vna es piedad y otra amor.
Buelbe en ti y pues has perdido
lo que nunca tuyo fué,   1395
cóbrame a mí y te daré
gran parte de mi sentido.
En mí hallarás, aunque pobre,
amparo. Escucha, te ruego.

1382   Deleted *q* (?) after *pensé*.
1386–1387 The original version of these lines seems to have been: *pense partirme en el*
     punto | q de su çielo cahi. The new version was written to the right of the
     deletions.
1398   One word or letter (*q*) at beginning of line crossed out.

1372   PA: para aliviar los placeres.
1373   PA omit *a*.
1387   PA: razones.
1391   PA: que en ver.

LEONORA.   ¡O qué graçioso don Diego!   1400
El oro me trueca en cobre.
¿Estás en ti, picarón?
¡Sucio, desconpuesto, loco!
Mi magestad tiene en poco.
¿Ay tan notable trayzión?   1405
    Pues ¿cómo a/una enperatriz . . .?
Guarda, ¿qué es esto? ¡Ha, porteros!
¡Ola, grandes, caballeros,
matalde!

PACHECO.   ¡Moza ynfeliz!

LEONORA.   ¿Por qué dexáis que entre gente,   1410
quando con Carlos estoy   [8v]
y mi parezer le doy
para la guerra presente?
    Dize V[uest]ra Magestad
que el turco alborota a Vngría   1415
y que a Ytalia cada día
con notable libertad
    da molestia Barbarroxa.
Pues yo soy de parezer
que al turco . . .

PACHECO.   ¡Triste muger!   1420
¡Qué acidente! ¡Qué congoxa!

LEONORA.   Le den quarenta mañanas
letuario y agua ardiente
y a Barbarroxa en la frente
con dos çestos de manzanas.   1425
    Y si no bastare assí,
yo saldré contra los dos.
¡Denme mis armas!

1401   One or two letters deleted at beginning of line.

1405   PA: más notable.
1407   PA: ¡Hola! ¿Qué es esto, porteros?
1413   PA: esta guerra.
1417   PA assign this line to Pacheco and read *¡Qué notable autoridad!*

PACHECO.   ¡Por Dios,
           que te tienples!
LEONORA.   Oye.
PACHECO.   Di.
LEONORA.   Llegó al respeto el temor   1430
           vn día que fué atreuido,
           de la vergüenza oprimido
           y ynportunado de amor.
              Pidióle que se dexasse
           gozar; pues aunq[ue] era Apolo,   1435
           no naçió para sí solo,
           y que su noche alumbrase.
              ¿Qué hizo el respeto luego?
           "Yo soy quien soy," respondió
           y/un rayo al temor tiró   1440
           que boluió su yelo en fuego.
              Carlos el respeto fué,
           yo el temor. Llegué, temí,
           mostróme su sol, caý,
           arrepentíme, çegué.   1445   9[r]
              Quise ygualarme con él;
           ved qué puntapié me ha dado,
           que en el mundo aun no he parado.
           ¿Es él Dios? ¿Soy yo Luzbel?
PACHECO.   Leonor, si ver tu despreçio   1450
           te priba de la razón,
           oye.

1432   *ympedido* deleted, replaced by *oprimido*, written to the right.
1439   At the beginning deleted: *vn rayo al t.* Cf. line 1440.
1441   After *boluio* Lope wrote first *su fue.*
1449   Before *soy*, one letter deleted.

1430   PA: el respeto al temor.
1434   PA: díjole.
1437   A: nombre.
1448   PA omit *aun*.
1450   PA: si el ver.

LEONORA.   Mis pleytos no son
para vn alcalde tan neçio.
Juezes ay. Yo sabré,
si el reyno me toca a mí   1455
o por qué razón perdí
lo que de mis padres fué.
Diuorçió el Enperador
con Leonor. ¡Qué lindo cuento!
Apelo al Nunçio.

PACHECO.   Aunque a tiento,   1460
no has dicho cosa mexor;
que el Nunçio llama Toledo
a la casa de los locos.

LEONORA.   Son ya los cuerdos tan pocos
que apelar al Nunçio puedo.   1465
Apelo y repelo.

PACHECO.   ¡Tente!

LEONORA.   ¿No puedo yo repelar?

PACHECO.   Sí; mas donde aya lugar
de derecho y no en mi frente.
Creo que me ha de boluer   [*Aparte.*]   1470
loco.

LEONORA.   Diuorçió conmigo;
que es mío el ymperio digo.
El Papa lo ha de saber.
Póngase el pleyto en la Rota
y en las salas de París.   1475
¿Pondráse o no? ¿Qué deçís?

PACHECO.   Que se ponga en la picota.
Pon el pleyto enoramala   [9v]
y q[ue]das las manos ten.

LEONORA.   ¿Oyrálo el Papa?

1468   Deleted at beginning: *pues ea no a mi* (?). New version written to the right
of deletion. The margin of the remainder of folio 9[r], lines 1469–1477,
matches *si* of line 1468.

1454   PA: ay y yo.
1475   PA: la Sala.

PACHECO.   Tanbién.   1480
LEONORA.   Ya se ve el pleyto en la sala.
            Ya comienza el relator:
            "Pleyto entre Leonor . . .
PACHECO.   Sosiega.
LEONORA.   y Carlos, porque le niega. . . .
PACHECO.   ¿Qué le niega?
LEONORA.   Vn grande amor."   1485
PACHECO.   ¿No ves que ay desigualdad?
LEONORA.   Mentís; que yo soy muger
            que a mil reyes pudo hazer
            esclauos.
PACHECO.   Dizes verdad.
LEONORA.   Yo yré al Papa. Voyme a él.   1490
PACHECO.   Seguirla quiero, ¡ay de mí!   [*Aparte.*]
LEONORA.   ¿Carlos me despreçia ansí?
            ¿Es él Dios? ¿Soy yo Luzbel?
                                    Vanse.

✠ *Vayan saliendo los grandes, particularmente el Duq[ue] de*
  Alba y el Duq[ue] del Ynfantado y el Conde de Benauente
  y/un alguaçil que los vaya dando prisa que anden y don
  Ju[an] de Mendoza y Dorothea.

ALGUAÇIL.   ¡Ea, caualleros, ea!
            ¡Caminen, vayan delante!   1495
YNFANTADO. Mui bien habló el Almirante.
ALBA.   Seruir al Çésar dessea.

1493+   Broken line after line 1493 to indicate entrance of new characters.
1493+   After *alguaçil* a word beginning with *d* (*dando?*) deleted. Underneath the
        stage direction, in the center of the page, a heavy line drawn with different
        ink and perhaps by a different hand.
1494   To the left of this line a check-mark in the form of a slanted X with a dot
        in each field, perhaps drawn in the same ink as the line under line 1494+.
1496   Lope indicates the character as *du, inf.*
1497   There is a *d.*, not underlined, to the left of the underlined *alba*; it may be not
        by Lope.

1493 +   PA: *Vanse, y salen el Duque de Alba, el Duque del Infantado, el Condestable y un*
         alguacil.

BENAUENTE.	No pone dificultad	
	España en quanto le manden.	
ALGUAÇIL.	¡Ea, caballeros, anden;	1500
	que viene Su Magestad!	
YNFANTADO.	Amigo, essas vozes daldas	
	en la plaza.	10[r]
ALGUAÇIL.	¡Qué respuesta!	
YNFANTADO.	¿Ay libertad como ésta?	
	Tocado me ha en las espaldas.	1505
	Hombre, ¿conozéysme?	
ALGUAÇIL.	Sí,	
YNFANTADO.	Harto bien, por uida mía.	
ALGUAÇIL.	Baya v[uest]ra señoría,	
	que uiene el Çesar aquí.	
YNFANTADO.	¿Sabéis acaso mi nombre?	1510
ALGUAÇIL.	El Duque del Ynfantado.	
YNFANTADO.	Vos soys vn desbergonzado,	
	mui atreuido y ruin ombre	
	y ¡tomad!	
ALGUAÇIL.	¡Ay! que me ha muerto.	

✠ *Mete mano el Duque y dale vna cuchillada.*
✠ *Vayan saliendo los demás grandes, vn alcalde y Carlos Quinto detrás.*

1498	*Bena* is crossed out lightly in different ink and *DJ°* written to the left of it. Then *DJ°* was crossed out again with determined pen strokes.
1502	Before the *y* of *ynf°* is placed *Dᵉ* with a capital *D* drawn in heavy ink.
1514+	Broken lines above and underneath the stage directions. The first cross potent and the first sentence are placed on the left margin.

1498–1499	PA assign these lines to the Condestable.
1503+	PA: *Tócale en las espaldas al Duque.*
1506	P₇: conocesme.
1508	PA: Camine Vueseñoría.
1509	PA: allí.
1513	PA: vn atrevido, un ruin hombre.
1514 (tomad)+	PA: *Dale con la daga.*
1514+	*Mete mano . . . cuchillada* omitted in PA. After line 1518 (*Gran señor*) PA write: *Sale* (A: *Salen*) *el Emperador, don Juan de Mendoza, el Alcalde Ronquillo y acompañamiento.*

ALBA.	No ensuçie vusinoría	1515
	sus manos.	
INFANTADO.	¡Descortesía	
	tan grande!	
BENAUENTE.	¡Gran desconzierto!	
ALGUAÇIL.	¡Gran señor!	
ALCALDE.	¡Plaza!	
CARLOS.	¿Qué es esto?	
ALGUAÇIL.	Por hazer por la çiudad	
	lugar a Su Magestad	1520
	desta manera me han puesto.	
CARLOS.	¿Quién os hirió?	
ALGUAÇIL.	Gran señor,	
	El Duque del Infantado.	
CARLOS.	Vos, ¿qué ocasión le hauéis dado?	
ALGUAÇIL.	Respetar v[uest]ro balor.	1525
CARLOS.	Prendelde, Alcalde Ronquillo.	
	En fin, ¿que no ay, Condestable,	
	dinero agora?	[10v]
BENAUENTE.	Es notable	
	la ocasión para pedillo.	

1517   Lope indicated this character as *ben*. Another hand changed to *don Ju^a*, changing the *b* do *d* and the *e* to *o*, and squeezing *Ju^a* in the little space between the *u* and the downstroke by which Lope sets off the character designation from the speech. SP follows the correction.

1526   This line is crossed out lightly and replaced by *Llebenle luego a un castillo*, written in different ink to the right of the preceding line, preceded by /*car*. The *s* of *castillo* is completely blurred, -*tillo* written above *ca[s]* for lack of space.

1528   Two X's, a small one to the left and a large one energetically penned to the right of *bena*. This *bena* is blotted out by an ink spot and *alba* written underneath in different ink. The *a* [*sic*] of *bena* was changed to *d*, probably for *d[uque de alba]* or for *d [Ju^a]*. SP accepted *Bena* as authentic.

1517   PA omit *tan*. Grande desconcierto. PA assign the second part of this line to *Condestable*.
1518   PA omit ¡*Plaza!* and write *aquesto*. The line is one syllable short.
1520   PA: tu Majestad.
1527–1528   PA: En fin, ¿decís, Condestable,
         que no hay dinero (P₇: dineros).

Pero España os ha de dar   1530
la sangre en qualquier suçeso.

✠ *Llega el alcalde al Duq[ue].*

ALCALDE.   Vusiñoría sea presso.
YNFANTADO.   ¿Habéisme vos de llebar?
              ¿Haos dado el Emperador
              esa orden?
ALCALDE.   Que os prendiesse   1535
              me la ha dado, porque diesse
              exemplos v[uest]ro balor.
ALBA.   Nosotros le llebaremos.
BENAUENTE.   Mui bien yrá con nosotros.
ALCALDE.   Ni en España toda ay otros.   1540
              Bien es que el lugar os demos.

✠ *Vasse el Duq[ue] entre el de Alba y el Conde de Benauente.*

1532   The character designation inked out heavily. It seems that the original name
        was changed probably to *alg[uaçil]*, and then original and change blotted
        out. Finally the speech was assigned to *d Ju* written to the left of the deleted
        name. An *a* is visible to the right of the blot. SP: *don Juan*. According to the
        stage direction line 1532+, original versions of lines 1526 and 1544, this
        speech, lines 1535–1537 and 1540–1541, must be assigned to Alcalde.

1535   Speech originally assigned to *al* or *alc*. This seems to have been changed to
        alg. This change was crossed out, the *a* changed to *d*, and *Ju⁰* fitted in and
        Juan written underneath the change for the sake of clarity.

1536   *Me la ha dado* crossed out in different ink and *a ordenado* written above it.
        n added to *diesse* in different ink.

1538   *alba* changed to *bena*, changing *a* to *b*, making the *l* do for an *e*, and inking
        in an *n* heavily.

1539   The name of the character is blotted out, but the *B* of *Ben* is still recognizable.

1540   Original version was *alcal*. This was changed by a different hand to *alba*,
        without deleting the second *l*. Original and change crossed out and *Ju⁰*
        written to the left.

1536   PA: me ha mandado.
1538   PA name the character *Duque.*
1539   PA assign this line to Condestable.
1541   PA omit *el.*
1541+   PA: *Vanse los Duques y el Conde* (A: *Condestable*).

Los grandes preso han llebado
al Duq[ue].

CARLOS.   Mui bien está.
Yd vos luego, Alcalde, allá.
Mirad si está a buen recado   1545
y hazed curar ese ombre.

✣ *Váyasse el alcalde y a[l]guaçil.*

Esme forzosa la guerra,
porque es en toda la tierra
vnico amparo mi nombre.
    Los daños de Barbarroja,   1550
de lo de Túnez corrido,
y los del turco atreuido
que la Trasiluania enoja,
    corren ya por cuenta mía.
CONDESTABLE. Señor, todo se ha de hazer,   1555
pues solo v[uest]ro poder   11[r]
ampara a Ytalia y a Vngría.

1542   A large cross potent, different from Lope's, to the left; and to the left of the
          cross, *d Juº.*
1544   Lope deleted two or three letters at beginning of line. A different hand
          crossed out *vos* and wrote *Cobos* above *alcalde*, then wrote *dõ* across *Co* of
          Cobos and finally, clearly legible, *d, Juan* underneath *alcalde.*
1546+   Lope omitted the *l* of *alguaçil* by mistake.
1548   After *porque*, Lope wrote a passage, which began with *en*. He changed the *n*
          to *s*, crossed out the rest, and wrote *en toda la* above the deleted portion of the
          verse.
1549   One or two letters deleted at beginning.
1555   There is some interference with the character designation *cond*. The *con* is
          hesitatingly crossed out and the *d* of this word used to write *duq*. There are
          some marks to the left of the character designation, a heavy ink line, and an X.

1546+   PA omit stage direction.
1550-1553 Omitted in PA.
1554   PA: pues corre por.
1555-1557 PA assign these lines to don Juan.
1557   PA: y Hungría.
1557+   PA: *Sale el Duque de Alba y el Condestable.* P₅A: *Salen.*
           P: *Conde.*

5

No yréis, señor, discontento
de las Cortes que juntáis.

CARLOS. ¡Don Ju[an]!

D. JUAN. ¡Senor!

CARLOS. No os partáis 1560
hasta acabar este asiento;
que ya le escriuo a mi hermana
que enviaré presto dineros.

D. JUAN. Ya con ruegos, ya con fieros
la española gente allana 1565
que en reboltoso motín
van destruyendo la tierra.

CARLOS. Como el fin de qualquier guerra
es de su probecho fin,
hazen esa rebelión. 1570

D. JUAN. De la misma suerte fueron
los que a Roma se atreuieron
con el general Borbón.

✠ [E]ntre Leonor loca, Pacheco.

PACHECO. Tente y mira dónde vas
que está aquí el Enperador. 1575

LEONORA. ¿Cómo? ¿A la reyna Leonor
dizen que se tenga atrás?

1571   The *J* of *Ju⁰* changed to a heavily inked *d*, a *q̃* added, covering the raised *ᵒ*
        with the heavily inked tilde. *alb* is written in light ink under *duq*. A check-
        mark to the left of the character designation.

1574–1585 Due to the placing of the stage direction on the left, a new margin is estab-
        lished in the center of the page for the rest of folio 11[r].

1562   PA: la escribo.
1563   PA: que habrá muy presto dineros.
1564–1565 PA assign these lines to Condestable.
1566–1569 Omitted in PA.
1570   PA: a los que traidores son.
1571–1573 PA assign these lines to Duque.
1573+   PA: *Sale* (P₅A: *salen*) *Pacheco y Leonor, y vase D. Juan.*
1574   P₇: a donde.

Mal me trata v[uest]ra gente,
marido, y mui sin respeto.
¡Castigaldos! Vos prometo 1580
de hazeros a vos...

PACHECO.   Detente.

CARLOS.   ¿Qué es esto?

PACHECO.   Aq[ue]lla muger
que te dixe.

CARLOS.   Pues, ¿qué ha sido?

PACHECO.   Señor, el seso ha perdido.

CARLOS.   ¿De qué pudo enloquezer? 1585

PACHECO.   De vn altiuo pensamiento,   [11v]
de vna afizión ymposible,
de vn desengaño terrible
y de vn engañado yntento;
    de vna confusión que llora, 1590
de vna sentençia en reuista,
de vna priuaçión de uista
de la grandeza que adora,
    de vna amorosa pasión,
de vna esperanza burlada 1595
de muger, y despreçiada,
que es la maior ocasión.

LEONORA.   No se lo digáis ansí,
que no lo querrá entender.
Deçid que soy su muger 1600
y que me aparta de sí.
    Pues, Carlos, aunque seáis
por balor o por misterio
águila de vn grande imperio
y el mundo a los pies tengáis 1605

1586–1589 Omitted in PA.
1590–1592 PA: De una esperanza traidora,
de una amorosa conquista,
de una mudanza en revista.
1597   PA: maldición.
1599   PA: creer.
1604   PA: gran.

       y aunque deis el picotazo
al turco que el passo enfrene,
sabed que San Pedro tiene
vna llabe como un brazo
       y que os dará en la cabeza.   1610
A San P[edr]o he de apelar;
que no me habéys de dexar
por otra humana belleza.
       Ya sé, Carlos, que os casáis
con la hija del Sophí   1615
y que os apartáis de mí   12[r]
por los reynos que heredáis.
       Ya sé que os queréys hazer
Gran Turco y que lo han trazado
las Cortes que se han juntado.   1620
San Pedro lo ha de saber.
       Queréys que reyne en España
el Preste Juan y yros vos
a ser Gran Turco. ¡Por Dios,
que el pensamiento os engaña!   1625
       Mientras yo tubiere vida,
Carlos, mío habéis de ser.
CONDESTABLE. Lástima me ha dado el ver
tan bella muger perdida.
       V[uestr]a virtud, gran señor,   1630
la pusso en esta desdicha.
CARLOS.   Mudo estoy.

1619   *Esta trazado* deleted; *lo han trazado* written to the right.
1628   *Cond* crossed out with different ink, *alb* squeezed into the available space to
          the left by a different hand.

1607   P: en pene [*sic*].
1619   PA: jurado.
1621   PA: el Papa.
1628–1631 PA assign these lines to Duque de Alba.
1628   PA: me da de ver.
1631   PA: la ha puesto.

LEONORA.   ¿ Pensáis, por dicha,
ser de mil mundos señor?
¡ O, codizia de reynar!
Quando Rey de España os uistes,   1635
media Ytalia pretendistes
conseruar y conquistar.
        Luego, Carlos, por la espada
os hazéys enperador,
a pesar de algún traydor   1640
que la tenbló coronada.
        Luego hazéys guerra a Alemania
y castigáis a Lutero,
luego contra el turco fiero
por Belgrado y Trasiluania.   1645
        Luego en el Africa entráys
y a Túnez echáis por tierra.   [12v]
Luego al franzés hazéys guerra
y en las vñas le llebái[s].
        Soys, Carlos, Conde de Flandes,   1650
Rey de Nápoles, tanbién
Duq[ue] de Milán, y es bien
que tengáis reynos tan grandes.
        El mundo antártico es v[uest]ro;
hasta el yndio os viene a ver.   1655
Pues, ¿ qué os faltaua de ser
después de ser Çésar n[uest]ro?
        Ya lo entiendo y bien se entiende:

1645   Lope started out to write *Vi* for *Viena*, then changed *Vi* to *Be*.
1646   Lope intended to write *luego el Africa gan*[*ays*], stopped after *gan*, changed *el*
        to *en el*, and finished the line with *entrays*.
1650   Lope wrote first *soys conde Carlos*, writing the *e* of *conde* and the *C* of *Carlos* in
        one stroke. Since the *s* of *Carlos* is similarly joined to the *C* of *Conde* in the final
        version, Lope must have changed his mind about the word order while
        writing *Carlos*.
1655   With this line Lope moves the margin to the left by the width of the word
        hasta. This margin is observed for the rest of folio 12[r].

1658   PA omit *y*.

sólo Gn Turcrao os faltaua;
a esso vays.

CARLOS.　　　　　　　　　　¡Locura braba!　　　　　1660

PACHECO.　Más con tu vista se ençiende.

LEONORA.　　Ea, hazed las prouisiones,
Carlos Quinto, por la graçia
de Dios Gran Turco en Dalmaçia,
en Sçitia y otras regiones.　　　　　　　　　　1665
　　A vos la Reyna Leonor
salud y gr[aci]a. Sepades
que nunca en desigualdades
halló buen despacho amor.
　　Mas por quanto a mí me han echo　　　　1670
relaçión de quién soys vos . . .

PACHECO.　Calla vn momento.

CARLOS.　　　　　　　　　　　　¡Por Dios,
que ma ha enterneçido el pecho!
　　¡Pacheco!

PACHECO.　　　　　　　　¡Señor!

CARLOS.　　　　　　　　　　　　Di a Cobos . . .

LEONORA.　No digáis nada, Señor,　　　　　　　1675
hasta que sepáis que amor
no es comida para bobos.　　　　　　　　　13[r]

CARLOS.　　Dile que a esta loca den
para posada y raçión
cada mañana vn doblón,　　　　　　　　　　1680
y cóbrale tú también;
　　que pues aquí la truxiste,
tú la has de dar de comer.

PACHECO.　¡Gran Señor!

CARLOS.　　　　　　　　Su ayo has de ser,
pues que tú la enloqueziste.　　　　　　　　1685

1661　　P₅: su vista.
1670　　PA: y por.
1681　　PA: llévale.
1682　　PA: Que pues que tú la trujiste.

¡Condestable!

CONDESTABLE. ¡Señor!

CARLOS. Quiero
que me saquéis de vn cuidado.
¿Al Duq[ue] del Ynfantado
dióle el alguaçil primero
bastante ocasión?

CONDESTABLE. Señor, 1690
ocasión le dió bastante.

CARLOS. Honrrarle será ynportante;
que tiene el Duq[ue] balor.
Yd a verle de mi parte
y libertad le llebad. 1695

CONDESTABLE. Por él a tu Magestad
besso los pies.

CARLOS. Oyd aparte.
Deçid al Du[que] si gusta
que al alguaçil se castigue.

CONDESTABLE. A fama ynmortal obligue 1700
al tienpo tu gloria augusta.

1686, 1690 *Condestable* in Carlos' speech is crossed out and *duq̃ de alba* written on the
margin to the left by a different hand. The character designation *Con* is
replaced by *duq̃* written over *Con* in lines 1686 and 1690; in the latter instance
without the tilde over the *q*.

1696, 1700 *Con* changed to *dque* (line 1696) and *dq̃* (line 1700). In line 1700 the *n* of *Con*
has not been crossed out.

1698 Eight to ten letters deleted after *deçid*.

1699 *Si quiere* deleted at beginning of line.

1700 *al alguaçil* deleted at beginning of line.

1686, PA: Duque de Alba. Consequently, *Señor* (1686) and the sentence, lines
1690–1691 1690–1691, are assigned to Duque de Alba.

1694 PA: y de mi parte.

1695 PA: la libertad.

1696–1697 (*pies*) PA assign these words to Duque.

1698 PA: Decidle.

1700–1701 PA assign these lines to Duque.

1701 PA: el tiempo.

✠ *Entrense Carlos y el Condestable.*

PACHECO.   El enperador se va.
             Tú tienes ya de comer,
             que es lo más que puede hazer.
LEONORA.   Mui buen remedio me da.   1705
             Quanto en sus discursos fragua   [13v]
             es ensanchar su balor.
             Pollos de Marta es mi amor:
             piden pan y danles agua.
                 No quiero comer por Carlos,   1710
             Dios me dará de comer;
             que alimentos de muger
             di que a/un perro puede darlos.
                 ¿A/una reyna como yo
             vn doblón? Tanbién apelo.   1715
PACHECO.   Calla; que te ayuda el çielo.

             [*Sale Don Ju[an] y Dorotea.*]

JUAN.   ¡Que Leonor enloquezió!
                 ¡Que tan hermosa muger
             diesse en este frenesí!
DOROTEA.   ¿Qué te va, don Juan, a ti?   1720
JUAN.   Aguarda; quiérola ver.
                 Pues, Pacheco, ¿qué es aq[ue]sto?
PACHECO.   Ved, don Ju[an], en qué ha parado
             vn soldado tan onrrado.

1701+   A short line under *al ti* indicates exit of characters. *Condestable* was not re-
         placed by *Duque de Alba*, as it should have been according to the changes
         made above.
1716+   The stage direction has been squeezed into the available space to the left of
         Ju⁰ by a different hand, and a vertical bar put between *dorotea* and the text.

1701+   PA: *Vanse, queda* (A: *quedan*) *Pacheco y Leonor.*
1704   PA: que es lo más que puede ser.
1706   PA: su discurso.
1713   A: pueden.
1716+   PA: *Salen don Juan y Fernandillo.*

JUAN.	Vos, pues, ¿qué os alcanza desto? 1725
PACHECO.	Házeme Su Magestad el ayo de aq[ue]sta loca. Mirad si la causa es poca.
DOROTEA.	Ofiçio de calidad y sospecho que no os pessa. 1730
PACHECO.	¿Quién le mete en esto al paje?
DOROTEA.	Yo, señor lacayo; y baje el toldo.
PACHECO.	Palabra es ésa que de vn general franzés oýda boluiera en trueco 1735 14[r] la mano.
JUAN.	Quedo, Pacheco.
PACHECO.	¿Es v[uest]ro el paje?
JUAN.	Sí, es. Tú, rapaz, vete de aý.
DOROTEA.	Salga el lacayo acá fuera.
PACHECO.	¿Esto he de sufrir? ¡Espera! 1740
JUAN.	¡Pacheco!
PACHECO.	¡Pesar de mí!

✠ *Vaya tras Dorotea.*

JUAN.	Doy lugar, aunque le dé [*Aparte*] dos cozes y bofetones, por deçirle dos razones, aunq[ue] sin razón esté, 1745

1736   ——*p*——*vi* deleted at beginning of line. New margin established for remainder of folio 14[r], lines 1737–1763, by *la.*

1725   PA: A vos, ¿qué os alcanza desto?
1729   PA: Oficio es de.
1730   PA: Yo sospecho.
1731   PA: eso.
1732   PA omit *y.*
1740   PA assign *Espera* to Juan.
1741+   P$_{4,5}$ A: *Vase.* P$_7$: *Vanse.*
1743   PA: o bofetones.

a la más hermosa loca
que tiene amor en su lista.
Alça del suelo la uista   [*A Leonora*]
que al sol a embidia proboca,
  loca por el pensamiento   1750
más alto que muger tuuo,
aunq[ue] del çielo en que estuuo
cayó por su atreuimiento.
  Buelve los ojos a ver
vn caballero Mendoza   1755
y loca despojos goza
de quien los gozaua ayer
de mil turcos y franzeses.

LEONORA. Ydos mucho en noramala
y no os metáis en la sala   1760
dando tajos y rebesses.

JUAN.   No te turbe el ver vn loco,
pues ya vengo a ser tu ygual.

LEONORA. ¿Trahéys desso memorial?   [14v]

JUAN.   Yo soy...

LEONORA.   Pues echalde vn moço.   1765

JUAN.   Quiero conforme al sujeto   [*Aparte.*]
tratarla, porq[ue] me acuerdo

1752   ——*qu*—— deleted at beginning of verse.

1765   The *l* of *echalde* is written over a clearly visible *d*. Either Lope intended to
write *echadle* or it is a slip of the pen.

1766   Lope deleted *hablare por abrazalla* and wrote the new version underneath,
before beginning line 1767.

1767   Lope began this line with *tomar* (?) *de amor* or *amar*, deleted it, and went on with
the new version on the same line. *Tratarla* determines the new margin for the
remainder of folio 14[v], lines 1768–1791.

1747   PA: que ha visto el cielo en su lista.
1749   PA: al sol envidia.
1750–1753 omitted in PA.
1755   PA: a un.
1760   PA: entréis.
1762   PA: no te espante.
1767   PA: hablalla.

que es hablar a/un loco en cuerdo
hablar a/un neçio en discr[eto].
   ¿Quién piensas que soy, Leonor?   1770

LEONORA.   ¿Quién eres?

JUAN.   Carlos de Gan[te].

LEONORA.   ¿A Carlos tengo delante?
Enperador, mi señor,
   ¿es posible que me miras,
que me hablas y regalas,   1775
que a mi baxeza te ygualas?

JUAN.   Veo que por mí suspiras,
   veo que mueres por mí
y en fin, te vengo a querer.

LEONORA.   ¿Soy tu muger?

JUAN.   Y muger   1780
la más hermosa que ui.
   Prueba abrazarme y verás.

✠ *Entre Dorotea.*

LEONORA.   Dichosa ya.

DOROTEA.   ¿Qué es aq[ue]sto?
Apenas me ves traspuesto,
quando los brazos le das.   1785
   No sólo no me defiendes
de quien, si no me metiera
entre mil ombres, me diera

1769   Lope deleted the faulty ten-syllable line *tratar a hablar en neçio a/un d[iscreto].*
         The new line follows underneath.

1786–1789 Boxed off on three sides, open to the right. The line below line 1790 reaches
         only to the *l* of *lo. No* written on left margin. *au* deleted at beginning of line
         1786. Lope intended perhaps to write *a una loca* (cf. line 1791).

1768   PA omit *a.*
1769   PA omit *a.*
1779   PA: y al fin.
1782   PA: Abrázame y lo verás.
1782+   PA: *Sale Fernandillo.*
1783   PA: yo.

	quizá lo que tú pretendes,	
	quando abraçado te [hallo]	1790
	a/una loca.	
LEONORA.	¿Y qu[ién sois vos],	
	que os metéis entre los dos?	15[r]
	¿No véis que este ombre es mi gallo?	
JUAN.	De miedo que la he tenido	
	la abrazé; que da en dezir	1795
	que soy Carlos.	
DOROTEA.	¿Y el hüir	
	no fuera mexor partido?	
JUAN.	Yo lo haré, pues tú lo quieres.	
LEONORA.	¿Dónde vas, Carlos crüel?	

✠ *Váyase D. Juan.*

DOROTEA.	¡Tente; no vayas tras él!	1800
LEONORA.	O, perra ynfame, ¿quién eres?	
DOROTEA.	¡Ay, que me muerde! ¡Ay de mí!	
LEONORA.	¿A Carlos quieres quitarme?	

✠ *Váyase Leonor.*

DOROTEA.	!Vete y gózale! A buscarme	
	buelbe ya Pacheco aquí.	1805

✠ *[En]tre Pacheco.*

1790–1791	Lower right-hand corner of folio 14[v] is now covered by piece of paper patched on to repair a tear.
1791	*Leo* has been enclosed in a square, by a different hand.
1804	Four letters deleted at beginning of line. It seems that Lope intended to give this line to *Leonor* also. He or another hand added *doro* as character designation later

---

1798	PA: Sea, pues que tú lo quieres.
1799+	PA have *Vase* after line 1798.
1801	PA: perro.
1803+	PA: *Vase Leonor.*
1805+	PA: *Sale Pacheco.*

PACHECO.   Si yo no huuiera mirado
         que eres vn rapaz sin seso,
         paje, aunq[ue] paje trauieso
         de vn caballero y soldado,
           ya, de vn pie asido, bolaras   1810
         por el ayre tan gran buelo
         que en las almenas del çielo
         como güebo te estrellaras.
           ¿ Sabes tú quién fué Pacheco
         antes que fuesse lacayo   1815
         del Çésar? Fué trueno y rayo
         que dió en otro mundo el eco.
           Fué vn ombre que a puntapies
         más turcos tiene arrojados
         en el ynfierno que ay dados   1820
         en todo vn campo franzés.
           En Túnez, rota la espada,   [15v]
         fué vn ombre de tal decoro
         que con la pierna de vn moro,
         por la cadera cortada,   1825
           descalabró más de mil.
DOROTEA.   ¡Hombre, por mi uida, fuerte!
         Basta que comió la muerte
         esse pie con peregil.
PACHECO.   ¿ Búrlaste? Pues, uiue Dios,   1830
         que a ombre no di puñada,

1814   Lope wrote *fue* over *es*.
1816   *Trueno y* written above one or two completely deleted words.
1817   Three or four letters completely deleted at beginning of line.
1828   *Basta* crossed out in a manner different from Lope's habit and *y diga* written
       by a different hand on the margin to the left. The line would be faulty with
       nine syllables. Furthermore, Dorotea addresses Pacheco in the second person
       singular (cf. lines 1835 ff.).

1809   PA omit *y*.
1821   PA: el campo.
1828   PA write *y diga,* omit *que* and put the rest of the sentence between question
       marks.

coz, puntapié o bofetada,
que huuiese menester dos.
   Pues, a no tener respeto
a esa cara . . .

DOROTEA.   Si le tienes,   1835
Pacheco, ¿por qué no vienes
a hazer de mí ygual conçeto?
   Esta cara es de muger
y estas palabras lo son.
Don Juan me ha dado ocasión   1840
con su ingrato proçeder
   para hablarte deste modo.

PACHECO.   ¿Qué dizes?

DOROTEA.   Que he de vengarme,
de tu persona ampararme
y darte cuenta de todo.   1845
   Oye y sabrás como vine
a este trage.

PACHECO.   Espera vn po[co];
que viene el Çesar.

DOROTEA.   Que vn loco
a/una loca el alma yncli[ne]
   y que no tome venganza,   1850
no lo permita el amor;
que no ay remedio mexor   16[r]
que a/una ingratitud mudanza.

1844   *y* and about four letters deleted at beginning of line. New margin established
       for the remainder of folio 15[v] (lines 1844–1851) by *de*.

1849   *Tras* deleted at beginning of line.

1851   *Permita* crossed out by a single horizontal line and *consienta* written above it
       by a different hand.

1851+   In addition to the initials *JMC*, there is a cross on the right half of the upper
       margin.

1839   PA: razones.
1848   PA: sale.

[*En*]*tren Carlos y Mosiur de Memoranse y don Albaro de Sande, de camino. Carlos trae vna carta en la m*[*ano*]. [*El*] *Du*[*que*] *de Alba* [*y el Condestable de Castilla*].

CARLOS.	No he tenido en mi uida mayor pena.	
	¡Gante, mi patria misma, lebantada!	1855
SANDE.	Pienso que, por no dársela tan grande	
	a V[uest]ra Magestad, la Reyna escriue	
	menos encareçido que pudiera.	
CARLOS.	Y que el tributo la ocasión ha sido,	
	pagado justamente a mis mayores.	1860
	¿Qué me espanto de España, pues en Flandes	
	los de la misma patria, los testigos	
	de mi crianza y naçimiento han echo	
	la rebelión que aquesta carta dize?	
	Mas deçidme, don Albaro de Sande,	1865
	¿no pudo remediarse en los prinçipios?	
SANDE.	De la Reyna María, ylustre, inuicta,	
	heroyca y muger çélebre entre todas	
	quantas la fama pone en sus pirámides,	
	se puede presumir que se baldría	1870

1853+   A broken line indicates the appearance of new characters.

1853+   *Mosiur de Memoranse* crossed out with a single horizontal stroke and *d Ju°* written above it by a different hand. *M*[*ano*], at end of line, appears as *m*.

1854–1856 A cross, not by Lope, intended as a check-mark, extends along these lines on the left margin.

1856   *Sande* crossed out and replaced by *memo* squeezed into the small space available to the left, by a different hand.

1867   *Sande* crossed out and replaced by *memo* to the left, which in turn was crossed out and *d Ju°* written above *memo*.

1853+   PA: *Sale* (P₅ A: *Salen*) *el Emperador, el Duque de Alba, Monsiur de Memoranse y gente.*

1856–1858 PA assign these lines to Monsiur.

1861   PA: me quejo.

1862–1879 PA condense these eighteen lines into two:
los de mi patrimonio y nacimiento
se vuelven contra mí? ¡Válgame el cielo!

de su diuino y raro entendimiento.
El daño creze y, como ven los súbditos
que se rebelan las cabezas grandes,
estiéndesse por todos los estados
y apenas ombre viue baxo o alto　　　　　　1875
a deboción de Carlos, Rey de España.

CARLOS.　　Quien no remedia el mal en los prínçip[ios],
tarde procura que remedio tenga.

SANDE.　　Tan presto es ynposible hazer exérçito.　　　[16v]

CARLOS.　　Don Albaro, si yo partir pudiera　　　　　1880
sin gente a los Estados, fácilmente
derribara del ombro esas cabezas.
Mas póngome a peligro, si me enbarco.

MEMORANSE.　Si V[uest]ra Magestad, Çesar inuicto,
crehe la voluntad del Rey de Françia—　　　1885
y ya sus amistades son tan çiertas—
si mira que se puso en vna barca
con sólo vn ombre, aunq[ue] en su misma tier[ra],
y entró a sus brazos entre tanto exérçito,
por Françia puede yr libre y seguro,　　　　1890

1871–1874　These lines are set off by a square bracket on the left. *No* was written on the
left margin, crossed out, and replaced by *si*. The proposed excision would
leave *se baldria* without an object.

1877　　　Lope wrote *prínçipes*, an obvious slip for *prínçipios* (cf. line 1866), perhaps
caused by lines 1873 and 1875. SP: *principios*.

1879–1880　*San* crossed out, *alba* written to the left. *Albaro* replaced by *Fernando* with
weak ink, almost illegible.

1884　　　*Memo* crossed out, *No* written to the left, *Ju⁰* written over the *N* of *no*, *si* to
the right of the *o* which was not deleted.

1886–1890　These lines are marked off differently from other proposed excisions. There
is an angular check-mark above and to the left of *y* (line 1886) and a small
cross after *exérçito* (line 1889). The *por* (line 1890) is set off by a square bracket,
a cross placed to the left, and *no* inside a square put to the left of the cross.
The *no* must refer either to lines 1886–1890 or to the whole passage, lines
1884–1892.

1880　　　PA: Duque de Alba.
1881　　　PA: agora a los Estados.
1888　　　PA: con un remero solo, aunque en su tierra.

tomar la posta y, castigando a Gan[te],
tratar los conçertados casamientos.

CARLOS.   Eso fuera, sin duda, de inport[anci]a.
       ¿Qué deçís, Duque de Alba?

ALBA.   Que bien puede
       yr V[uest]ra Magestad, pues le asegura   1895
       Mosiur de Memoranse de su parte
       del Magno y Cristianísimo Françisc[o].

CARLOS.   ¿Parézeos, Condestable, que me baya
       por Françia a la ligera?

CONDESTABLE.   Es justo acuerd[o],
       quando no fuera de inport[ançi]a tanta   1900
       hazer lo que te pide el Rey Françis[co]
       y confirmar les prometidas pazes.

CARLOS.   ¡Pues, alto! Queda gobernando a España
       en mi lugar el Cardenal Tabera,
       dignísimo Arçobispo de Toledo,   1905
       con el Comendador Mayor, que es digno
       deste lugar, Françisco de los Cobos.
       ¡Postas a Françia!

ALBA.   ¡Vengan postas luego!

MEMORANSE.   Yo abiso al Rey que vas.

CARLOS.   Mosiur, escriue.   17[r]

PACHECO.   ¿Yrás esta jornada?

1893   Lope wrote *inportª*.
1897   After *y* Lope wrote *Françisco*, then deleted it.
1898–1902 These lines are boxed off on four sides and *no* written on the left margin.
           Vertical wavy lines further help to mark this passage for excision.
1898–1899 *auos cobos* written above *condestable*, but the *con* of line 1899 was not replaced.
1909   *Mosiur* crossed out with one horizontal stroke and *d Juº* written above it.

1893   PA: Eso sin duda fuera.
1898–1902 Omitted by PA.
1903–1907 PA: Queden gobernadores en España / en mi lugar, en tanto que yo
           vuelvo, / el Cardenal famoso de Toledo, / don Juan Tavera, digno deste
           nombre, / con el Comendador Francisco Cobos.

DOROTEA.   Y donde fueres;   1910
que somos para mucho las mugeres.

Fin del 2º Acto.
[*Rúbrica.*]

1910-1911   Dorotea's speech is crossed out by a thin horizontal line. Written by a different hand on the left margin below line 1911 and below *Fin del 2º Acto*: *yras aesta jornada/y donde quieras | que soi para muncho y muideberas*. Lope does not use *muncho* in this play. To the lower right of the last word: *fin*.

1911+   The last line underscored by an unbroken line ending in a *rúbrica*. *Fin del 2º Acto* crossed by a thin line which seems to be part of the *rúbrica*.

1910   P₇: Yré donde fueres.

Personas del terzero Acto

Serna
Pacheco
Don Juan de Mendoza
Dorotea
Leonor
Carlos Quinto
El Duque de Alba
Mosiur de Memoranse
Bisanzón, tudesco
Fran[çis]co, Rey de Françia
Leonor, Reyna
Oraçio
y Lidonio, deudos de Leonor
Vn letrado

[Rúbrica]

Cast of characters: A cross in the middle of the top of the page. A cross to the right of each character from *Pacheco* to *Leonor Reina*. To the right of the *Leonor Reina* is written *Sra Mariana*. Also a heavy stroke, slightly slanted downward to the left of *Leonor Reina*.

✠ *Entren Serna y Pacheco.*

SERNA.	Por muchos años gozéys	
	el offiçio de portero.	
PACHECO.	Para que vos me mandéys.	
SERNA.	Yo pierdo vn gran compañero.	1915
PACHECO.	Ninguna cosa perdéys;	
	que al amigo que es onrrado	
	nunca le muda el estado,	
	porque donde a subir viene	
	lleba al lado a quien le tiene	1920
	en otro tiempo obligado.	
	Seruí, caminando a Françia,	
	al inuicto Carlos Quinto,	
	y es tan segura ganançia	
	que mexora en terzio y quinto	1925
	cosas de poca importançia.	
	Espero que aquí en París	
	mucha merzed me ha de hazer.	
SERNA.	Mui justamente subís	
	y él sabe bien conozer	1930
	que soys vos quien le seruís.	
	¿Qué ay del paje de Toledo?	

1919	PA: cuando.
1920	PA omit *a*.
1921	PA: en otra parte.
1925	PA: mejoré.
1926	PA: mucha.

PACHECO.	Que se boluió con don Juan;
	no sé si fué amor o miedo.
SERNA.	¿Vendrán a París?
PACHECO.	Vendrán. 1935
SERNA.	¡Braua historia!
PACHECO.	¡Lindo enrredo!
SERNA.	¿Vino aquí tanbién Leonor?
PACHECO.	Hase echo tan graçiosa
	que gusta el Emperador
	della en estremo.
SERNA.	No ay cosa 1940
	como el mar, si no es amor.
	¡Qué notables monstros cría!
PACHECO.	Anda ya con su librea.
SERNA.	¿Quiéresla bien todauía?
PACHECO.	Amor que vn loco dessea 1945
	serálo más cada día.

[iv]

✠ *Don Ju[an] y Dorotea.*

DON JUAN.	Haz que la ropa se llebe,
	Fernandillo, a la posada.
DOROTEA.	Yo lo haré.

1937–1961 These lines are boxed in on three sides. Two different sections within this passage are in turn set off. a) Lines 1947–1956 are marked by a line beginning on the margin underneath line 1946, drawn all the way to the end of the right margin and a short line underneath the crossed out word *agora* at the beginning of line 1956. These two horizontal lines are joined by a slightly curved vertical line drawn outside the character names on the left margin. Consequently, lines 1957–1959 were assigned to *Ser[na]*, now deleted. b) Lines 1952–1961: Two long lines are drawn from the middle of the margin underneath lines 1951 and 1961. Two wavy vertical lines on the right and left margin, respectively, join the two horizontal lines. On the left margin, there is a remark opposite lines 1940–1941, completely blotted out, underneath of which there is a partially blurred remark, *dícese*. Opposite lines 1949 *si*, underneath *no*. Two more *no*'s are found inside the wavy line setting off lines 1952–1961, opposite lines 1953–1954 and line 1956. The *si* and the *no*'s may very well refer to the whole marked-off passage, lines 1937–1961.

1946+ PA: *Sale* (P₅ A: *Salen*) *don* (A: *D*) *Juan y Fernandillo.*

DON JUAN.	Pues, buelbe en brebe. [*Vase.*]	
SERNA.	¿Es esta la disfraçada?	1950
PACHECO.	A todo vn amor se atrebe.	
	¡Fernando!	
DOROTEA.	¡Pacheco hermano!	
PACHECO.	¡Bienvenido!	
DOROTEA.	¡A tu seruiçio!	
PACHECO.	¿Bienes bueno?	
DOROTEA.	Bueno y sano	

del cuerpo; que del juïçio   1955
vengo más perdido y vano.
   Por no venir por la posta
hemos perdido la entrada.
Poco argén y bolsa angosta.

PACHECO.	Mereze ser çelebrada,	1960

Fernando, en grandeza y costa,
   cómo Françia ha reçiuido
a Carlos; Roma ha perdido
de Trajano la memoria.

DOROTEA.	Refiere, por Dios, la historia.	1965
PACHECO.	Si me das atento oýdo.	

   Rogado y asegurado   2[r]
del Rey de Françia Françisco,
el gran Çesar de Alemania,
Rey de España y Carlos Quinto,   1970
que pasase por su tierra
a castigar los delitos

1956   *agora* deleted at beginning of line.
1957   *Ser* written by a different hand opposite this line, crossed out.

1949   PA: Vé, y vuelve.
1957–1959 PA assign these lines to Serna.
1967–2137 PA condense these 171 lines into 90 lines, most of them with a new text.
           The lines taken over from Lope's original entirely or in part are printed in
           italics.

    Rogado y asegurado   1967
    del Rey de Francia Francisco
    que pasase por la Francia
    a castigar los delitos

de los rebeldes de Gante
por la posta a Françia vino.
A la entrada de Bayona   1975
del Rey los gallardos hijos,
Delphín y Duq[ue] de Orliens,
salieron a rreçiuirlo.
Estaua el gran Condestable
de Françia en el mismo sitio   1980
con quatroçientos varones
de diuersos apellidos.
Destos en nombre del Rey
con grande amor reçiuido,
hasta Bles le aconpañaron,   1985
adonde estaua el Rey mismo.
No quiso por humildad

1975   Lope wrote first *hallo al entrar de Bayona*; then he crossed out *hallo*, squeezed
       in the *a* of *la*, changed the last *r* of *entrar* into a *d*, and squeezed in the final
       a of *entrada*.
1976   *los* was originally *dos*.
1978   This line read originally *a la entrada prebenidos*, deleted by Lope. He wrote
       salieron to the left and *a rreçiuirlo* to the right of the deletion.

---

de los traidores *rebeldes,*
por la posta a Francia vino.
A la entrada de Bayona
del Rey los gallardos hijos,
Delfín y Duque de Orliéns   1975
salieron a recebillo
con trescientas mil personas
en un alarde lucido,
cuyos trajes y colores
alegres, vistosos, ricos   1980
causaban envidia al sol,
y aun se escondió de corrido.
Y con música marcial,
que alborota los sentidos
y anima los corazones,   1985
marchando en su paso mismo
iban disparando a son
sus arcabuces y en gritos

el Çesar de España inuicto
entrar en caballo blanco,
uso de aq[ue]l reyno antiguo.   1990
Pero salió media legua
de París a reçiuillo
el clero y órdenes sacros,
que fué vn número infinito,
como el estudio es tan grande,   1995
sin clérigos y vezinos;
que a dozientas mil personas   [2v]
llegó el número que pinto.
Hubo, que es cosa notable,
seysçientos frayles françiscos,   2000
de San Agustín treçientos
y quinientos dominicos.
Dozientos arcabuzeros
de a caballo París hizo
que con armas y casacas   2005
hiziesen plaza y camino.
Luego treçientos archeros
con los dorados cuchillos
y otros dozientos soldados,
todos de tela vestidos,   2010
la color blanca y sembrados
de çifras de cañutillo,
en que al español león
abrazaua el franzés lirio.
Veyntiquatro regidores   2015
morado brocado rizo

1998–2000 Lope had written first *llegó el número que digo | de eso* (?) *los frailes contamos | mil y treçientos.* He stopped after *treçientos,* deleted everything after *que,* and replaced *digo* by *pinto.* He began a new line with *hubo.*

2003–2030 Boxed in on three sides, with a wavy line on the left margin. *No* written on the left margin of folio [2v], opposite lines 2008–2010, and on folio 3 [r] opposite line 2026.

1988   appellidando del *César*
el heroico nombre *invicto.*   1990

adornaua en forros blancos
de siempre blancos armiños.
Çien mançebos çiudadanos,
de quatro en quatro dist[intos],   2020
con paramentos de tela
yban en caballos frisios
con doze vanderas blancas
de la çiudad y tendidos   3[r]
los tafetanes al viento.   2025
De sus diuisas testigo,
con trezientos ofiçiales
de su corte entró luçido
el Preboste de París
y su criminal ofiçio.   2030
La Corte del Parlamento
formaba vn Parnaso, vn Pindo
de dotores y abogados,
insignes por sus escritos.
Venían doze virreyes   2035
a mula, todos vestidos
de grana y los presidentes
con capuzes de lo mismo.

2017   *Sus f* (?) seems to be deleted before *forros*, and *blancos* written after a moment of hesitation.
2020   Deleted after *de*: *linajes bien ricos* (?). The new text squeezed into the available space.
2025   After *al, tiemp* crossed out. *Viento* written to the right.
2032   *formaba* written to the left, *vn Parnaso, vn Pindo* to the right of the crossed-out line *seguía* (?) *con aplauso digno.*
2033   The line began with *la.* . . . *De* written to the left of *la.*
2034   *insignes por* written to the left, *sus escritos* to the right of the crossed-out line *todos por el mismo* (?) *estilo* (cf. line 2046).

2035–2038 Tras esto, *doce Virreyes*
a mula, todos vestidos
de grana y los Presidentes
con capuces de lo mismo;
tantos títulos, barones   1995
de noble blasón y antiguo,
monsiures y ciudadanos,
sin otros muchos de oficio.

Luego el Consejo Seglar
y el Eclesiástigo vino   2040
en largo aconpañamiento
de criados y de amigos.
De los confines de França,
bordados, gallardos, ricos,
entraron los generales,   2045
todos por el mismo estilo.
Luego la Chançillería,
y de vn telliz amarillo
adornada vna hacanea
con mil perlas y zafiros.   2050

2046   One or two words beginning with *qu* deleted at beginning of line.
2048-2050 These lines read originally:
          y en medio vn frison morzillo
          de vn azul telliz cubierto
          en mil piezas de oro a sido
          Cubierto deleted at beginning of line 2049 and a new margin established for
          the remainder of folio 3[r], lines 2051-2054.
          The final version is written to the left and right of the deleted version as
          follows:
          y de vn telliz || amarillo
          adornada || vna hacanea
          con mil perlas || y zafiros.

1999-2002 *Hubo, que es cosa notable,*
           quinientos *frailes franciscos,*   2000
           de San Agustín doscientos
           y trescientos *dominicos.*
2031-2034 *La corte del Parlamento*
           formaba un Parnaso o Pindo
           de doctores y abogados,   2005
           insignes por sus escritos.
           Con este acompañamiento
           tan solemne y tan cumplido,
           con aplauso y majestad
           prosiguieron su camino,   2010
           procurando con mil fiestas,
           invenciones, regocijos
           divertir el gran Monarca,
           que se muestra agradecido.
           Las ciudades por do pasa,   2015

Sobre esta vna caxa azul
que con clabos de oro fino
guardaua de Françia el sello,
blassón del cielo venido.
El Gran Chanciller tras él,   2055   [3v]
de cuyos ombros altiuos
pendían a las espaldas
tres cordones de oro asidos.
Luego el Consejo Real,
los prebostes y continos   2060
entre arcabuzes y picas;
que armas guardan bien los libros.
Tras estos vino la guarda
de tudescos y suizos
con dozientos gentilombres.   2065

DOROTEA.   ¡Brabo aplauso!
SERNA.   ¡Nunca visto!
PACHECO.   Tras los capitanes destos
              los caballeros antiguos

2051   *Este*, referring to the original *frisón* (line 2048), changed to *esta* by changing
          e to *a*. After *esta*, *venia* crossed out and *azul* added after *caxa*.
2053   Lope first placed *el sello* before *de França*, then changed the word order,
          writing *el sello* in the remaining space on the margin.
2054   Three letters deleted at beginning of line.
2055   Three letters deleted before *Chanciller*.
2057–2058 Lope wrote first *penden tres cordones de oro | la causa vela* (?) *benigno* (?). Then
          he wrote *pendian* to the left and *a las espaldes* to the right of line 2057; *tres
          cordones* to the left and *de oro asidos* to the right of line 2058.
2063   The *st* of *estos* made clearer by heavy pen strokes, probably by Lope himself.
2068   Lope began the line with *yban*, now crossed out.

---

          villas, lugares, castillos,
          con música, fiesta y juegos
          muestran contento infinito.
          De esta suerte llegó el Cesar
          con un contento excesivo   2020
1991   *media legua* de palacio,
          vistoso y alegre sitio.
          Iba el gran Emperador
          no con soberbio vestido,
1987   pero por más *humildad*,   2025

del Orden del Rey venían
a yleras de çinco en çinco.   2070
Con Monseñor de San Paulo
yba vn español Fabriçio,
vn Duque de Alba, vn Toledo,
famoso del Tajo al Nilo.
Tras el Cardenal Borbón   2075
yba el magno Carlos Quinto,
el español Alexandro,
claro Xerxes, nuebo Çiro,
el defensor de la yglesia,
fee santa y nombre de Chr[ist]o,   2080
aquél cuyos pies q[ue]brantan
dragones y basiliscos,
no con los ricos diamantes
de los árabes feniçios
ni con las lustrosas perlas   2085   4[r]
del mar a sus pies rendido
ny con el oro preçioso
que le ofrezen tantos yndios
desde La Abana a Quiuira
y desde el mar dulçe al chino,   2090

2072–2074 Lope started line 2072 with *ent* (?), crossed this out and wrote the following
three lines: *yba con gallardo brío | aq[ue]l español Toledo, | duq[ue] de Alba y sol
del siglo.* He deleted these lines and wrote the present version to the right and
left of the deletion as follows: *yba vn espa || ñol Fabriçio, | vn duq[ue] de Alba,
|| vn Toledo, | famoso del || Tajo al Nilo.*

2078   *El* at beginning of line deleted.

2080   Before *de* several letters deleted. The present line begins six spaces to the left
of the margin. *Chr[ist]o* abbreviated *Xp͂o* (= χρο).

2081   Lope originally began the line with *el terror del.* The remainder of the lines
on folio [3v], lines 2082–2084, follow the new margin set by *aquel.* It looks as
if Lope had written the assonance words *de Chr[ist]o* first, leaving blank the
first two thirds of line 2080, and continued with *el terror del* of line 2081.
Then he completed line 2080 and changed his mind on lines 2081 and following.

2084   Lope deleted two versions of this line before deciding on the present one:
1) *q le ofrezen tantos* (?) *yndios* (cf. line 2088), and underneath 2) *de los orientales
ricos* (?). The final version is written to the left of the second deleted line.

2087   Lope changed *no* to *ny.*

2089   *Cádiz* before *La Abana* deleted.

sino por mayor grandeza
de paño negro vestido
con vn sombrero de fieltro.
DOROTEA.   ¿Qué me cuentas?
PACHECO.   Verdad digo.
  Mas toda la magestad   2095
y aconpañamiento dicho,
armas, oro, plata y perlas,
galas y françeses bríos
vençía la grauedad
de aquel paño humilde y linpio,   2100
porque en los ojos trahía
mil diamantes y jazintos.
Seys cardenales tras él
y quarenta y seys obispos
y con quinientos archeros   2105
los dos duq[ue]s conozidos
de Vandon y de Lorena.
Entró en fin entre los hijos

2093 *Solo* deleted before *sombrero.*
2096 Three or four letters completely blotted out at beginning of this line.
2098 The first version, now deleted, was *de aparatos y vestidos. Galas y || françeses bríos* written on the left and right margin, respectively.
2104 Lope began to write *y dos duq[ue]s* (cf. line 2106) *y . . . i.* The new version was written underneath.

2092, 2100 de *paño negro,* aunque rico.
     El cristianísimo Rey
     aquí con la Reina vino
     a recibirle, y en medio
2108   de sus dos gallardos *hijos*   2030
2108   *entró* en París con gran pompa,
     que gozoso y prevenido
     de colgaduras y arcos
     parecía un paradiso,
     Y habiéndole paseado   2035
     en el orden que te he dicho,
     llegaron al Real palacio,

del Rey, que eran con sus piedras
guarniçión de su vestido.   2110
Françisco y Leonor mirauan
desde vn balcón de oro y vidros
con el Cardenal Farnesio,
por Paulo a París venido,
cómo entraua el Quinto Carlos.   2115   [4v]
Que lo primero que hizo
fué ver la yglesia y dar gr[aci]as
a quien le dió el bien que digo.
Fué a palacio y de Leonor,
su hermana, bien reçiuido,   2120
çenó con el Rey de Françia
y sus gallardos sobrinos.
De casamientos se trata.
El çielo guarde a Filipo,
para que herede sus glorias   2125
y las goze eternos siglos.
DOROTEA.   Y a ti te dé mil venturas
con esse Çesar.

2110   A letter (*s*?) deleted after *su*.
2112   One word *b.l*(?) . . . deleted before *balcón*.
2119   Lope apparently intended to write *fuése*, stopped after *fues*, and deleted the *s*.
2126   Under the *os* of *siglos* and extending onto the right margin for about two
       spaces there is a line, evidently to mark the end of the long *relación* in
       romance.

---

adonde en el punto mismo
se sentaron a la mesa
el Cesar, padres e hijos,   2040
donde, después de comer,
hablaron hasta las cinco,
Esta es la entrada de Carlos
2126   que viva infinitos *siglos*,
2125   *para que* gane más reinos   2045
2124   a su sucesor *Felipo*.
Fernandillo Y *a tí dé mil venturas*
2127–2128 *con ese César.*

PACHECO.   Tu amor
estime.

DOROTEA.   ¡ Fueran seguras !

PACHECO.   Tengas tú con tu señor,   2130
Fernando, las que procuras.

DOROTEA.   Voyle a seruir, aunq[ue] ingrato,
a lo que ya te conté,
en España.

PACHECO.   ¡ Qué mal trato !

DOROTEA.   ¿ Quándo te veré ?

2128,   *Y* squeezed into the small space available before *tu*. It destroys the meter.

2129   *N* is written above the last *e* of *estime*. These two changes seem to be by a different hand.

2130–2134 This passage was completely changed by a different hand, as follows:

> PA.   *Tengas tu por tu balor*
> *y prendas las que procuras.*
>
> DOR.   *Por no parecer ingrato,*
> *a la que ya te conte*
> *le voy a buscar.*
>
> PA.   *¡Que mal trato!*

The discarded words of the original are crossed out with a single line, not with the loops Lope used. *Por tu balor* written to the right of *señor*; *y prendas* above *Fernando*. The next line is written above Lope's original *ingrato*. The corrector wrote line 2133 above Lope's original *conte*, changing the lower part of the *g* of Lope's original *ingrato* to *l*, and extending the line onto the margin. *Voy a buscar* is written on the margin, immediately after Lope's original *conte*. The *le* of this line seems to have been added by still a different hand, after the corrector's *conte*. SP writes for line 2133: *a aquel que ya te conte*. There is no evidence for *aquel* in the manuscript. In the corrector's mind, *la* must refer to Leonor. The correction does not make much sense. Lope started line 2133 with *aunq[ue]*, but deleted it.

2129 Pacheco   Yo *estimo*
siempre el favor que me hace
porque me hallo dél indino.   2050
Fernandillo   Voyme por no ser *ingrato*

2132–2134 *a lo que ya te conté*
en España.

Pacheco   ¡*Qué mal trato*!

2134
Fernandillo

2135–2137 *¿ Cuándo te veré?*

PACHECO.   Yo yré   2135
a buscarte de aquí a/un rato.
DOROTEA.   ¡Adios, y guárdete el çielo!
[*Vase.*]
SERNA.   Caxas suenan.
PACHECO.   Fiestas son.
SERNA.   Bonito rapaz.
PACHECO.   Reçelo
que ençendiera en afiçión   2140
hombre que no fuera yelo.
Vente por aquí y sabrás
quán mal don Ju[an] le ha pagado.
SERNA.   Sienpre, Pacheco, verás
que oluida el amor amado   2145   5[r]
y con desdén quiere más.

[*Vanse.*]

✠ *Carlos y el Duq[ue] de Alba.*

CARLOS.   Notables grandezas son.
ALBA.   Mucho Françisco dessea
que V[uest]ra Magestad crea
la verdad de su afizión.   2150
CARLOS.   Hermosa es París, por cierto.
ALBA.   Çiudades tenéys, senor,

2137–2141 This *quintilla* is set off by two horizontal lines below lines 2136 and 2141,
respectively. Two determined *sí*'s are written on the left and right margins.
2137+   A different hand wrote *tocan cajas* to the left of line 2138.
2138   The same hand that made the changes in lines 2130–2133 crossed out *bonito
rapaz* and wrote above, *hermosa mujer.*
2146+   Broken line ending in *rúbrica* to indicate entrance of new characters. *Vanse*
written by a different hand on the right margin between lines 2145 and 2146.

Pacheco   Yo iré
a buscarte de aquí [a] un rato.   2055
Fernandillo   *Adios, y guárdete el cielo.*
2137+   P₇: *Vanse.*
2139   PA: Bonica mujer.
2142   PA omit *y.*
2143   PA: la ha.
2152   PA: señor.

de tal grandeza y balor
y/una, de otro mundo puerto.

CARLOS.   Generoso corazón   2155
han mostrado sus vezinos
por mil diuersos caminos.

ALBA.   Erades vos la ocasión.

CARLOS.   No ygualó Roma aq[ue]l día
que en ella me coroné   2160
a este que en París entré,
con ser tal su monarquía.

ALBA.   Dizen que nunca se ha hecho
con ningún rey que han tenido
lo que con vos.

CARLOS.   Todo ha sido   2165
mostrarme Françisco el pecho.
    ¡Que contenta está mi hermana!

ALBA.   Dessea veros en paz,
su voluntad satisfaz,
los ymposibles allana.   2170
    Muera el odio, sed amigos,
tiemblen los turcos de ver
que amigos buelben a ser
dos tan grandes enemigos.

CARLOS.   Yo os prometo, Duq[ue] de Alba,   2175
que nunca falte por mí.

DUQUE.   Los Reyes uienen aquí.   [5v]

CARLOS.   Háganles mis brazos salba,
pues sin exérçito estoy.

✠ *Françisco, Rey de Françia, y Leonor, Reyna, con quien
venga Leonor, ya en háuito de loca.*

FRANCISCO.   ¡Hermano!

CARLOS.   ¡Señor!

2179+   It seems that Lope erroneously wrote first a *d* instead of the *c* in *con*.

2161   PA: a esto que en París se ve.
2162   P₇: tu monarquía.
2164   PA: ha tenido.
2179+   PA: *Sale* (P₅: *Salen*) *el Rey de Francia, y la Reina, y Leonor, y acompañamiento.*

6

Françisco.	¡Amigo!	2180
Carlos.	Yo lo soy v[uest]ro; testigo	
	el çielo de que lo soy.	
	¡Hermana mía!	
Reyna.	Estos brazos,	
	Carlos, mi alegría os digan.	
Carlos.	A tanta merzed me obligan	2185
	que son en el alma lazos.	
Leonora.	¿Cómo delante de mí	
	a mi marido abrazáis?	
	Mui desbergonzada estáys.	
Reyna.	Leonor, ¿qué se te da a ti?	2190
	¿No ves que es Carlos mi hermano?	
Leonora.	¿V[uest]ro hermano?	
Reyna.	Sí, Leonor.	
Leonora.	¿Çierto, çierto?	
Reyna.	¿Y que el amor	
	entre hermanos es mui llano?	
Leonora.	¡Ola, Françisco! Entre aq[ué]stos	2195
	no puede haber conjunçión.	
Françisco.	¿Tú no ves que hermanos son?	
	Sus abrazos son onestos.	
	Si no, yo era el ofend[ido];	
	que es, Leonor, mi muger propia.	2200
Leonora.	¡Ya fuérades cornucopia!	
	¡Ola, abraçalda, marido!	
	que Françisco da lizenzia,	
	si os parió—¡qué marabilla!—	

2187, 2202 There are two horizontal double lines, slanted slightly downward, on the
left margin opposite these lines. Cf. line 2334.

2193   One letter (*c*?) at beginning of line deleted.

2199   A bar between *no* and *yo*. Lope wrote first *agrauiado*, then crossed it out and
replaced it with *ofendido*, written to the right of *agrauiado*.

2204   *Porque* deleted at beginning of line and replaced by *si*, written to the left of
the deletion. As the thickness of the ink shows, the change was made after
Lope had written as far as *que* after *parió*. Then he realized he would have a
faulty nine-syllable line and made the change from *porque* to *si*.

2203   PA: que el francés os dió licencia.

	doña Juana de Castilla	2205
	en la Vera de Plasençia.	
Françisco.	El Archiduq[ue] Filipe	
	fué su padre de los dos.	
Leonora.	Ese es mi suegro, por Dios.	6[r]
Françisco.	Leonor, ¿has uisto a Filipe?	2210
Leonora.	¿Quál?	
Françisco.	El Prínçipe de España,	
	mi sobrino.	
Leonora.	¿Cúyo hijo?	
Françisco.	De Carlos.	
Leonora.	¿Quién os lo dijo?	

¡Cata que el diablo os engaña!
Si soy del Enperador   2215
muger y yo no he parido
a Filipe, ¿cómo ha sido?

Françisco.   Yo te lo diré, Leonor.
La Enperatriz Ysabel
parió a Filipe.

Leonora.   Mentís,   2220
françés, en lo que deçís.

Françisco.   ¿Yo miento?

Leonora.   Sí, vos y él;
que Carlos es mi marido
y el Papa que nos juntó
bulas de parir me dió   2225
de Carlos, y no he parido.
Rogalde vos, Rey françés,
destas gr[aci]as partiçipe;
que yo pariré vn Filipe
con sus ojos y sus pies.   2230

2220   Opposite this line, on the margin, a vertical double line, slightly slanted from
        upper right to lower left, with a horizontal bar crossing it.
2221   Four letters deleted at beginning of line.

2207, 2210, 2217, 2220: PA: Felipo.
2226   PA: a Carlos.

	Mirad que es vn desabrido,	
	que no me toma vna mano.	
FRANÇISCO.	Yo se lo diré a mi hermano.	

✠ [*M*]*emoranse* [*en*]*tre.*

MEMORANSE.	El Parlamento ha venido	
	y aguarda en la sala ya.	2235
FRANÇISCO.	Di, Mosiur de Memoranse,	
	que nadie en verme se canse,	
	mientras Carlos aquí está.	
	Y porque mexor lo crean,	
	desde oy puedes auisarlos	2240
	que çedo mi reyno en Carlos,	
	mientras en Françia le vean.	
	Con él negoçien, dél pidan	[6v]
	merzedes. El es el rey.	
	Haga justiçia, dé ley,	2245
	por él las causas decidan.	
	Carlos es el Rey de Françia;	
	yo no tengo ya poder,	
	sólo tengo de onbre el ser;	
	no soy de más importançia.	2250
	Vn pribado caballero	
	me podéis todos llamar.	
CARLOS.	Grandeza tan singular	
	no la ui, ni verla espero.	
	Besso tus reales manos;	2255
	mas no lo has de permitir.	
FRANÇISCO.	A mi Consejo has de yr.	
	Mira que somos hermanos	

2237	Lope inserted *me*, writing it above the *r* or *ver*, correcting both sense and meter.
2258	Deleted *por los oidos soberanos*. The new version is written directly underneath.

2232	A: la mano.
2233 +	PA: *Sale monsieur de Memoranse*. P₄,₅: *monsiur*. P₇: *mosiur*.
2257	PA: has de oir.

y que el mundo no es bastante
para mudar este yntento. 2260
Ve, Carlos, al Parlamento.

ALBA. ¿Ay grandeza semejante?
Ve, señor, reyna estos días
en Françia y el mundo cuente
la paz y amistad presente. 2265

CARLOS. ¡Alto! No aya más porfías.
Rey soy de Françia, mas desto
ynfiero, o engañado estoy,
que como en fin huesped soy,
queréys que me vaya presto. 2270
¿Por qué me dais ocasión,
con ser rey, a que lo sea
poco tiempo?

FRANÇISCO. Nadie crea
que ésa fué nu[est]ra yntençión,
sino que, como en saliendo 2275 7[r]
el sol, las demás estrellas
no alumbran ni ay luz en ellas
donde está resplandeçiendo,
así yo, claro español,
no alunbro donde salís. 2280

CARLOS. Antes os contradeçís
y confesáis ser el sol.
Si el que da a otro está claro
que es mayor que el que reçiue,
vos soys el sol que aquí viue, 2285

2264 Four or five letters deleted before *el*.
2268 After *ynfiero*, Lope deleted *a fee de quien*. He did not complete the phrase
with *soy* (cf. line 2602), when he saw that he needed *soy* as rhyme word in
the next line. The new version immediately follows the deletion.

2260 PA: para impedir.
2268 PA omit *o*.
2269 PA: al fin.
2277 PA: ni salen bellas.
2278 PA: están.
2285 PA: que en mí vive.

yo quien de essa luz me amparo
y así temo ser Faetón
oy con el Reyno de Françia.
Pero será de ynportançia
a mi mucha obligaçión   2290
    que vays a España y reynéis
o que les deis desde acá
leyes que guarden allá.

FRANÇISCO.   Presto pagaros queréis.
    Yd, que os están esperando.   2295
Mirad que soys rey; hazed
a todos mucha merzed.

CARLOS.   Vos las quedaréis pagando.
    Mas la que de vos reçiuo,
¿cómo os la puedo pagar?   2300
                                            [*Va*]*se* [*Car*]*los.*

LEONORA.   ¿Acá os venís a reynar?
Mirad si engañada uiuo.
    Ya ¿qué le falta de ser?
El se ha echo enperador,
tras rey del reyno mexor,   2305
de más riqueza y poder,
    y agora en Françia lo es.
Gran Turco fué el otro día.
Mas ¿quánto va que porfía   [7v]
hasta ser Papa?

2298   *Pues y* or *vy* deleted at beginning of line.
2301   At beginning of line ——*os l*—— (?) deleted. *Aca os venis* written underneath
         after *a Reynar* had been written. Slanted double bar indicates that new version
         is the beginning of line 2301. The last *r* of *Reynar* and part of a stage direction
         are covered by a repair patch. ——*se* / *los* of the stage direction is still legible.

2299   PA: las.
2300   PA: las podré.
2300+   PA omit *Vase Carlos.*
2302+   PA: *Vase* (A: *Vanse*) *el Emperador y Monsiur* (A: *Monsieur*).
2305   PA: Tras ser del reino mejor.
2306   PA: de más grandeza.

REYNA.	¿No ves,	2310
	Leonor, que es Carlos casado?	
LEONORA.	¿Y con quién?	
REYNA.	Con Ysabel.	
LEONORA.	¿Tanbién vos, doña Aranbel?	
	Salid luego de mi estrado.	
	No toméis más almohada	2315
	adonde estubiere yo.	
	No es Ysabel suya, no.	
FRANÇISCO.	Escucha.	
LEONORA.	Estoi enojada.	
	Françisco, ¿vos no curáis	
	de tiña y de sabañones,	2320
	lámparas y lanparones	
	y a quantos queréis sanáis?	
	Pues, sanadme deste amor,	
	que es vn sabañón del alma,	
	que me come y me desalma	2325
	y me enciende en más furor.	
FRANÇISCO.	Duque, ¿no mantendréis vos	
	el torneo prebenido?	

2311   Lope crossed out *casad* after *es*. On the left margin, almost blurred, *reina*, by a different hand.

2312   Before *Ysabel* one word (*doña?*) heavily blotted out. *Y* must have been squeezed in between *Leo* and *con*, after the deletion, to provide the lost syllable. Lope probably wished to avoid duplication with *doña* of line 2313.

2318   *q conmigo esta casado* deleted. To the left: *Fco* (?) | *escucha*; to the right: *Le* | *estoi enojada*. It seems as if Lope intended to assign *escucha* first to *Leo* by mistake and then to have changed the *L* to *F* and the *e* to *c*. SP reads *Françisco*. There are blurred letters, not in Lope's hand, at the same spot, which might be read as *Fraco*.

2319   The character designation *Leo*, not required here, stricken out with pale ink, the same ink that was used for *reina* opposite line 2311 and for *Fraco* before line 2318.

2313   P: Arabel. A: Isabel.
2314   PA: estado.
2318   PA assign the word *escucha* to *Reina*.
2319   PA: acá no curáis.

DUQUE.	Sí, haré, siendo vos seruido,
	aunque me pesa, por Dios, 2330
	donde hay tales caballeros.
REYNA.	Vos, Duq[ue] de Alba, soys flor
	de España y podréis mexor
	entre todos conozeros.
	Y pues yo soy española, 2335
	en mi nonbre mantened.
ALBA.	Sólo pudo esa merzed
	venir de esa mano sola.
	Déme V[uest]ra Magestad
	colores como a criado. 2340
REYNA.	Verde con blanco y morado. 8[r]
LEONORA.	¡Qué donosa neçedad!
	Rábano pareçeréys.
	Sacad, Duq[ue], mis colores,
	porq[ue] son mucho mexores 2345
	y más gallardo saldréys.
ALBA.	¿Quáles son?
LEONORA.	Blanco, leonado,
	azul, verde, pardo escuro,
	amarillo, roxo puro,
	negro, pajizo, encarnado, 2350

2334	A slanted double line on the far left margin, the same as opposite lines 2187 and 2202.
2339	Lope began the line with *dadme colores*, then crossed it out and continued with the present text.
2341	Crossed out *pajizo* at beginning and *leonado* at end of line. *Verde con* and *morado* are written above the deleted words. Leonor uses the discarded words in her catalog of colours (lines 2347, 2350).
2350	One or two letters deleted before *pajizo*.

2330	PA: me corro.
2331	PA: tantos.
2333	PA: podéis.
2342	PA assign this line to *Reina* and write: *que es gala con gravedad*.
2347	PA: morado.

rosa seca, colonbino,
naranjado, genolí,
jalde, mezclado, turquí,
rubio, dorado, bronzino,
  plateado, cabellado,   2355
cárdeno, sanguinolento,
colorado, çeniziento,
bayo, grana, acanelado,
  verdeterra, cristalino,
azulado, nacarado,   2360
arrebolado, rosado,
tornasol y purpurino,
  canbiante brasil. . . .

ALBA.   Detente;
que si éssas he de sacar,
no ay en mil cuerpos lugar.   2365

LEONORA. Pues éstas llebad, pariente,
  porque parezcáis al sol,
vn fenis, vn papagayo,
vn pauón, vn guacamayo
y/un indiano girasol.   2370

2351   Lope started the line with *colonbino*, but reversed the word order immediately.
2359   *Celestial* replaced by *cristalino*, written to the right.
2361   Lope wrote at the beginning *purpurino*, then crossed it out (cf. line 2362).
       He moved the margin one space to the left, for no apparent reasons.
2367–2369 Lope seems to have written first *q quiero q parezcais | vn pecho* (?) *indiano | vn guacamayo.* At this moment he hit upon the effective rhyme *papagayo-guacamayo* and probably also upon the comparison *indiano girasol* (line 2370). Therefore, he changed the first *q* to *p*, squeezed *or* between the new *p* and the first letter of *quiero.* He deleted *quiero* and added *al sol*, putting it immediately after *parezcáis.* In the following two lines he wrote the new words into the available space at the end of line 2368 and after the deleted *guacamayo* of line 2369.
       Opposite line 2369 we find *vn* (?) *pap*, crossed out. It seems to be in Lope's hand and might possibly be an explanation of *guacamayo.*

2364   PA: he de llevar.
2365   PA: mi cuerpo.
2369   PA: y un guacamayo.

Y por enpresas honrradas
llebad con letra sutil
vn torrezno del pernil   [8v]
puesto entre dos rebanadas.

ALBA.	¿La letra?	
LEONORA.	La letra diga:	2375

"Así me aprietas el alma."

ALBA.	Llebaré a todos la palma.	
LEONORA.	Quien ama a todo se obliga.	

Si se ofreze ser lechón,
se ha de dexar hazer cueros,   2380
porque ay dedos asaderos
que fuego del alma son.
  Si salchicha, se ha de hazer
picar y enbutir, Fernando,
porque nadie puede amando   2385
enbidar, sino querer.

FRANÇISCO.	Vamos a hazer prebenir	

las fiestas p[ar]a mañana.

ALBA.	Mirad, Reina soberana,	

que vn Toledo os va a seruir.   2390

LEONORA.	¡Ola! Pues que soys Toledo	

y tenéis el Nunçio allá,
deçid que Leonor está
loca de amor y de miedo.

REYNA.	A fee, que te he de casar	2395

con Carlos aq[ue]sta noche.

LEONORA.	Si eso hazéys, y[o] os mando vn coche	

adonde os vays a espulgar.

2371   *Llebad* (cf. line 2372) crossed out, *honrradas* written to the right.
2386   Lope wrote first *apelar* (?; cf. lines 1611, 1715), then deleted the word and
        wrote *enbidar* to the left.
2391   Lope deleted *mirad* at beginning of line (cf. line 2389) and continued immedi-
        ately with *Ola*.
2397   Lope wrote *yos*, with a kind of an *o embebida*.

2386   A: envidiar.
2398   PA: en que os salgáis.

FRANÇISCO.   Tu padrino soy.
LEONORA.   Señor,
enbiad a llamar al Papa   2400
y haremos trapalatrapa
yo y Carlos, vos y Leonor.

✠ [E]ntrense y salga Carlos [y] Memoranse y Pacheco.

CARLOS.   Llegadme vna silla aquí.
MEMORANSE. De oýrte en el Parlamento
muestran notable contento,   2405   9[r]
tú, el gran balor que ay en ti.
PACHECO.   Aquí llegan negoçiantes.
¿Entrarán?
CARLOS.   En fin, yo soy
Rey de Françia. ¡Bueno estoy!

✠ [B]isanzón [tu]desco.

BISANZÓN. Yo os quiero dar para guantes.   2410
Dexadme, español, entrar.
PACHECO.   Honbre graue parezéys.
Suplico[o]s que os acordéys
que estoy en este lugar.

2399–2402 Lope wrote first *yo soy, Leonor, tu padrino* and finished the *redondilla* with
rebanadas y tozino. Then he changed lines 2399 and 2402 to their present
version. He deleted the first three words of line 2399 and wrote the new
version to the right of *padrino*, and the new line 2402 underneath the deleted
one. He also blotted out completely the character designation opposite line
2400, which must have been *Leo*. Several letters deleted (*hecho*?) at beginning
of discarded line 2402.

2402 +   Broken line (two sections) to indicate end of scene.

2402+   PA: *Vanse, sale* (A: *Salen*) *el Emperador y* [A:,] *Monsiur* [A: *monsieur*] *de
Memoranse y Pacheco.*
2407   PA: vienen.
2408   PA: Al fin.
2409+   PA: *Sale Bizanzón, tudesco.*
2412   PA: Hombre noble.

BISANZÓN.   Carlos, en el nonbre Quinto   2415
y Déçimo por la fama,
para cuya ardiente llama
el mundo es brebe y suçinto:
Yo soy vn tudesco noble,
Bisanzón es mi apellido,   2420
al Rey de Françia he seruido.
Tengo de laurel y roble
mil coronas merezidas.
Si por Roma hubiera echo
las hazañas que por él. . . .   2425
No he negoçiado con él
cosa alguna de probecho
en años de pretensiones.
Dízenme que vos reynáys,
mientras en París estáis.   2430
Veys aquí mis petiziones.
Tres heridas tengo aquí,
quatro en el brazo siniestro;
en las piernas, que no os muestro,
otras muchas reçiuí.   2435
Este fué vn arcabuzazo.   [9v]
Por mí tomó el Rey a Hendín,
porque fuí el primero, en fin,
que puso en el muro el brazo.
En la guerra de Pauía,   2440
quando a Françisco prendis[tes],
por v[uest]ra dicha venzistes

2422   Lope deleted *en paz y en la guerra* and wrote the new version underneath.
2441-2442 The rhyme words of these two lines were originally *venzistes–tuvistes* (?). Lope
made the change before starting line 2443. The new words are written in the
available space on the right margin.

2423   A: merecido.
2432   PA: traigo.
2435   PA: otras tantas.
2437   PA: ganó.
2439   PA: que en el muro puso.
2441   A: prendiste.
2442   A: venziste.

y tardastes por la mía.
Treynta españoles maté;
las vandas de todos tengo. 2445
A pediros merçed vengo.

CARLOS.   Premio es justo que se os dé.
Dos mil ducados de ayuda
de costa le doy.

BISANZÓN.   El çielo
te cubra de blanco pelo. 2450
¿Dónde me mandas que acuda?

CARLOS.   Al tesorero del Rey.

✠ *Al salir le ase Pacheco.*

PACHECO.   Teneos, por vida mía.
BISANZÓN.   ¿Cómo?
PACHECO.   Hablar con vos querría.
BISANZÓN.   Pagaros es justa ley. 2455
PACHECO.   Voy del galardón distinto
de haberos dexado entrar.

2453–2467 A new large margin is established for the remainder of folio [9v]; the *t* of
teneos is written below the *l* of *del* in line 2452.
2456–2460 The original version was:
yo no quiero galardon
de haberos dexado entrar,
sino (?) enseñaros a hablar;
q no dixera vn frison
los desatinos q vos.
After having completed these five lines, or, at the latest, after having written
line 2463, which contains the word *dos* rhyming with *vos* (line 2460), Lope
deleted *yo no quiero*, wrote *voy del* above it, and added *distinto*, with *to*
written on top of *–st–*. In line 2458 he deleted *sino* (?) and wrote *Quiero*
to the left. He deleted all of lines 2459–2460 but *vos* and wrote the new
version to the left of the deletion.

2443   A: tardaste.
2449   PA: den.
2451   PA: Adónde mandas.
2453–2454 PA: Tened, que hablaros deseo;
         Que me debéis algo creo.

Quiero enseñaros a hablar
delante de Carlos Quinto.
　¿Quién hablara cómo vos?　　　　　　　2460
Y agradezed que está allí
quien me detiene que aquí
no os haga de vn golpe dos.
　Que tal cuchillada os diera,
a no respetar su cara,　　　　　　　　　2465
que aquí las calzas dexara
y en otra parte la cuera.
　¿Treynta españoles, borracho,　　　　10[r]
tú los osaras mirar?
Vete y haréte llebar　　　　　　　　　　2470
deste dinero el despacho,
　porque yo le he menester
y te le he de quitar luego.

BISANZÓN.　Tasticot, pessar, reniego...
PACHECO.　de ruin vin y peor muger.　　　2475
　Báyase luego, vinagre,
donde lo ayamos los dos;
que tengo de hazer, por Dios,
de su misma sangre almagre,
　con que por París rotule:　　　　　　2480
"Pacheco, víctor!"

BISANZÓN.　　　　　　　　　¿Tú sabes
con quién hablas?

PACHECO.　　　　　　　　No te alabes.
　¡Que esto el Çesar disimule!

BISANZÓN.　　¿Sabes que soy Bisanzón,
español, celebro hueco?　　　　　　　　2485

2464　　After *q, vini* deleted. Lope continued on the same line. *q viniera tal cuchillada*
　　　　would have been a faulty nine-syllable line.
2470　　*q aqui tirases a hablar* deleted; the new version is written underneath.

2472　　PA: lo.
2473　　PA: lo.
2474　　PA: Tanticot.
2484　　P_7: Sabedes. P_5: sois.

PACHECO.	¿Sabes que yo soy Pacheco,
	tudesco, medio frisón?
BISANZÓN.	¿Sabes que hijo de Belona
	françeses me intitulauan?
PACHECO.	¿Sabes que a mí me llamauan 2490
	el demonio de Escalona?
BISANZÓN.	¿Sabes que maté en Pauía
	treynta españoles que hallé.
PACHECO.	¿Sabes que en Pauía maté
	mil tudescos en vn día? 2495
BISANZÓN.	Dame vn guante y éste toma.
PACHECO.	Toma y espérame allá;
	que a no estar allí el que está,
	no fueras por bula a Roma.
BISANZÓN.	Por lo que tiene, español, 2500 [10v]
	nunca le quise seruir.
PACHECO.	¡Esto tengo de sufrir!
	¡Póngame el Çésar al sol!

✠ *Al entrarse dale un çintarazo en la cabeza.*

	¡Toma, bellaco!
BISANZÓN.	¡Ay de mí!
	Muerto soy.
CARLOS.	¡Ola, portero! 2505
	¿Qué es eso?
PACHECO.	Aq[ue]l maxadero
	que me dixo mal de ti. . . .

2500	*lo que tiene* written above illegible words.
2504	Due to the stage direction on the left, Lope establishes a new margin for the remainder of folio [10v], lines 2504-2528. The text starts in the middle of the page.

2486	PA: soy yo.
2496	PA: otro toma.
2497	A: Tomo.
2499	PA: fuera.
2503+	PA omit stage direction. Have *Vase* after line 2504.
2504	PA: borracho.
2505-2506	PA: Emperador. ¿Qué es eso? Saberlo quiero. / Dilo ya.

CARLOS.	En mi presençia le has muerto.	
	Mosiur, [a] ahorcarle llebad.	
PACHECO.	¡Oyga V[uest]ra Magestad!	2510
CARLOS.	¡Ahorcalde!	
PACHECO.	Mi daño es çierto.	
MEMORANSE.	Yré a ver si fué la herida	
	de peligro.	[*Vase.*]
CARLOS.	Hazelda ver.	
	No me has echo tal plazer,	
	Pacheco, en toda tu vida.	2515
	Llégate a mí, llega, llega;	
	toma este diamante, escapa	
	y vete a tierra del Papa.	
PACHECO.	Mucho tu balor te çiega.	
	¿Adónde me mandas yr	2520
	por vn borracho, señor,	
	que osó ofender tu balor?	
CARLOS.	Si al Rey lo van a dezir....	
PACHECO.	¿Qué ynporta? Tú eres el Rey;	
	vesme aquí a tus pies echado.	2525
CARLOS.	Bien has dicho y negoçiado	
	ni ay de castigarte ley,	
	que al prínçipe defendiste.	
	Y así el prínçipe te abona	11[r]
	y te absuelbe y te perdona	2530
	de la muerte que le diste.	
	Enojéme de manera,	
	quando el tudesco deçía	
	que hauía muerto en Pauía	
	treynta españoles, que fuera,	2535

2514	Two letters deleted before *me*.
2516	Lope deleted half a line: possibly *enojeme de m* (cf. line 2532). Then he went on with the new version, writing it underneath.

2509	PA: a ahorcarle.
2513 (peligro)+	PA: *Vase*.
2531	PA: del enojo.
2534	PA: en un día.

Pacheco, a no ser quien soy,
a canpaña y me matara
con él.

✠ *Memoranse buelbe.*

¿Qué ay, Mosiur?

MOSIUR.   Repara

en que tras el ombre voy;
y él tan aprisa me huye,   2540
de sangre y temor cubierto,
que no le alcanzé, y que es çierto
que desto su error se arguye.

Perdona por mí al portero,
que es vn onrrado soldado.   2545

CARLOS.   Estoy, Mosiur, enojado.
No, no, castigarle quiero.

MEMORANSE.   Señor, Françisco te dió
liçençia de hazer merçedes.
La que pido hazerme puedes.   2550
Rey eres.

CARLOS.   Si lo soy yo,
perdono por ti al portero,

MEMORANSE.   El çielo, Carlos, te guarde.
Vedme, Pacheco, esta tarde;
daros vna joya quiero.   2555

2537–2538   On the right margin of line 2537, a check-mark in the form of a horizontal
line with two vertical lines at the end and a heavier vertical line in the middle.
A line is drawn under verse 2537 and the last words of Carlos' speech are
boxed in. Check-mark and lines are not by Lope.

2540   *Camina* deleted at end of line; *me huye* written to the right of deletion.

2548   *Hazer esta* deleted after *señor* and the present text written immediately next
to it. Lope perhaps thought to finish the line with *merçed* (cf. line 2549), which
would have created an eight-syllable instead of a seven-syllable line.

2552   *a Pacheco* replaced by *al portero*, written immediately to the right. Lope must
have anticipated the rhyme word—*quiero.*

2538 (él)+   PA: *Sale Monsiur* (A: *monsieur*) *de Memoranse.*

2541   PA: de polvo y sangre.

2542 P_4, P_5, A: que no le alcanzé y es cierto.
P_7: que no me le alcanzé y es cierto.

PACHECO.   Besso mil vezes tus pies.
Basta que le dió afiçión   [*Aparte.*]
del tudesco el coscorrón
al señor Mosiur franzés.

✠ *Aquí Dorotea.*   [11v]

DOROTEA.   A tus pies vengo a pedir   2560
justiçia.
CARLOS.   ¿Quién eres?
DOROTEA.   Soy
vna muger, aunq[ue] voy
desta manera a morir.
Vn caballero soldado
de los Mendozas de España   2565
así en Aragón me engaña,
huésped de mi padre onrrado.
Llébame a Flandes y buelbe
yngrato sienpre a mi amor.
CARLOS.   ¿Qué le pides tú?
DOROTEA.   Mi onor,   2570
que no pagar se resuelbe.
CARLOS.   ¿Eres su ygual?
DOROTEA.   Soy tan buena;
que él es vn pobre soldado,
aunq[ue] de deudos onrrado.

2556   Lope placed the character designation *Mem* and *Pa* erroneously opposite lines 2554 and 2557. Another hand made the corrections, writing *mon* and *paje.*
2559+   The stage direction is limited to a cross potent and *Dorotea* underneath. *Aquí* is written (by another hand?) to the right of the cross and boxed in on three sides.
2563   There is some correction in *desta.* The long *s* is heavily inked.

2559+   PA: *Sale Fernandillo.*
2568   PA: *Llevóme.*
2571   PA: a no pagar.

CARLOS.	No llores, no tengas pena.	2575
	¿Es don Juan éste, por dicha?	
	¿El que vino con la nueba	
	del motín?	
DOROTEA.	Ese me lleba,	
	señor, por tanta desdicha.	
CARLOS.	Vete; que yo le hablaré	2580
	y oy se casará contigo.	
DOROTEA.	Tus años, señor, bendigo;	
	besso tu ynbençible pie.	
	Veas tu amado Filipe	
	ganar a Jerusalén.	2585
PACHECO.	Bien has negoçiado.	
DOROTEA.	Bien.	
PACHECO.	Porque el tuyo partiçipe	
	del mío, espérate aquí;	
	que a Carlos quiero engañar,	
	Aquí te ha venido a hablar ...	2590 12[r]
CARLOS.	¿Quién, Pacheco?	
PACHECO.	Jehan Petí,	
	portero del Rey de Françia;	
	pide vna ayuda de costa,	
	porque va y viene a la posta	
	a negoçios de ynportançia.	2595
CARLOS.	Di que le den mil ducados.	
PACHECO.	Besso por ellos tus pies.	
CARLOS.	¿Tú? ¿Porqué? ¿Por el françés?	

2577	*viene* changed to *vino*.
2584	*a Filipe ylustre* deleted and the present version squeezed into the available space to the right.
2586	Two parallel lines, slanted slightly from lower left to upper right, on the left margin.

2576–2579	omitted in PA.
2580	PA: Alza.
2588	PA: apártate.
2589	PA: al César.
2591	PA: Champetí.

PACHECO.   Porque a mí me han de ser dados;
                 que tú eres el Rey de Françia   2600
                 y yo tu portero soy.
CARLOS.   Mui bien, a fee de quien soy.
                 Bueno andas oy de ganançia.
                 Basta que me has engañado.
                 Ve al tesorero mañana.   2605
                 Dóyselos de buena gana,
                 porque es vn hidalgo onrrado.
MEMORANSE.   Aquí, gran señor, están
                 de parte del Real Consejo.
CARLOS.   Entren.
PACHECO.   ¿Fué bueno el consejo?   2610
DOROTEA.   Lindo dinero te dan.
                 Pero todo lo merezes.

                 ✠ *Vn letrado.*

LETRADO.   Ya con el Rey se ha tratado
                 de los salarios que ha dado
                 su magestad otras vezes   2615
                 a los del Real Consejo.
CARLOS.   ¿Qué piden?
LETRADO.   Aumento piden.

2600   *agora* deleted and replaced by *de Françia*, written immediately after the dele-
        tion.
2612–2615, This *redondilla* is boxed in on all four sides and crossed out with diagonal
2616   lines. To the left a clearly written *no*, but also a hardly distinguishable *dícese*.
        To the right a blurred *si*, crossed out, and *no* written underneath. Line 2616
        is also underlined, as if to be included in the omission. *Car*, written by a hand
        other than Lope's, opposite this line.

2602   PA: Muy bueno.
2607   PA: un soldado honrado.
2610   PA: Entre.
2612–2615 omitted in PA.
2615+   PA: *Salen dos oidores.*
2616   PA: Oidor 1º. Señor, pide el Real Consejo.
2617   PA assign the reply to Oidor 2º.

CARLOS.	Si con sus gastos lo miden,	
	eso en sus manos lo dejo;	
	pero no queden quexosos.	2620 [12v]
	¿Qué han tenido?	
LETRADO.	Mil ducados,	
	siendo famosos letrados	
	y mosiures generosos.	
CARLOS.	Pues denles mil y quinientos.	
LETRADO.	El çielo guarde tu vida.	2625

La Reina entre y el de Alba.

REINA.	¡Carlos!	
CARLOS.	¡Hermana querida!	
ALBA.	¡Plaça! ¡Asientos! ¡Ola, asientos!	
REYNA.	Todos os piden merzedes;	
	yo tanbién he de pedir.	
CARLOS.	Quien las ha de reçiuir	2630
	soy yo. Tú hazérmelas puedes.	
REINA.	Vn título abéys de dar	
	a mosiur de Barlamón.	
CARLOS.	Seruirte es justa razón.	
	Tú, quien me puede mandar.	2635

2625+ The stage direction is boxed in.
2626 Everything is crossed out except *Re^a*. Above *Hermana querida* is written *ya es tiempo de mi partida*. This last line is preceded by *Car* now hardly distinguishable. The words are crossed out with simple horizontal lines, not with loops as is Lope's manner.
2627 This verse is underlined.
2629, 2632 Two slanted horizontal lines to the left of either line. In line 2632 Lope changed *Le* to *Re^a*.

2619 PA: en sus conciencias lo dejo.
2620 PA: Pues son letrados famosos.
2621–2623 PA assign these lines to Oidor 1°.
2625 PA assign this line to Oidor 2°.
2625+ PA: *Salen el Rey y la Reyna, el Duque de Alba, Serna y Leonor y acompaña-miento.* A omits *Serna y*.
2629 PA: vengo a pedir.
2633 PA: Berlamón.

         Pero aduierte que a este passo,
si soy Rey otros dos días
ni tú en que reynar tendrías
ni el Rey tu marido acaso.
         Yo quiero partirme a Gante,   2640
que a siete que estoy aquí;
assí porque oy reçiuí
cartas de que es ynportante
    mi persona en los Estados
como por no enpobrezeros.   2645

REYNA.   Sólo me enrriq[ue]ze el veros.
CARLOS.   Tengo, hermana, mil ducados;
         voyme a despedir.
REINA.   ¡Qué días
tan brebes deste fabor!   13[r]
CARLOS.   Assí se passan, Leonor,   2650
las humanas alegrías.   ✠ *Váyanse.*

✠ *Orazio y Lidonio.*

ORAZIO.   ¡Esta desonrra de sufrir tenemos!
No basta que Leonor, n[uest]ra sobrina,
aya infamado n[uest]ra sangre y casta,
sino que buelta loca por el mundo,   2655

2636   On the left margin *sí*. The passage is not marked for omission.
2645   Two letters completely blotted out between *enpobrezer* and *os*.
2647   *ducados* looks like a slip of Lope's probably caused by preceding *enpobrezer*
           and *enrriquezer*. Another hand wrote *cuida* above *duca*.
2649   On the left margin, slightly below the last line of the folio, *tienpo es de partir*
           (probably not by Lope's hand).
2651   The usual broken line, ending in a *rúbrica*, indicates end of scene.
2652–2681 Boxed in on four sides. *No* on left margin opposite line 2660. Each verse is
           underscored and a single vertical wavy line goes through the middle of lines
           2652–2678 on folio 13[r], but lines 2679–2681 on folio [13v] are only boxed
           in with very weak lines.

2638   P$_7$: en quien.
2648   PA: Partirme importa.
2652–2773 omitted by PA.

estienda la deshonrra que nos haze
y que al Emperador sirba de ofiçio
tan vil en sus jornadas.

LIDONIO.   Pierdo, Oraçio,
el seso ymaginando que esta loca
de Nisa, n[uest]ra patria, nos destierre   2660
y nos trayga solíçitos buscando
remedio a su furor.

ORAZIO.   De qualquier modo,
Lidonio, habemos de poner remedio
en tanto mal, porque se suena y dize
que oy el Emperador se parte a Gante   2665
y, si se va con él, es ymposible
poderla recojer eternamente.

LIDONIO.   Vi por mi mal aq[ue]l galán torneo
que mantubo el Toledo, Duq[ue] de Alba,
en que mostró que era español Toledo   2670
y París que era corte de Françisco
en los abentureros más gallardos
que vió jamás en tales fiestas Nápoles,
y mouióme a vergüenza, Oraçio amigo,
ver a Leonor, en traje tan estraño   2675
del balor de su sangre, andar corriendo
con vno y otro prínçipe a mil partes,
andar entre las damas y los reyes
y estar sentada entre los pies de Carlos.   [13v]
Mas oye que ella sale.

ORAZIO.   A Dios pluguiera   2680
que antes que enloquezer morir la viera.

✠ *Sale Leonor.*

LEONORA.   Llebarme tenéis allá,
aunq[ue] os pese, vellacón.

2658   A check-mark above the *p* of *pierdo.*
2663   *busc* deleted before *poner.*

LIDONIO.	Detente, ynfame ocasión
	de n[uest]ra desonrra, ya.

LIDONIO. Detente, ynfame ocasión
de n[uest]ra desonrra, ya.   2685
Detente y mira que están
tus deudos aquí sufriendo
tu ynfamia.

LEONORA.   ¡O, qué lindo estruendo!
Y ¿quién soys vos, ganapán?

LIDONIO. Yo soy Lidonio, tu tío.   2690

ORAZIO. Y yo tu hermano, cruel.
Ten vergüenza de mí y dél.

LEONORA. ¡Quedito, con menos brío!
¿No ven que soy la muger
del Enperador? ¿Qué es esto?   2695

ORAZIO. Mira en quánto mal te ha puesto
vn imposible querer.
Buelbe en ti, ven co[n] nosotros
a Nisa.

LEONORA.   Canalla ynfame,
¿queréys que a mi guarda llame,   2700
que me venge de vosotros?
Mal aya la Reyna, amén,
que sale sin escuderos.

LIDONIO. Ya no te baldrán los fieros.
¡Tenla, Oraçio, tenla bien!   2705

LEONORA.   ¡Ha, traydores, no ay fabor!
Pues, ¿cómo a la Enperatriz

✠ *Atanla.* la pelan como perdiz?
¡Aquí, del Enperador!
¡Aquí! que me están atando   2710
por robarme aq[ue]l tesoro   14[r]
que dió Angélica a Medoro,
huyendo del Conde Orlando.
¿No ay vn caballero andante?
¡Guarda! ¡Amigos!

2688   *do* written on top of *–uen*.
2714   On both sides of deleted *aquí q me fuerza gente* is written *No ay vn caba* // *llero andante.* Cf. lines 2722, 2734, 2754.

✠ *Pacheco, Serna.*

PACHECO.	Ya se apresta 2715
	con gran regozijo y fiesta,
	Serna, la partida a Gante.
	Aconpañandole vienen
	los dos Reyes a su hermano.
LEONORA.	Ydvos al momento, enano, 2720
	y deçilde quál me tienen.
	Contad cómo me han forzado.
SERNA.	Oýd, ¿no es Leonor aquella?
PACHECO.	Dos hombres están con ella.
SERNA.	Pareze que la han atado. 2725
PACHECO.	Sin duda que atada está.
	¡Leonor!
LEONORA.	¡Aquí, caballeros!
	¡Acudid, aventureros!
	¡Presto, que me fuerzan ya!
PACHECO.	¡O, perros! Pues ¿cómo habéys 2730
	tratado mal a Leonor,
	loca del Emperador?
ORAZIO.	Quedo, escuchad.
LEONORA.	¡No escuchéys!
	Forzado me han y robado
	mi honor.
LIDONIO.	Oye.
SERNA.	¡No lo cuentes! 2735
ORAZIO.	Los dos somos sus parientes.
LEONORA.	Todos me han enparentado.
ORAZIO.	Su hermano soy.
LIDONIO.	Yo su tío.
LEONORA.	Quando crédito les diesses,
	tú verás a nuebe messes 2740
	el fin del encuentro mío.

2725   Three to four letters completely blotted out before *atado*.
2741   *suçe* (?) deleted after *del*. Lope probably intended to write *suçeso*.

PACHECO.	Mueran, Serna, estos vellacos.	[14v]
LIDONIO.	¿Queréys oyr?	
SERNA.	No ay oyros.	
LEONORA.	Disparaldes quatro tiros;	
	buelen al ayre los tacos.	2745
PACHECO.	Dexaldos, pues van huyendo;	
	que ya la grita y rumor	
	dize que el Emperador	
	va de palaçio saliendo.	
	Desatemos n[uest]ra loca	2750
	y desde aquí ver podremos	
	el arco y juntos yremos	
	al ofiçio que nos toca.	
	En fin ¿forzarte querían?	
LEONORA.	Lindos descuidos tenéys.	2755
	Pero allá me lo diréys.	
SERNA.	Estraño yntento tenían.	
LEONORA.	Descuídase Carlos tanto	
	que acude, viéndome oçiosa,	
	alguna gente piadosa.	2760
Tocan.	Soy mui pobre; no me espanto.	
SERNA.	El arco descubren ya	
	y el Çesar viene por él.	
	Los Reyes vienen con él.	
LEONORA.	Luego ¿ya Carlos se va?	2765
PACHECO.	¿No lo ves?	
LEONORA.	Que todavía	
	este vellaco traydor,	

2742-2773   Marked for omission by one line on top of line 2742, another below 2773, two very weak lines on each side of folio [14v], lines 2742-2773. Stage direction, beginning line 2773+, completely boxed in. One vertical wavy line through the middle of lines 2742-2773 and three such lines through stage direction, line 2773+. Each verse underlined. Two *no*'s on left opposite lines 2748-2751 and another opposite third to last line of stage direction (*bayan saliendo . . .*).

2750   *a Leonor* deleted before *nra loca.*

2759   One letter (*n*?) blotted out after *acude.*

tras hazerse enperador,
en ser Gran Turco porfía.
 Yo le quitaré el turbante.   2770
Oy se hará mi casamiento.
SERNA.   Gallardo aconpañamiento.
PACHECO.   La guarda viene delante.

✠ *Descúbrase vn arco en que estén España y Françia abrazadas*   15[r]
y el Papa Paulo 3º detrás, vendiziéndolas. Vn indio, vn
turco y vn moro a los pies, y con la misma música bayan
saliendo todos y entren después los Reyes de Françia,
trayendo al Enperador en medio.

FRANÇISCO.   Sabe Dios lo que me pesa,
hermano, v[uest]ra partida.   2775
Aumente Dios v[uest]ra vida.
ALBA.   ¡Brabo triumpho!
MEMORANSE.   ¡Heroyca empresa!
ALBA.   ¿Quién son las dos abrazadas?
MEMORANSE.   España y Françia, que son
las que en aq[ues]ta ocasión   2780
triunfan, de laurel onrradas,
 del turco, del africano,
 del indio y del atreuido

2777, 2779   *Me* crossed out and *d Ju⁰* written above it by a different hand.
2782–2785   This *redondilla* is set off by a line which runs from the middle of the left
     margin to above the *l* of *del* of line 2782 and by a second line drawn under
     all of line 2785.

2773+   omitted by PA.
2774–2776   PA assign these lines to Reina.
2776+   PA: *Abrázanse los Reyes y aparece arriba España y Francia abrazándose, coronadas*
     de laurel, y el Papa benediciéndolos.
2777   PA assign this line to Monsieur and Duque.
2778   PA assign this line to Serna.
2779–2787   PA assign these lines to Pacheco.
2782   PA: del persa, del africano.
2783   PA omit *y*.

que se rebela al que ha sido
su prínçipe soberano: 2785
Paulo Tercio, que los junta,
los echa su bendiçión.

ALBA.   Dure esta paz y esta unión,
Santa Liga, ynmortal junta,
en bien de la cristiandad.   2790

LEONOR.   ¡A, Carlos, ya no me veys!
Mui poca merzed me hazéys.

CARLOS.   Suplico a tu magestad,
tenga en su casa a Leonor,   [15v]
mientras que buelbo de Gante.   2795

FRANÇISCO. Mas por merzed semejante
os besso los pies, señor;
que yo la tengo afiçión.
Leonor, ya quedas conmigo.

LEONOR.   ¿En fin, os vays, enemigo?   2800
¡Aquí de la Inquisiçión,
que va a ser Gran Turco este ombre!

FRANÇISCO. Lo demás q[ue]da trazado:
Quando bolbáis del estado
que os niega el deuido nombre,   2805
mi hijo y v[uest]ra sobrina
se casarán y a Milán
les daréis.

LEONOR.   No es buen galán
quien tiene dama y camina.
Llebadme, Carlos, con vos,   2810
que me matará el ausençia.

CARLOS.   Hermana, dadme lizenzia
y quedaos con Dios.

2790   PA: por bien.
2790+   PA: *Cúbrase la apariencia.*
2795   PA: mientras yo.
2797   PA: La quiero hacer un favor.
2800   PA: Al fin, que os vais.
2803   PA: tratado.
2813   PA: quedad.

REYNA.   Adios.
CARLOS.   Escribidme.
REYNA.   Es mi ganançia.
PACHECO.   Aquí Belardo acabó   2815
                la historia y lo que pasó
                Çesar *Carlos Quinto en Françia.*

En Toledo, a 20 de nobienbre 1604
    M Lope de Vega Carpio [*Rúbrica*]

Por mandado de los señores Inquisidores de Vall[adoli]d,   [16r]
Juezes Apostólicos, vi esta comedia de Carlos Quinto en
Francia y toda es historial y no ay en ella cosa contra
n[uest]ra s[ant]a fe católica ni contra buenas costumbres
y así me pareze q[ue] puede representarse. Fecha en S.
Fran[cisco] de Vall[adoli]d a 9 de mayo de 1607.

                                        Frai Gregorio Ruiz.

Visto por los s[eñor]es Inquis[ido]res de Vall[adol]id el
parecer de arriba de fray Gregorio Ruiz, lector de theo-
logía de San Fran[cis]co desta ciudad, dieron lisencia para
que se pueda representar esta comedia de atrás, intitulada
de Carlos Quinto en Francia. F[ec]ho e[n] la ciudad de
Vall[adol]id a 9 de mayo de 1607 a[ño]s.

                                        Juan Martínez de la Vega.

Examine [e]sta comedia, cantares y entremeses della el
s[e]cretario Thomás Gracián Dantisco y dé su censura.
En Madrid, a 15 de jun[i]o de 1608.

Por mandamiento del Arçob[isp]o, mi señor, he visto   [16v]
essa comedia de Carlos Quinto en Françia y digo que se
puede representar y así lo firmo en Caragoça a 16 (26?)
de octubre, año 1608.
                                        El D[oct]or Domingo
                                             Villalua

2817+   PA: Fin.

Vean esta comedia de Carlos Quinto en Françia los
P[adr]es Prior y Predicador de S[ant]o Domingo y sopena
de excomunión mayor late sententie, que no se recite
nada de lo emendado. Fecha en 25 de julio de 160[9].

El Doctor de la Parra.

Vi esta comedia hassí emendada.[1] Como ja estaa nao há
cousa por onde se nao possa representar. S. D[oming]o (?)
de Lix[bo]a a 17 de octubre de 609.

Fr. P[edr]o Martín

Por mandado del s[eño]r L[içencia]do Gonzalo Guerr[er]o, [17r]
Canónigo de la doctoral y P[r]ouisor General deste
obispado, ui esta comedia de Carlos Quinto en Françia
y a mi parecer no tiene cosa contra la fe y assí puede
representarse, salvo . . . A 11 de julio de 610

D[oct]or Antonio de Godoi Chica

En la ciudad de Jaén a doçe d[ía]s del mes de jullio de
myl y seicçie[nto]s diez años, s[u] m[erce]d el s[eño]r
licen[cia]do Goncalo Guerrero, Prouisor deste ob[is]pado,
auiendo uisto el testim[oni]o y visita desta comedia q[ue]
se yntitula Carlos Quinto en Françia, del [?] dicho [?]
m[anda]do, de s[u] m[erce]d q[ue] dió, el Doctor
Ant[oni]o de Godoy Chica, Prior de la yg[lesi]a de
O[bis]p[o] [?] desta ciu[da]d, dijo que daua y dió lic[enci]a
y facultad a Ant[oni]o Granados, autor de comed[ia]s,
p[ar]a que la pueda representar en esta ciudad y
ob[is]pad[o] y lo firmó de su nonbre

El L[içencia]do Goncalo Guerrero
Ante mí
Joan de Mata n[otario] [*rúbrica*]

---

[1] I am unable to identify the passage(s) to which the censor might have had objections.

Doy licençia para que se represente esta comedia en [17v]
Málaga 21 de 9bre de 1610.

El D[oct]or Fran[cis]co del Pozo
[*rúbrica.*]

Por mandado de el s[eñ]or lic[ençia]do Al[ons]o
Rodríguez, Canónigo de la S[an]ta Yglesia de Cartagena,
Prouisor y Vicario G[ene]ral de el di[ch]o ob[is]pado, e
visto y leýd[o] esta comedia de Carlos Quinto en
Francia y no allo en ella cosa ninguna contra la religión
chr[ist]iana ni buena[s] costumbres porq[ue] no se deba
representar; y lo firmé en Mur[ci]a, trejnta de majo de
1611 y así se podrá representar con su licencia.

· Doctor Joan Andrés de la Calle [*rúbrica*]

[Rúbrica of de la Calle]

Esta comedia se puede representar en Gr[ana]da, [18r]
3 de diz[iembr]e de 1615.

El D[oct]or Fran[cis]co Martínez Rueda [*rúbrica*]

Podesse representar esta comedia intitulada Carlos
Quinto en Francia con bailes y entremeses en estos. Em
Lisboa 2 de octubro de 617.

[Signature or Rúbrica covered by Machuca's Licencia.
Date by a different hand with different ink.]

Vi esta comedia y puede representar, que no tiene en
que repararse. En Madrid, 4 de agosto 1621. S[eñor]
Pedro de Vargas Machuca.

Dase liz[enci]a para que se pueda representar esta
com[edi]a yntitulada Carlos Quinto en Francia. En
M[adri]d, a 13 de diz[iembr]e de 1620. [*Rúbrica*]

Notes

Pacheco. See 30–47 n.

16+. Mosiur de Memoranse. The Spanish transcription of *Monsieur* was *mosior, moseor, Mosiur,* and other spellings (Keniston, *Syntax,* 18.399). *Mosiures* and *Monsiures* are found in Gracián, *El Criticón.* The *Dicc. Aut.* gives only *monsiur* (see Gracián, *Criticón,* II, 89). *Memoranse* transcribes the name of Anne de Montmorency (1493–1567), "gran condestable de Francia, que es la mayor dignidad de aquel reino, como en España" (Sandoval, III, 47b). At the time of Francis I the Connétable had become "le lieutenant général et le représentant de la personne du roi" (Doucet, I, 112). He represented Francis I in the negotiations with Charles V's ministers in the presence of Pope Paul III (Salinas, p. 866; Sandoval, III, 51b). Salinas' spelling of the name is *Memoransi* (pp. 402, 791), Sandoval's *Montmoransi.* The play by the Licenciado don Martín Peyrón y Queralt, *El duque de Memoransi* or *Las fortunas trágicas del duque de Memoransi* (the title varies), Parte XXXII (Zaragoza, 1640) and Parte XLIV (Zaragoza, 1652) of the collection of *Diferentes Autores* (La Barrera, p. 303), and *suelta* (n.p., n.d.), mentioned by B. B. Ashcom, *HR,* XXVIII (1960), 45, n. 3, are "about the plot of Gaston d'Orléans and the Duc de Montmorency against Richelieu. Montmorency was executed in 1632" (personal communication by Professor Ashcom).

29. Mendoza te llamarás. Members of the Mendoza family, originally from the province of Alava, went to Castile with Fernando I (1016/18–1065), and a Lope Iñiguez de Mendoza took part in the conquest of Toledo (1085) (*Dicc. hist.,* II, 476a). There may be a subconscious association between the names Mendoza and Pacheco in Lope's mind. María Pacheco, wife of the *comunero* leader Juan de Padilla, was the daughter of don Iñigo López de Mendoza. After her husband's death she held out for some time against Charles V's forces. Another famous Mendoza was Pero González de Mendoza, El Gran Cardenal, faithful servant of the Reyes Católicos and cardinal-archbishop of Toledo since 1482 (d. 1494) (*Dicc. hist.*, I, 1256b). For other illustrious members of the Mendoza family connected with the Reino de Toledo see *Dicc. hist.*, II, 476 and *Carlos V*, 268, n.

30–47 D. Juan Pacheco, *privado* of Prince Enrique, received the Marquisate of Villena after the battle of Olmedo (1467). It was passed on to his oldest son D. Diego López Pacheco, marqués de Villena, duque de Escalona, conde de Sant Esteban, etc., the famous sympathizer with the *alumbrados* and *erasmistas*, to whom Juan Valdés dedicated his *Diálogo de doctrina cristiana* (1529). "Estáuamos en Escalona, villa del duque della," Lazarillo tells in the *Primer Tratado* (ed. Cejador [1926], p. 110, line 20). This Duke died on November 6, 1529, quite advanced in years. He had rendered distinguished service to the Catholic Kings and to Charles V, but during the *comuneros* uprising of 1521 he tried in vain to re-establish royal authority and he withdrew from the court to live in retirement in his city of Escalona. His son, who inherited his father's name and the titles of marqués de Villena and duque de Escalona, was knighted by Charles V in 1520 at Santiago de Compostela. He would be the one with whom Pacheco grew up (39–40). See Marcel Bataillon (ed.), Introduction to Juan de Valdés, *Diálogo de doctrina cristiana* (Coimbra, 1925); and Manuel Asensio, "El Lazarillo de Tormes," pp. 403–4 and note 19. Juan de Valdés named one of the participants in the *Diálogo de la lengua* Pacheco. In the Madrid MS this name is replaced, however, by the name Torres, for unknown reasons (cf. Montesinos' ed., p. xliii, n. 2).

Pacheco adopted the name of his master, just as the grandfather of the *pícaro* Cabrera, in Benavente's *Los malhechores del bien*, Act I, sc. xvii, adopted the name of the "excelentísimo general don Ramón Cabrera," in whose army he had served and who had given him a "boina blanca," which his grandson is still wearing.

59 Hazaña. "Exemplary behaviour," a meaning directly descending from Arabic *ḥasána*, "obra buena," "acción meritoria" (Corominas, II, 892b, 13–15; and Malkiel, "Fazaña," *HR*, XVIII [1950], 150–52). The same meaning: lines 230, 488; "military exploits," lines 303, 2425.

60 Lope wrote "tener humores de amor." The context, however, requires "humores de honor," as PA have it. This confusion between two standard rhyme words shows not only Lope's rapid and somewhat uncontrolled composition, but also proves that a good part of the

7

comedia's standard dramatic emotions and conflicts are those of *honor* and *amor*. Cf. Vélez, *Embuste*, 363, 578, where the printed texts also offer variants between *honor* and *amor*.

Humores. "'Humores del cuerpo humano,' de donde se pasó en la Edad Media al genio o condición de alguien" (Corominas, II, 976a, 18–20). Also in Alarcón (Denis, s.v.), Villegas (Fontecha, s.v.), and Cascales, II, 170; III, 18.

63 Porque del juego salí. This seems to be an allusion to illegitimate birth (cf. line 24).

65 Escoto. "Escoto el italiano" appears in Quevedo's *Las zahurdas de Plutón* (*BAE*, XXIII, 320b with note), where he is called not only "hechicero y mágico," but also "mentiroso y embustero." Escotillo is the name of the teacher of the *encantador* who created the bronze head in *Don Quijote*, II, lxii (ed. Rodríguez Marín, VI [M., 1928], 268). Clemencín's extensive note (Parte II, Tomo VI, 267–68), on the basis of Luis Zapata, *Miscelánea* (Biblioteca Real, est. H., cod. 124, fol. 441; not in Horsman's edition), mentions an "encantador y negromante" of this name who lived in Flanders during the governorship of Alexander Farnese (1578–92). He also appears in Martín del Río's *Disquisit. mag.*, Lib. 2, Quaest. xii, a book published in the same year, 1604, in which *Carlos V en Francia* was composed, and in Feijóo, *Theatro universal*, Tomo 3, Discurso 2, Núm. 2. The historical Escoto was Michael Scotus or Scottus, whom Dante calls Michele Scotto and places in the *quarta bolgia* of the *Inferno* (XX, 115–17) together with other magicians and necromancers. How this highly respectable medieval scholar and philosopher (ca. 1190–1250) acquired his reputation as a magician and astrologer is told by Arturo Graf, "La leggenda di un filosofo," *Miti, leggende e superstizioni del Medio Evo* (Torino, 1893), II, 239–99. He lived at Frederic II's court as a translator of Aristotle from the Arabic, and also spent some time (1217) at Toledo, the seat of black magic *par excellence*, in the opinion of his contemporaries. The miracle of the repast provided by magic from the kitchen of various kings of Europe, as told by Zapata, is ascribed to Michael Scott by Iacopo della Lana and other commentators of the *Divina Commedia* (Graf, pp. 259–60; texts in Appendice, Nos. 5, 7, 9). We conclude, then, with Clemencín "que el nombre de Miguel Scot llegó a ser peculiar de los famosos astrólogos." Yet, the names of Joannes Duns Scotus and Joannes Scotus Erigena, famous medieval philosophers, may also have entered Lope's mind. The former is mentioned by Suárez de Figueroa, *Plaza universal* (ed. 1630), folio 193v, together with St.

Thomas, as being "de opinión que tengan las Estrellas acción en elementos, en mistos, en cosas animadas, inanimadas y sensitivas" (Professor Warren T. McCready called my attention to this last passage).

66 En los dos puntos. Two meanings of *puntos* seem to come into play: 1) points in the card game *rentoy*; 2) an astrological meaning, which Professor Warren T. McCready in a personal letter explains as suggesting that Venus and Mars are in opposition, i.e. sitting at opposing sides of the table (zodiac) and playing cards. For astrologers such a position of the two planets signifies "loss through over-liberal tendencies or carelessness and extravagance," in short, a tendency towards gambling, as Pacheco admits in the preceding *redondilla*. For the astrological meaning, cf. Cascales, I, 176, 15–17: " . . . esta nueva secta de poesía ciega, enigmática y confusa, engendrada en mal punto y nacida en cuarta luna (novilunio)."

68 Rentoy. "Juego de naipes, que se juega de compañeros, entre dos, quatro, seis, y a veces entre ocho personas. . . . se envida como al truque, haciéndose señas los compañeros" (*Dicc. Aut.*, quoted by M. M. Harlan, commenting on Lope, *El desdén vengado*, 2414). Carriazo, in *La ilustre fregona*, in three years of disappearance from home, "aprendió a jugar . . . al rentoy en las Ventillas de Toledo" (*Clás. cast.* [1928; cover: 1932], XXVII, 222–23). It may be significant that Cervantes here associates *rentoy* with Toledo. Corominas, III, 1087b, gives 1599 as first appearance and connects the word with French, *rends-toi*, "acude" o "entrégate," or it might be explained as an abbreviation of *rends-toi compte*, "'date cuenta,' por las señas de este juego."

72 Monarquía. "Mando supremo," "dominio," as in line 2162 and in Tárrega, *El cerco de Pavía*, 452a: "Daránla [la muerte] al Rey de la Galia; / que en conservar a Pavía / consiste la monarquía / que el nuestro tiene en Italia," and in Góngora, II, 3: "Vuestra, o Philippo, es la fortuna, i vuestra / De Africa será la Monarquía."

78 Las pazes. The reference is to the truce of Monzón concluded on November 16, 1537. (See Sandoval, III, 46b; Tyler, pp. 66–67, 334; Keniston, "Peace Negotiations," p. 143a.) Peace negotiations were conducted on the island of Salsas from December 21, 1537 to January 11, 1538, without results (Keniston, *op. cit.*, pp. 143b–146a).—Lope uses the plural *paces*, when the idea of two parties negotiating a peace treaty predominates (lines 136, 178, 188, 329, 632), whereas the singular stresses the idea of peace as a status achieved or to be achieved (lines 82, 118, 140, 144, 321, 335, 532, 539, 578, 628). Yet, Sandoval, III, 50b: "para tratar la paz entre ellos." Exigencies of rhyme and meter may have influenced Lope's choice between singular or plural.

80 For details of the fighting in Piedmont during 1537 see Sandoval, III, 43–46.

93–100 Piñarolo (Pinerolo, in the foothills of the Piedmont Alps, about 20 miles southwest of Turin) was one of three fortresses the Marquis was unable to wrest from the French in the Piedmont campaign (Sandoval, III, 38a, 41a, 44b). Aste (Asti, about 35 miles east of Turin) was defended by the Marqués del Basto (*ibid.*, p. 42b). The Marqués del Basto is the protagonist in Luis Vélez de Guevara's *comedia El Marqués del Basto* and a secondary character in Lope's *El cerco de Viena por Carlos V* (*Ac.*, XII), and, in Diego Jiménez de Enciso's play *El valiente sevillano*. Vélez's play has some points of contact with our *comedia*, particularly the character of Guijarro, a blustering Spanish soldier. Charles V also appears in it (Spencer and Schevill, pp. 64–66).

101–104 The sword, and not the ear, receives the offense of *mentís* and it acts with daring swiftness in response. The complete identification of sword and wearer expresses the immediacy of Pacheco's reaction, who does not tolerate any *afrenta* of the Spanish commander.

102 Mentís. Rodríguez-Marín, commenting on a passage in Cervantes' *Rinconete y Cortadillo* (*Clás. cast.* [1928; cover: 1932], p. 197), writes: " . . . estos *mientes o mentises* no eran solamente repulsas contra quien había hecho alguna afirmación, sino también fórmulas de provocación para reñir." Zapata, *Miscelánea*, apud Gracián, *Criticón*, II, 289, complains about "la atrocidad del *mentís*, que es llaga casi incurable . . ." to which the editor adds: "El correlativo del *mentís* era meter mano a la espada."

110–116 See 30–47 n.

122 Ponga sobre los ojos. *Ponga* is first person. *Sobre los ojos* is an idiom "que con el verbo *poner* y otros se usa para ponderar la estimación que se hace de una cosa" (Alonso, s.v. *ojo*). PA write "sobre mis ojos," the form in which the phrase is listed in the *Dicc. Aut.*, s.v. *ojo* (V, 30b).

154–156 The situation of lines 13–14 is repeated and stated in similar terms (cf. lines 13 and 155, repeated again in line 225). The syntax is best understood as an elliptic question of surprise: "¿Es posible que . . . ?"

169–170 For the campaigns in historical context see Introduction, pp. 37–38.   *Viena* refers to the successful defence of this city against the Turks, September 27–October 14, 1529, by Charles's brother Ferdinand.

171–172 This reference to military action against the Protestants before 1538 is incorrect. The only war fought against the Protestant princes was against the League of Schmalkalden, which culminated in Charles's victory at Mühlberg (April 24, 1547), celebrated by the feat of *El valiente Céspedes*, protagonist of Lope's play of the same title, composed between 1612 and 1615 (Morley-Bruerton, p. 244).

176 Aste, Piñarolo. See 93–100 n.

197–200 Pacheco's appeal to imperial clemency effectively quotes the concluding words of Anchises' prophecy of Rome's mission (*Aeneid*, VI, 851–53): "Tu regere imperio populos Romane memento— / haec tibi erunt artes—pacisque imponere morem, / parcere subiectis et debellare superbos." *Humildes* and *proterbos* translate *subiectis* and *superbos*. Another echo of the Virgilian lines is found in *La Dorotea* (I, v, p. 118), and Lope also liked to quote the first words of the *Aeneid*, "Arma virumque cano" (*op. cit.*, p. 332, n. 139). Respect for the vanquished as a characteristic of the noble heart is emphasized both by the Spaniard Cisneros and the Frenchman Borbón in Tárrega's *El cerco de Pavia*, p. 475b. For F. Maldonado de Guevara, "La espiritualidad cesárea," the Virgilian formula expresses the central idea and ideal of the *Maiestas romana*, which lived on in the chivalric concept of man and found its last representative in Charles V and Philip II, in whom "la *Maiestas* adquirió pronto la forma española del *sosiego* mayestático, que les acompañó por toda la vida, y con insuperable grandeza en las angustias de la muerte" (p. 204). In *Quijote*, quite understandably, there are numerous echoes of the Virgilian formula (Maldonado pp. 198–203).

202–203 Philip II, born May 21, 1527, was actually eleven years old at the time. Cf. 616 n.

209 Plus vltra. Charles V's and Philip II's *empresa*. It was originally negative, *non plus ultra*, and came from the Latin version of Job xxxviii.11, "Hitherto shalt thou come, but no further" (Büchmann, *Geflügelte Worte*, p. 246). For Lope's contemporaries, however, the negative version referred to the *colunas de Hércules*, "para significar que era aquél el término del mundo." Yet, "para desmentir el error de los antiguos, que sintieron no auía más orbe que penetrar, tomó aquel tan glorioso emblema el inuictíssimo César de España Carlos V . . . que son dos *colunas* y esta augusta inscripción: PLVS ULTRA" (Pellicer, *Lecciones solemnes*, 275–80, apud *La Dorotea*, p. 299, n. 44, which see for two more references by Lope to the emblem). For Dolce, p. 167, likewise, the origin of the emblem is the discovery of the New World. An excellent visual interpretation of the emblem is found in March, *Niñez de Felipe II*, I, between pp. 224 and 225, on the "Rodela de Carlos V," with detailed description on p. 359.

211-212 Atlas, who sustained the heavens on his shoulders, is the customary symbol of the king (see Vélez, *Embuste*, 1132-1134 n.), whereas Heracles, grandson of Alcaeus, stands for powerful and beneficial action, as in Horace, *Carmina*, I. xii. 25 (cf. Kiessling-Heinze eds., [Berlin, 1917], note).

213, 216 Produzga, Reduzga. "Varios verbos que etimológicamente hacían Yo—*go*, Tú—*ces*, agruparon la continua de Tú a la *g* de Yo, y así de *yago* + *yaces*, salió *yazgo*, y lo mismo *plazgo*. . . . Igual *conduzgo* . . . *aduzgo*, *reduzgo*, usado por Cervantes y hasta no hace mucho" (Menéndez Pidal, *Manual* [9th ed., M., 1952], § 113.2.b, p. 295).

225 See 154-156 n.

230 See 59 n.

237 Le as accusative for persons and things became "muy pronto la forma casi universal en la lengua clásica literaria" (García de Diego, *Gramática histórica española*, p. 315; also Keniston, *Syntax*, 7.13-7.132). Other instances: lines 271, 285, 346.

268+ Keniston, *Garcilaso*, p. 418, thinks the poet is meant. Sandov. l III, 19b, reports his death for the year 1536.—In Paz y Melia, *Sales españolas*, I, 300, 308, we find a D. Juan de Mendoza mentioned in two distinct anecdotes as being at the court of the "Reina Doña Isabel," i.e., the Empress. The anecdotes occur in "Libro de chistes de Luis de Pinedo." The second *chiste* hinges on the fact that he is "hijo de clérigo." He was the son of Cardenal D. Pedro González de Mendoza. There is a Juan de Méndoça who, on May 27, 1543, delivered letters from Charles V to Juan de Zúñiga, *ayo* of Prince Philip, at Valladolid (March, *Niñez de Felipe II*, I, 255). This is the only Juan de Mendoza known to me who could be called a diplomatic courier—to be assumed to have been employed during the years before and after the events of 1538-40. The courier sent to Flanders at the beginning of the Ghent affair was Luis Secorio, "consejero del Emperador" (Sandoval, III, 82a). It is most likely that Lope endowed a fictional *galán* with the name of a family of many branches (see 29 n.), whose most famous member associated with Charles V was Don Diego Hurtado de Mendoza (1503-75), poet, humanist, and diplomat, the Emperor's ambassador to the Republic of Venice (1538-47) and to the Holy See (1547-51).

269–336 For the historical background, see Introduction, pp. 37–38, 39–41.

271 Le. See 237 n.—Hiatus before [*h*]*echo* within the verse is not uncommon in Lope (Poesse, p. 60).

283 Campo. "Campos se llaman los exércitos en campaña, y assí dezimos el campo nuestro, y el de los enemigos" (Covarrubias, 281a, 6).

285 Le refers to *campo* (line 283); see also 237 n.

289 This is the Tercer Duque de Alba, Fernando Alvarez de Toledo y Pimentel (1507–82), the Gran Duque de Alba, most famous for his military command and regency in Flanders, entrusted to him by Philip II in 1557 (*Dicc. hist.*, I, 74b–78b).

293–295 Fernando (Ferrante) de Gonzaga (?–1557), first duke of Guastalla (1557), from the minor line of the Gonzaga family, rulers of Mantua. He served Charles V with distinction as a general in various campaigns, including the one mentioned here, and was viceroy of Sicily (1535–46) and governor of Milan (1546–55) (*Dicc. hist.*, I, 1252b).

294 Ligeros. The words stands for "cavallos ligeros, término militar opuesto a la cavallería que llaman hombres de armas" (Covarrubias, 766b–767a). Sandoval, III, 15a, uses "ochocientos caballos ligeros."

299–300 About Andrea Doria and his mission in the Provence campaign, see Introduction, p. 40, n. 38.

300 Andrea Doria (1466–1560), the famous Genoese admiral, served first Francis I, but in 1532 changed sides. He was virtually in command of the Emperor's fleet. Besides, he dominated the political life of the Republic of Genoa during the last fifty years of his life (*Dicc. hist.*, I, 912). Lope consistently spells the name *de Oria*. Salinas has *de Oria* as well as *Doria* (see Index, s.v. Doria). He is a character in Lope's *La Santa Liga*, *Ac.*, XII.

303 See 59 n., 230 n.

311 Suelo. "Distrito o espacio de tierra que comprende una provincia o jurisdicción" (Alemany, s.v., explaining Góngora, I, 28–29: "el suelo andaluz").

319 Ardía. "Arder . . . se halla a veces como transitivo en la ac. 'abrasar' . . . Es frecuente hasta el XVII, pero ya *Aut.* la nota de rara" (Corominas, I, 253b, 33–38).

320 Khair ad-Dín Barbarroja, "el auténtico y famoso Barbarroja" (*Dicc. hist.*, I, 376a), was the Emperor's principal opponent in the western Mediterranean waters and coastal areas, whose chief weapon was an aggressive fleet. Beaten by the Emperor at La Goletta and Tunis (1535), he fled to Constantinople where he supported Francis I's plans of a concentrated attack on the Emperor, the Turks raiding the Italian coast and the French invading Piedmont and Milan. He actually attacked the Apulian coast (Sandoval, III, 26a–29a).

321 El día. Charles V arrived at Villefranche May 9, 1538, the Pope at Nice a few days later. Francis I came to Villeneuve on May 31. The meetings between the Pope and Charles, and the Pope and Francis, began on June 5. This, then, would be "el día." The two sovereigns did not meet personally at Nice. The ten-year truce was concluded on June 18. See Tyler, pp. 334–35.

327-328 "El Papa vino . . . desde Roma a Saona, y de allí hasta Niza por agua, en las galeras que le envió el Emperador, el cual le fué a besar el pie dos días después de llegado a San Francisco [a convent outside of Nice], donde posaba" (Sandoval, III, 51a). It is, therefore, inaccurate to say that the Emperor provided for the Pope's lodging.

341-354 The sonnet belongs to type A, rhyming CDC DCD in the sextet, which is the predominant type for the years 1604 and after. Before, he favored type B, rhyming CDE CDE. See Morley-Bruerton, pp. 12, 85–86. Lope follows the general evolution of the sonnet form in Spain (Jörder, *Formen des Sonnetts*, p. 11). The function of the sonnet here is clearly expository. Dorotea, disguised as a page, has followed her not too faithful lover "por tierra y mar." Structured with baroque ambiguity, the sonnet can be interpreted either as an address to the lover (*cruel*, line 345) or to Love (*Amor*, line 350). Internally, it is built upon the ambivalence of love: *yras de amor*; *gusto* and *desseo* vs. *ásperas fatigas*; *me enlazes*, *quando no peleo* vs. *quando me defiendo*, *me desligas*, in chiastic construction. In the tercet *flaco* and *cobarde* are contrasted with *fuerte*, and *gloria* with *muerte*.

346 See 237 n.

353-354 Aquel discreto need not be any particular authority. As in *El sembrar en buena tierra*, lines 1100 and 1121, Lope was probably "indulging in what seems to have been a fairly common custom, that of inventing authorities—named and unnamed—for one's sayings" (Fichter, pp. 193–94 with numerous examples). In *Santiago el verde*, ed. Oppen-heimer, lines 2220–2226, Seneca is quoted as an authority for the opinion "que naturaleza / fué sabia en quitar poder / y fuerzas a la muger," and in *La Dorotea*, p. 258, lines 11–13, Lope speaks of the "condición teme-rosa" and the "cobardía" of women. The capacity to love passionately is their redeeming virtue (see Oppenheimer, pp. 196–201, with quotations from Lope).

371 Y ynclinación. *E* for *y* before a word beginning with *i* was first recommended and practiced by Juan de Valdés, *Diálogo de la lengua*, ed. *Clás. cast.*, p. 62, but was not generally observed before the eighteenth century (Gracián, *Criticón*, II, 19). For an example by Lope see Dedication, second paragraph, line 9, and *La Dorotea*, p. 258, line 12: "y imprímese."

385–429 Spanish nationalism is tempered with respect for the French. Lope's attitude towards the French corresponds, on the whole, to that observed by John Van Horne in his study, "The Attitude towards the Enemy in Sixteenth Century Spanish Narrative Poetry," *Romanic Review*, XVI (1925), 341–61, which he terms "generous" (p. 343). "Recognition is given to French courage, chivalry, and humanity. Chivalrous feelings and actions between Frenchmen and Spaniards are considered natural and proper. . . . France was regarded as an honorable, spirited enemy, and as the country most nearly equal to Spain." At the same time there run through the Spanish poems "feelings of pride and superiority" (pp. 343–44). For less benevolent opinions about the French, see Herrero García, *Ideas de los españoles del siglo XVII*, pp. 426–36, which contains excerpts from Doctor Carlos García, *La oposición y conjunción de los dos grandes luminares de la tierra*, "vulgarmente . . . conocido con el nombre de *La antipatía de españoles y franceses*," 1617 (*Libros de Antaño*, VII [M., 1877]), and Gracián's *Criticón*, II, 252–54, and passim (see Index, s.v. *Franceses*).

389 Estremos. "Dans la l[angue] de la galanterie, manifestations exagerées et ardentes de ses sentiments" (Denis, s.v., *extremar*, with references also to Guillén de Castro and Calderón).

390–399 For two *quintillas* the rhyme scheme changes to *aabba*. This is *quintilla* No. 5, the second most common type in Lope (Morley-Bruerton, pp. 11–12).

390, 393, 394, 396 Ayre has the meaning of "viento" (line 393) and "ligereza," "gracia," "gentileza" (lines 390, 394, 396). *Buen ayre,* "gentileza" (line 396), suffered an eclipse toward the middle of the century, but became current again later (Gracián, *Criticón*, III, 221).

418 Suelo. "Mundo," "tierra" as in Torres Naharro, III, 343 and Góngora, II, 356 or "orbe de la tierra" as in Covarrubias, 947a, 38. Cf. 311 n. for a different meaning.

425-427 Leonora's expression of a *joie de vivre*, relatively uncommon in Spanish literature of the seventeenth century with its emphasis on *desengaño*, is in contrast to Calderón's "delito mayor del hombre es haber nacido" (*La vida es sueño*, lines 111-112).

429 Modern usage would prefer the redundant construction "oy la haze," which would be possible with synalepha before *haze* (see Poesse, p. 59). But, in the sixteenth century at least, when the direct object pronoun "precedes the verb, the number of examples of the use of the redundant pronoun is less than a sixth of the number of cases in which it is not used" (Keniston, *Syntax*, 8.601).

430-434 Another *quintilla aabba*. See 390-399 n.

431 Temblar a is used here in the sense of *temer*. See PA Variants. *Temblar de* is found in line 472. See 1126 n.

432 In the sixteenth century this position of the personal pronoun "is regularly found when the verb is the first stressed element in its breathgroup" (Keniston, *Syntax*, 10.761; examples from Torres Naharro in Gillet, III, 277).

435 Reçiuís. *Recibir*, "to accept," "to welcome" (Denis, s.v.).

438 Haréys is used without *lo* as a vicarious verb (Keniston, *Syntax*, 34.51; 34.513).

440-441 "No tengo en él [hombre que valga] para un tajo."

445-454 Two *quintillas* No. 5, *aabba*.

446 Caracol. "Es symbolo del que trae consigo toda su hazienda y caudal y su casa, como los que viven en tiendas y los pobres, que no tienen casa ni hogar" (Covarrubias, p. 300b, 22-25).

449 Rayo. See Vélez, *Embuste*, 880 n., about this image so frequent in Golden Age poetry and drama.

470-474, 485-489 Two more *quintillas* No. 5, *aabba*.

488 See 59 n.

498 Ayre probably is charged with the double meaning of "región del aire" and "vanidad," "soberbia." Cf. Gracián, *Oráculo manual*, No. 267 (ed. Romera-Navarro, p. 516, with note): "negóciase en el aire con el aire." Also *Criticón*, II, 372: "Avía savandijas de todo elemento: locos del aire los sobervios, del fuego los coléricos. . . ."

508 Y. "By the same token." Examples for the frequent use of *y* for *ni* after negative antecedent in *Don Quijote*, ed. Rodríguez Marín (1927), I, 42, 15.

519 Empatado. Rosal, 1601, apud *Tesoro lexicográfico*, is the first documentation. He gives the idiom "empatar el juego," in transitive construction. Franciosini, 1620, *op. cit.*, offers "empatar en el juego."

520–535 There is no trace of the Pope's address in the sources.

523 Empressa. Covarrubias, 509b, 33, s.v. *emprender:* "Determinarse a tratar algún negocio arduo y dificultoso . . . ye de allí se dixo empresa, el tal acometimiento." But there is also present here the meaning, "símbolo o figura" (Covarrubias, *ibid.*, 44). Peace is the symbol of the Pope's office. PA understood only the latter meaning.

524–525 See Introduction, pp. 38–39.—*Si es.* "Si es verdad que"; see Vélez, *Embuste*, 273 n.

526 Las presencias. The abstract noun compresses the verbal construction, "si estuviérades presentes." For this use of abstract nouns see Vélez, *Embuste*, 1149–1150 n., 1152 n.

527 Capítulos. " . . . condiciones y advertencias para algún trato o concierto" (Covarrubias, 298a, 35). Later (line 657 +), when read by Cobos, they are called "capitulaciones." Sandoval, III, 53a, writes "Capítulos de la concordia de Niza."

528 There is no evidence that Francis I was so eager to meet the Emperor. Neither of the sovereigns was inclined to enter into negotiations in the presence of the Pope. See Introduction, pp. 39, 41, 44.

535 Cabezas. Christ is meant. The plural is used because "los complementos que se refieren a cada uno de varios sujetos van en plural" (García de Diego, *Gramática histórica*, p. 283).

537–539 The word play on *terzero*, "third" and "mediator," is obvious.

540–601 See Introduction, pp. 36–37, 41–43.

540 Otra vez. "Autrefois, jadis" (Denis, s.v. *vez*).

542 Conclavi. Lope gives this term a somewhat extended sense. For Covarrubias, 346a, 65–346b, 2, and the dictionaries following him (*Tesoro lexicográfico*, s.v.), the meaning is restricted to the conclave assembled to elect a pope, but for A. Palencia (1490), s.v. *conclaue*, it is any assembly charged with the election "de algund soberano principe como son el papa y el emperador." The proper ablative ending of *conclave* is *-i*. So Lope may have felt *en conclavi* to be Latin. He was conscious of Latin, as we see from the correction of the spelling of the Virgilian *parcere subiectis* (199). The accent, vacillating between *conclave* and *cónclave* (Corominas, III, 158a, 4–11), is here *conclavi*, the proper Latin accent.

548–550 See Introduction, pp. 36, 42.

556 See Introduction, p. 38.

565 A similar rhetorical formula occurs in line 551.

565–575 See Introduction, pp. 37, 42.

567 Tiniéndole. The protonic *i* is the vowel to be expected phonetically under the influence of *yod* (Menéndez Pidal, *Manual*, 18.2; 105.1). For other occurrences in Lope see *El castigo sin venganza*, ed. van Dam, 302 n.

577 Although Charles during the preliminary negotiations was unyielding to French terms, actually "he had set his heart on an early meeting with Francis in Nice, in which the Pope would participate" (Keniston, "Peace Negotiations," p. 146, who calls the Emperor's desire for a personal meeting with his rival "the most striking feature in this controversy"; see also Brandi, pp. 386–87). Sandoval, III, 51b, ascribes the failure of the two monarchs to meet personally in the presence of the Pope to "los respetos o pundonores del mundo, que entre los príncipes se miran más de lo justo y aun los hace vivir esquiva y extrañamente."

580–585 The Duchy of Milan had become vacant upon the death of Francisco Sforza on November 1, 1535. Henry, duke of Orléans, Francis' second son and his candidate for the duchy, had become dauphin through the death of his older brother Francis (August 10, 1536). He was married to Catherine de' Medici, "but his younger brother, Charles, duke of Angoulême, if married to the widow of Francesco Sforza, or even to the

Emperor's natural daughter, Margaret, might be considered, provided his father would give fresh assurances for the maintenance of peace" (Merriman, III, 264–65). Salinas, reporting about the negotiations on February 9, 1538, specifically mentions "la segunda hija del Rey de Romanos" (p. 839) to be given in marriage to one of Francis' sons. Her name is Mary and she became the wife of Emperor Maximilian II.

581 Propuesto que is not found as a conjunction in the dictionaries. Gracián, *Criticón*, III, 142, and *Oráculo manual*, p. 420, uses *proponer*, "*manifestar*" (see Romera-Navarro's notes).

586–588 Cf. Salinas, p. 839: "restituir a mos. de Saboya lo que le tiene ocupado."

592 Yngalaterra. This form, common in the seventeenth century (Denis, s.v.), is considered "hoy vulgar" by Cuervo, *Apuntaciones*, p. 12, § 40, but widely used in South American popular speech as a "supervivencia del arcaísmo español" (Enrique D. Tovar y R., *Boletín de la Academia Argentina de Letras*, XIII [1944], 511).

593 See Introduction, pp. 42, 43.

594–595 Cf. Salinas, *loc. cit.*: "asistir a la ofension y defension contra el turco."

598–601 See Introduction, pp. 36, 37.

604 Rueges. This is Lope's preferred spelling for the present subjunctive endings of verbs in ——*gar* (see *El sembrar*, ed. Fichter, p. 176). Cf. *venge*, line 2701.

615 A quien te encomiendo. An awkward construction, which PA eliminated by changing *a quien* to *el cual*.

616 Philip II, born May 21, 1527, was actually eleven years old at the time of the Nice meeting. However, at the moment of Charles's speech at Rome in 1535, from which the arguments of the present discourse are taken, Philip's age was in fact eight years. Ulloa, fol. 141v, does not mention Philip in the summary of Charles's speech. Cf. 202–203 n.

617 Truxe. The preterite in *u* was preferred by Valdés, *Diálogo de la lengua*, p. 55, 12, "porque es . . . más suave la pronunciación." The *u* forms are frequent in Alarcón, but definitely archaic (Denis, s.v. *traer*). Today the form is dialectical (Menéndez Pidal, *Manual*, 120.3).

620–623 Charles as well as Francis (685–687) conclude their speeches with an affirmation of the firmness of their Catholic faith. The religious upheavals of the time make these declarations appropriate.

625+ Tusón is the traditional Castilian form; *toisón* was a neologism for the *Dicc. Aut.* (Corominas, IV, 631b, 28–34). The word means 1) the Order of the Golden Fleece, and 2) the insignia of the Order (Martín Alonso, *Dicc.*, s.v.). From this second meaning Lope derived the more general one of "insignia of a chivalrous order," in this case that of Saint-Michel de France. This order was founded by Louis XI on August 1, 1469, the King of France being the grand master of the order. (The picture of Francis I by Clouet [see Hackett, *Francis the First*, facing p. 176] shows him wearing the insignia; a medallion with the saint's picture hangs down from the collier on his chest ["al pecho"].) Francis was also a knight of the Golden Fleece since 1516 (Sandoval, III, 172b), but here, of course, the wearing of the St. Michael insignia emphasizes the opposition to Charles. Cf. also *Cronique*, pp. 308–9: "Dans ce verger estoit l'imaige de Sainct Michael, qui est l'ordre du Roy, et près de luy ung mouton ou toyson d'or, qui est l'ordre de l'Empereur."

636 Read *le/an* and *que/yo* (Poesse, pp. 22, 76). Some reader of the autograph thought the line to be one syllable short and changed *yo* to *no*, which would alter the sense to the opposite of the Pope's attitude towards Charles.

637 Read *fi/anza* (Poesse, p. 41).

638 Exceder de, "to overstep the limits of the norm, the acceptable"; *exceder* with direct object or with *a* "est constante quand *Exceder* exprime l'idée d'un avantage remporté sur, surpasser" (Denis, s.v.).

639 Cabeza, in the abstract sense of "headship," *cabeza visible de la Iglesia.* PA evidently were unable to disregard the literal sense of *a los pies de tu cabeza* and changed *cabeza* to *grandeza.*

642–649 See Introduction, p. 43 and 1216 n.

656 Acuerdo, acuerda. A *retruécano* consisting of the repetition of etymologically related words of different meaning.

657+ Hedín. Hesdin is a fortress in northwestern France (lower Artois). For the whole passage, see Introduction, pp. 42, 43.

663–672 See Introduction, p. 43.

663 Tornay. Tournay, in southern Belgium. See Introduction, pp. 37, 43.

685–687 See 620–623 n.

712–719 Leonora describes the *milagro* of her love for the Emperor in terms of the rhetorical *topos* of *adynaton* (see Curtius, *Europäische Literatur*, p. 103). Examples from Isaia, Horace, Virgil, Garcilaso, and Lope in *La Dorotea*, p. 216, with a reference to Ravisius Textor's (*Officina*, 314–319) selection of *poetica argumenta ab impossibili*.

725 Principios "en las facultades son los rudimentos y primeras proposiciones" (Covarrubias, s.v.). Similarly, Vélez, *Embuste*, 724 n., plays with the double meaning of *principio* as "beginning" and "moral principle."

735 Salba refers to the office of *praegustator* in the household of a prince. "Previnieron que el maestre sala poniendo el servicio delante del señor le gustase primero" in order to make sure "que está salvo de toda trayción y engaño" (Covarrubias, 924, 37).

738 En posesión le tengo. *Posesión*, "reputación." All the references, from Corbacho to Cervantes, quoted by Fontecha, p. 291, and, in turn, the examples cited by the commentators give the idiom as *tener en posesión*, with the exception of *Vida del soldado español Miguel de Castro*, apud Rouanet, *Autos*, IV, p. 49: "... tal era la posesión que con tan continuas obras habían concebido de mí, y en la que con todos estaba."

743 Me is indirect object. *Alcanzar*, "'tocar o caber alguna cosa o parte de ella (*intrans.*),' con dat. de pers." (Cuervo, *Diccionario*, I, 322a, with numerous examples).

749 Cabestro. "Buey manso que ... sirve de guía en las toradas" (*Dicc. Ac.*), and by analogy still in modern colloquial Spanish "el que arregla asuntos amorosos difíciles" (Vidal).

753 Humor. See 60 n.

757 Flor, "the choicest part"; *media arina*, "middlings," "second quality flour:" "the medium-sized particles separated in the sifting of ground grain" (Webster, s.v. middling); *salbado*, "bran."

766 Escritura en traspasso. The correct legal term is *escritura de traspaso*, a legal instrument executed before an authorized person, conveying property from one person to another. The maliciousness of the expression consists in the fact that "regularmente se dice de lo que se tiene arrendado o alquilado" (*Dicc. Aut.*, s.v. *traspasso*). Lope identifies the *escritura* with the object of the instrument.

770 Ofiziales. "Oficio . . . sinifica la ocupación que cada uno tiene en su estado. . . . Oficial, el que exercita algún oficio" (Covarrubias, 835a, 34–39). In Noydens' addition (1674) we find *oficio* and *arte* used as synonyms. An *oficial* is not only anyone who earns his living by practicing a trade, including what we call today the fine arts, but also an *empleado* of low rank, such as an *offiçial de péñola*, "escribiente" (Fontecha, p. 257).

777–779 Camarada belongs to the group of nouns in *-a* of vacillating gender (see Gracián, *Criticón*, I, 207; *ibid.*, p. 370: "Las camaradas de Ulises," extensive collections for *planeta* and *cometa* in Gillet, III, 694, 711). In addition to the meaning "compañero de cámara que come y duerme en una mesma posada," the only one given by Covarrubias, 275b, 17, the word has also the collective meaning of *compañía*, as in Gracián, *Criticón*, III, 27, "iban de camarada"; also *ibid.*, pp. 183, 187. The use of *onrrada* and *la* implies a shift from the personal (line 777) to the abstract *compañía*, almost with the sense of *amistad*.

794 Read *fi/ar* (Poesse, p. 43). Examples for *fiar de* for modern *fiarse de* in Denis, s.v.

795 Lo refers to *alguno:* "No dexes de enprenderla con él." There are three examples for this construction in Gracián, *Criticón* (II, 332, 367; III, 225; Romera-Navarro's note to the first occurrence offers the explanation). Gracián uses *le* and *les* in these constructions.

800–806 See Introduction, p. 39.

806–815 A meeting between the sovereigns actually was arranged at Nice. Lope puts Charles in the diplomatically stronger position by making it appear that Francis, almost frantically, sought the interview. The historical truth is that both rulers wanted it. See Introduction, pp. 44–45.

811 A la vista. Sc. *de la costa.* A nautical term (Slabý-Grossmann, "in Sicht").

822 Aun does not make sense. PA omit it.

826 Los puntos. "Eléments essentiels d'une question" (Denis, s.v.).

829 Yr a la parte de una cosa, "participar de ella." Cf. Cervantes, *La gitanilla*, Col. Mérimée, p. 5: "van a la parte de su ganancia" (Fontecha, p. 270).

831 Paje de espuelas. Covarrubias (s.v. *espuela*, 559a, 25) mentions only *mozo de espuelas*: "el que va a pie junto al estrivo del cavallero o poco delante; ya no le llamamos sino lacayo." Suárez de Figueroa, *Plaza universal* (M., 1615), in his Chapter lxxxviii, "De los criados, pages y esclauos," folio 306b top, speaks of "pages de caualleros." It seems that Dorotea wishes to enhance her status by avoiding the term *lacayo* or *mozo*.

839 Batallas. The erotic *topos*, "lecho, campo de batalla," is present in Lope's mind. See my article, "Boscán and the Classics," *Comparative Literature*, III (1951), 115–16.

842–844 The sexual implications of the image seem to me rather unusual for the *comedia*, generally restrained in these matters.

852 Bella. Lope's spelling of modern *verla*, with assimilation, is common in the *comedia*. Lope seems to have taken delight in using *bella* and *vella* three times with two meanings in one *redondilla*. A similar pun with the adjective *bella* and the noun *vello*, "down," occurs in *Peribáñez*, lines 1042–1043. Autorhyme, frequent in this play, "is one of the most conspicuous clichés in the XVIIth century *comedia*" (J. H. Arjona, "Autorhymes," p. 273). Professor Arjona presents the "very elaborate system of rules which usage and tradition firmly established" (p. 276). The case here falls under category II, "similarly spelled words with different meanings," "allowed by the preceptists" (p. 277). However, the combination, "Infinitive plus Pronoun and Adjective," is not mentioned by the author.

867 Porfiar hasta morir, with the subtitle *Macías el enamorado*, was published in Lope's *Parte XXIII* (1638) and *Ac.*, X. Morley-Bruerton, p. 327, accept it as "apparently" his and date it 1624–28.—Read *porfi/ar* (see 637 n).

869–870 J. H. Arjona, "Autorhymes," p. 299, includes the combination *vuesamerced-merced* among the "involuntary" autorhymes, since, in the not yet standardized Spanish orthography, "these forms appear both as separate words [as here] and in contracted form."

872–873 A reference to Aeneas' descent into Hades, as told in Virgil's *Aeneid*, VI.

880–961 The scene changes to Aigues-Mortes (Aguas Muertas). See Introduction, pp. 39, 44–47.

880-929 The *endecasílabos sueltos* consist of two passages ending in a couplet (lines 894-895, 928-929). This is the normal structure of the meter in Lope (Morley-Bruerton, p. 13).

882 Aguas Muertas. The town of Aigues-Mortes, in the lagoons west of Marseilles, between Arles and Montpellier, now several miles from the shore.

887 The phrase "*dar puertas* [*sic*] por dar entrada o licencia, corriente hoy y ayer," is not listed in the dictionaries, according to Romera-Navarro (ed.), *Criticón*, III, 293. *Dar puerta*, in the singular like here, occurs in Luis Vélez de Guevara, *El diablo está en Cantillana, Clás. cast.*, III, 361.

897 La ysla de Hieros. The Iles d'Hyères, southeast of Toulon, close to the coast.

899 The line is corrupt. See Variants and the text of Ulloa, quoted in the Introduction, p. 45, note 53.

903 Las Pomas. Isle de Pomègues, "an island just outside of Marseille and forming with another island, Ratonneau, an excellent harbor" (Henry R. Lang, apud Lope, *Sin secreto no hay amor*, ed. Rennert, 670). The island is variously called *Las Pomas de Marsella* (Lope, *loc. cit.*; García Cerezeda, II, 319; Sandoval, III, 52a) or *Las Pomegas de Marsella* or simply *Las Pomegas* (the Emperor himself, apud Pedro de Gante, pp. 181, 182, 186, 187; Pedro de Gante, p. 23; Santa Cruz, III, 518).

911 El as feminine article before nouns beginning with unaccented *a* "is ... the prevailing practice of the sixteenth century" (Keniston, *Syntax*, 18.123) and persists in the *comedia* (Denis, *Langue*, p. 112).

929+ Con faena. "Executing naval exercises." "El trabajo y ocupación de la gente de mar, exercitando cada uno el oficio que le toca" (*Dicc. Aut.*). **Espolón.** "Spur," "beak" (ram of war vessel). See *Enciclopedia Pictórica Duden*, Pl. 279 Q, for illustration.

933 Garzés is a variant form of *calcés, calcéz,* "a place on the maine mast, called the scuttle of the mast" (Minsheu); "parte superior de los palos mayores y masteleros de gavia, comprendida entre la cofa o cruceta y el tamborete" (*Dicc. histórico*), apud Terlingen, *Italianismos*, p. 266. *Garcés* appears in Agustín de Rojas, *El viaje entretenido* [1603], in *Orígenes de la novela*, IV, 482b-483a: "Al cielo sube la proa / el garcés al centro baja" (Terlingen, *loc. cit.*, provides the reference). Corominas, s.v. *calcés*, I, 592a,

54 and b, 4–5, considers the word more likely to have entered Castilian from Catalan than from Italian. The modern term is *la cofa*, "top" (*Enciclopedia Pictórica Duden*, Pl. 279 H).

935 Prohejar. *Proejar*, "remar contra el viento de proa, que es de inmenso trabajo" (Covarrubias, s.v. *proa*, 883a, 48). Two examples in Fontecha. The use of the verb may have been suggested to Lope by the situation as described in Ulloa, folio 152r: "benche anco regnasse quel *uento contrario*, uolle rientrar in mare cercãdo con la forza de i Remi, far sostenere, e restringere la contrarietà del uento."

939 Abordar, "llegar con el borde del baxel a tierra o a otro navío o vaso en que se navega" (Covarrubias, p. 30, 26).

961 The Duque de Alba was present at Nice (Salinas, p. 858).

961 + Chirimías. Similar to the oboes. "Instrumento de boca, a modo de trompeta derecha sin buelta, de ciertas maderas fuertes..." (Covarrubias, 436b, 8). For illustration see *Enciclopedia Pictórica Duden*, Pl. 173, 7.

ACT II

964–965 Dorotea uses *adorar* in the amorous sense and as a transitive verb, but don Juan interrupts her and parries the complaint by feigning to take the verb as an absolute and in its religious meaning. Covarrubias, 44a, 20, seems to disapprove of the extended meaning: "Para exagerar lo que una persona quiere a otra, dezimos que la adora; pero hase de entender en sana sinificación, y es un encarecimiento sin ánimo de tomarle en la sinificación propia y rigurosa."

985 Pretensión. "Dans la l[angue] de la galanterie: qui cherche à obtenir l'amour ou les faveurs d'une femme" (Denis, s.v.).

998–1012 The function of these lines is expository, i.e., to provide information about the place of the action of Act II and the voyage between Acts I and II.

998 Enbarcación. Covarrubias, 504b, 10, defines the meaning as "la salida que haze una flota o un navío para su viage." But here the meaning has been extended to the journey by sea itself, as in the third meaning given by *Dicc. Ac.* (1956): "Tiempo que dura la navegación de una parte a otra."

1002 During the Emperor's trip from Genoa to Aigues-Mortes, as reported in lines 900–912.

1003–1005 The imperial fleet landed in Barcelona "a las diez de la noche, a xx de Julio de 1538 años" (Pedro de Gante, p. 49). None of the sources consulted says anything about bad weather.

1014–1015 The meaning must be: "how could you be jealous of a foreign woman here in Toledo? Where are there ladies as fair (as those of Toledo)?" Cf. lines 1022–1023. For other examples of praise for Toledan women, see Arco y Garay, *Sociedad española*, pp. 41–42. "Damas siempre hermosas," Lope calls them in *La buena guarda*, BAE, XLI, 336a.

1021 Al primero mouimiento. "At the first impulse." In this sense *primero movimiento* is contrasted with *entendimiento*, as here, or *pensamiento*, as in *¿De cuándo acá nos vino?*, BAE, XLI, 207c, quoted by Montesinos (ed.), *La corona merecida*, 2362 n.; see also Fichter (ed.), *El castigo del discreto*, 1891–1892 n.—The lack of apocope in *primero* before masculine nouns was current in Lope (Denis, s.v. *primero*). It occurs again in line 1025.

1022–1025 Many examples for the praise of *la imperial Toledo* are found in Arco y Garay, *Sociedad española*, pp. 39–42; cf. *Virtud, pobreza y mujer*, BAE, LII, 214c: "Parece que quiere España / mirar su antigua cabeza / en los espejos del Tajo, / de su hermosura soberbia."

1029 Donde has causal meaning here, "ya que." Examples are found in Alarcón (Denis, s.v.).

1038–1045 Anacoluthon. There is no main verb with the subject *las cortes.*

1044 Sultan Soliman the Magnificent (1494–1566), Charles's great enemy in the East. Cf. Brandi, Engl. ed., p. 393: "In this autumn of 1538 the idea of fighting the Turk so filled his mind that he set to work in almost frenzied haste to free himself simultaneously of all his chief problems."

1046 La liga. See Introduction, p. 38.

1050 La Reyna María (1505–58), Charles's younger sister, widowed (1526) Queen of Hungary, ruled the Netherlands first as regent for her brother Ferdinand (1526–1531), then as governor (1531–1555). "Se distinguió por su gran decisión y energía, y fué una eficaz colaboradora en la política europea del emperador" (*Dicc. hist.*, II, 380b).

1050–1061 Cf. Santa Cruz, IV, 42: "Y como pidiese la reina a la villa de Gante, le respondieron que no le querían dar nada, y que ellos tenían dado mucho y no se gastaba tanto, porque todos se quejaban que no les pagaban, y que ellos no darían dinero salvo que a su costa querían pagar la gente de guerra."

1055 Soldadesca. Gillet, III, 389, gives numerous examples for this word as a collective noun, beginning with *La pícara Justina* and including one from Lope, *La llave de la honra*, BAE, XXXIV, 126bc. "No contempt was implied, as now in *soldadesca* for *tropa indisciplinada*." The usage here, however, referring to soldiers "en motín rebelados," seems to point towards a pejorative meaning.

1062–1071 The mutinies in Lombardy and La Golette are historical. See Ulloa, folio 153v–155r, where the La Golette mutiny, the transfer of the troops by their commander (*generale delle galee*) Bernardino de Mendoza, and the final punishment by the Viceroy Hernando de Gonzaga are told in detail. See also Sandoval, III, 54a–56a.

1062–1065 About the situation in Lombardy, cf. Ulloa, folio 153v: "percioche le fanterie *Spagnuole e Tedesche* [cf. line 1056] ... si eran ammutinate insieme dopo che udirono la triegua fatta in Nizza, *domandando le paghe* [cf. line 1058[, che douean hauere di molti mesi."

1064 Alfonso d'Avalos, marqués del Basto (1502–46), was in the Emperor's service since his early youth. He was made commander of the imperial army in Milan in 1536 and imperial governor of the Duchy of Milan in 1538. He finally did pay his troops: "Bisognò che al fine aggrauasse quei popoli con una taglia di ciento dieci mila scudi e con questo gli licentiò" (Ulloa, fol. 153v; Sandoval, III, 54a, says "veinte mil ducados").

1066–1071 The troops were transferred in the galleys of don Bernardino de Mendoza from La Golette to Sicily, with the promise of pay by the Viceroy Hernando de Gonzaga. When it was not forthcoming the soldiers from La Golette and, in addition, many from Sicily mutinied, and occupied and sacked towns on the island. Don Alvaro de Sande, maestro de campo, under orders from the Viceroy, tried to settle the dispute but failed (Sandoval, III, 54b–55a). He served the Emperor for 53 years, defended Gelves in 1560, and afterwards became a prisoner of the Turks in Constantinople until freed (Zapata, *Varia historia*, p. 32). Sandoval calls him (*loc. cit.*) "muy esforzado caballero" and Gracián (*Criticón*, II, 73) "tan religioso como valiente." He appears in the play *El valor de Malta* (*Ac.* XII).

1072-1076 See Introduction, p. 48. The city of Ghent revolted against heavy taxation.

1073 El. An anacoluthon. Correct syntax requires *de* before *mal estado* as second prepositional object of *se ynforma*. However, *de* would make the line too long.

1088-1089 The meaning of these two lines is somewhat obscure. They could be understood as a brief *aparte*, Dorotea addressing herself in *tendrás* and saying: "Since the Emperor has not appeared, the Cortes won't end yet [cf. lines 1076, 1082]; therefore, you, Dorotea, will be bold [*resolución*, "ánimo," "valor"] today in your plans to keep Juan's love."

1091 Tray. This form—< **tragit*, according to Pietsch, *ZfRPh.*, XXXV (1911), 168—is frequent in Lope and other dramatists (see Vélez, *Embuste*, 2193 n.).

1098 Pribado. Pacheco's use of this word to describe his relationship to the Emperor is a *fanfarronería*; Covarrubias, 883a, 35, explains its meaning: ". . . ser favorecido de algún señor . . . que se particulariza con él y le diferencia de los demás"; see also Denis, s.v.

1100-1102 Barzelona. See 1003-1005 n. There is no historical evidence for "cierta rebolución."

1111 Daría. Read *darí/a*. See Poesse, pp. 35-36.

1121, 1122, 1126, 1130 Four cases of *a embebida*. Orthographic practice reflects the elision of *a* before unstressed *a* of *aquella*. See Keniston, *Syntax*, 41.32.

1126 Tenblaua. "Temeva." For *temblar* as a transitive verb meaning *temer* see Corominas, IV, 414b, 51 ff., who offers three examples from Lope's *comedias*, among which we quote *El Marqués de las Navas*, 507: "aquel gran rey que mil naciones / tienblan, respetan, aman y obedezen." Another example in Gracián, *Criticón*, III, 349. See also 431 n.

1127 El Asia refers to the Turks, frightened by the loss of Tunis.

1128 Armado en blanco. After the conquest of Tunis, "quiso el Emperador solemnizar aquí la fiesta del Apóstol Santiago, y en el monasterio de San Francisco, el César, con su manto blanco, y los caballeros del mismo hábito, presentes los grandes y señores de la corte, españoles y extranjeros, se dijo una solemnísima misa . . ." (Sandoval, II, 558b; note loose syntax). This detail is not found either in Ulloa or in Santa Cruz.

1129 Que en tierra estaua. Lope seems to indicate that the Emperor, after taking the coastal fortress of La Golette, still had to conquer Tunis itself, which is located farther inland. See Merriman, pp. 310–17 (with map), particularly, pp. 314–15.

1131 Africano, as an honorary name or title added to *César*, seems to be Lope's invention, in imitation of Publius Cornelius Scipio, upon whom the title *Africanus* was bestowed after his decisive victory over Hannibal at Zama (202 A.D.), west of the region where Charles V fought.—*Llama* for either *se llama*, which would make the line too long, or *llaman*, which would destroy the rhyme, is a grammatical slip, possibly due to momentary poetic exhaustion. Cf. the anacoluthon in line 1073.

1132 See 2416 n.

1135 Scipión is three-syllabic; *i/o* is regularly to be read with dieresis (Poesse, pp. 42, 44, who gives altogether six examples for *Scipi/ón*).

1152 Mortal. "'Dem Tode nahe' (vor Zorn, Aufregung u.s.w.)," explains Krenkel, commenting on Calderón, *El alcalde de Zalamea*, III, 732. Among other Calderonian examples, he quotes *El primero soy yo*, 4, 13, 1: "Yo estoy / Mortal: no no estoy en mí." See also Vélez, *Embuste*, 2033 n.

1158 Tener de was in the sixteenth century much more widely used to express necessity than *tener que* (Keniston, *Syntax*, 34.82). For examples from seventeenth-century authors see Gracián, *Criticón*, III, 163, and Vélez, *Embuste*, 1602 n.

1161+ Don Juan Pardo de Tavera (1472–1545), a cardinal since 1531, archbishop of Toledo since 1534, was at the same time (since 1525) Presidente del Consejo de Castilla. He represented the Emperor during the Cortes. He also presided over the Junta del Estado Eclesiástico. It was he who dissolved the Cortes on February 1, 1539 (Sandoval, III, 61b, 66a, 69b, 70a, b). See also below, 1230–1235.

1162–1163 Fernando Alvarez de Toledo y Pimentel, third Duque de Alba (López de Haro, I, 224) (1507–82), was one of a committee of twelve grandees to deliberate on the *Proposiciones* of the Emperor. He and the Duque del Infantado formed a minority who approved the Emperor's request for the *sisa* (Sandoval, III, 65b, 70a, b).

1165 Temblando. See 1126 n.—The Duque de Alba took part in the victory of La Golette and Tunis.

1168–1169 Actually his name was don Pedro Fernández de Velasco, fourth condestable de Castilla, third duque de Frías, fifth conde de Haro. Don Iñigo was his father and predecessor in these titles. See López de Haro, I, 187.

1171 Terzia. "Lleva la espada con un movimiento airoso" (Vidal).

1172–1173 The office of the Almirante de Castilla, Naval Commander in Chief, was created by Ferdinand III (1217–52). It became an honorary title, hereditary in the Enríquez family, during the reign of Henry III (1390–1406) (*Dicc. hist.*, I, 159a). In 1538 the holder of the title was Luis Henríquez, sixth almirante de Castilla, who in 1518 had married doña Ana de Cabrera y Moncada, "acrecentando al escudo de sus armas las de Cabrera y Aragón" (López de Haro, I, 400–1; Carraffa, XXXI, 55).

1176–1177 Don Antonio Alonso Pimentel de Velasco was the sixth conde de Benavente, after the death of his father don Alonso Pimentel Pacheco in 1530 (Carraffa, LXX, 12). No don Pedro held the title up to Lope's time, according to López de Haro (I, 134).

1179 Se sigue shows the effective use of the reflexive (Keniston, *Syntax*, 27.337), stressing "das innere Feststehen" of this nobleman, "gleichsam von einer [Aura] von Selbstsicherheit und Selbstzufriedenheit umgeben" (Spitzer, *Stilstudien*, I, 264, apud Gillet, III, 81). Note that it is the grandfather of the ruling Philip III's *privado* who is so described.

1180–1181 Since 1536, the holder of the title had been don Luis de Sandoval y Rojas, third marqués de Denia (López de Haro, I, 164; Carraffa, LXXXII, 118). Diego is actually the name of a son of don Francisco Gómez de Sandoval y Rojas, fifth marqués de Denia, duque de Lerma (since 1599), *privado* of Philip III. Diego's marriage with doña Luisa de Mendoza, heiress of the house of Infantado, was arranged in 1603, one year before the composition of our play (López de Haro, I, 166, 254; *Dicc. hist.*, II, 223a, erroneously calls her Luisa de Menchaca). The name of the Duque del Infantado follows in the next *redondilla*. Note the remark, "de tenerle se goza" (line 1183).

1184–1185 Don Iñigo López de Mendoza, fourth duque del Infantado, since the death of his father, don Diego Hurtado de Mendoza, on August 30, 1531 (López de Haro, I, 248–49).

1188–1189 The name of the holder of the title in Lope's time actually was don Juan. In 1538, however, the head of the family was don Francisco de Zúñiga y Avellaneda, third conde de Miranda, "muy dado al seruicio del inuictissimo Emperador don Carlos ... mayordomo mayor de la serenissima Emperatriz doña Isabel" (López de Haro, I, 446). His name does not appear either in Sandoval or in Santa Cruz in connection with the Cortes. Considering his position in the imperial household, he probably did not take part in them.

1192–1193 Don Pedro Fernández de Castro Andrade y Portugal, born 1524, became the fifth Conde de Lemos only in 1575, after the death of his father, Fernando Ruiz de Castro y Portugal, fourth conde de Lemos, who was born in 1505 (Carraffa, XXIII, 147–8). No such personage is mentioned in the sources. However, Pedro was also the baptismal name of the seventh conde de Lemos, viceroy of Naples—Maecenas of Lope, Cervantes, and Góngora. He held the title in 1604.

1196–1197 In 1538 there were no Duques de Osuna. Philip II created the title for Don Pedro Téllez Girón, grande de España and viceroy of Naples in 1562. In 1604, his grandson, bearing the same name, held the title (López de Haro, I, 389; *Dicc. hist.*, II, 742a). He had been banned from Seville for his scandalous life in 1600 and was serving as a simple soldier in the Spanish army in Flanders from 1602–8 (*Dicc. hist.*, II, 1247b). Sandoval, III, 61a, 69b, mentions "el conde de Urueña," "don Juan Téllez Girón." See also Béthencourt, II, 556–71. Lope dedicated the *Arcadia* to him (see Rennert, *Life*, p. 104, n. 2).

1198–1199 Don Alvaro Bazán took part in the conquest of Tunis as a naval commander (Sandoval, II, 491b, 532a, 541a) and in 1544, as general de las galeras de Castilla, he was victorious over the French fleet at the Galician coast (López de Haro, II, 459; Sandoval, III, 209). His son obtained the title, marqués de Santa Cruz, and his grandson is the protagonist of Lope's play *La nueva victoria del Marqués de Santa Cruz*, probably written in the same year, 1604, as our play (Morley-Bruerton, p. 38). He is mentioned neither by Sandoval nor by Santa Cruz.

1200–1201 The first marqués de Priego was Pedro Fernández de Córdoba, who obtained the title in 1501 (López de Haro, II, 333; Atienza, p. 1591). One of the titles of the house was Señor de Aguilar. A Conde de Aguilar appears among the names of the nobles in Sandoval, III, 61a, and Santa Cruz, IV, 9. El Gran Capitán is Gonzalo Fernández de Córdoba (1453–1515), who conquered Naples for Fernando el Católico in 1496.

1202–1205 The two duques are Alonso Pérez de Guzmán el Bueno y Zúñiga, fifth duque de Medina Sidonia, who died in 1549 (Carraffa, XLII, 187), and Juan de la Cerda, second duque de Medinaceli (Carraffa, XXIV, 55).

1206–1209 Probably don Francisco de Zúñiga y Sotomayor, fifth duque de Béjar, marqués de Gibraleón (López de Haro, I, 195).

1212–1213 Don Manrique de Lara [*sic*; no baptismal name given], second duque de Nájera (López de Haro, I, 309; Pedro de Gante, p. 15, n. 2). His second son's name was Juan, "Embajador Extraordinario en Roma, Virrey de Nápoles y Mayordomo de Carlos V" (Carraffa, XLVI, 200). According to Sandoval, III, 61a, and Santa Cruz, IV, 9, the Duque de Nájera was elected to the committee of twelve, "que fuesen como consiliarios y difinidores de esta ilustrísima junta" (Sandoval, III, 65b).

1214 Don Diego de Cárdenas y Enríquez, first duque de Maqueda (since 1529: López de Haro, II, 297–98; Atienza, p. 1529). The Duque de Maqueda is mentioned by Sandoval, III, 61a, and Santa Cruz, IV, 9.

1216 Cobos was one of the group of imperial officials, led by Cardinal Tavera, who tried to convince the grandees about the practicality of the *sisa* (Sandoval, III, 66a). His name and title are "Comendador Mayor de León, Francisco de los Cobos, Secretario Mayor de su Majestad" (Santa Cruz, IV, 23).

1230–1235 See 1161+.

1230–1231 Cardenal de Santa Cruz. Each cardinal is assigned a church in Rome. Santa Croce in Gerusalemme is one of them (*Enciclopedia Cattolica*, XII, cls. 152, 154, 157). Espasa-Calpe (s.v. Pardo de Tavera, Juan), however, say that his cardinalitial title church was San Juan Ante Portam Latinam. He was made a cardinal in 1531, while Archbishop of Santiago.

1233 Actually, he was appointed Inquisidor General in 1539, after the Cortes (*Dicc. hist.*, II, 1244a).

1254 For the idea that a woman falls in love with a man's *fama*, see Introduction, p. 33, and Correa, "El concepto de la fama . . . ," with a study of Cervantes' *El gallardo español*.

1262 Read *Dalde a/ésta*. For hiatus with *a* intervocalic, see Poesse, p. 75, who, however, lists only examples with *el, ellos*. See also Poesse, p. 58, for examples with *a/estas, -os*.

1266 *Quatro mil ducados* is a fantastic amount of money. In 1602, Agustín de Rojas, the author of *El viaje entretenido*, agreed to act in the company of Miguel Ramírez for one year for 2800 reales, which is 255 ducats; and another actor, on May 17, 1574, concluded a contract to perform until Shrovetide 1575, for 100 ducats (Rennert, *Spanish Stage*, pp. 183, 182). In 1557, Charles V gave 200 ducats for charity to Francisco de Borja and he left "al confesor cuatrocientos ducados de por vida, los cuales se le dieron en una pensión" (Sandoval, III, 504b, 507b). And the *alguacil*, wounded by the Duque del Infantado (see lines 1515–1546), received an indemnity of five hundred *ducados* (*scudi*) (Sandoval, III, 72a; Ulloa, fol. 155 v.). The ducat as a unit of account was the equivalent of 375 maravedís. A maid servant or a female cook in Old Castile earned a yearly wage of 1632 maravedís in 1538, and in 1604 their wage was 2856 and 4080 maravedís respectively (Hamilton, *American Treasure*, pp. 55 n. 3, 396, 400).

1284 Errar. "Pecar," "no acertar." "Y assí dize la confessión en romance: 'Yo pecador mucho errado'" (Covarrubias, 531a, 55). "Muger errada, la de mala vida, la ramera" (Covarrubias, 683b, 30).

1287 Lombardía. "Los milaneses . . . ponen su felicidad en banquetes, festines, máscaras, y en gozarse con semejantes deleites. Por esta razón en saliendo de sus casas sufren menos y sienten más que otras naciones las incomodidades, particularmente de la guerra" (Suárez de Figueroa, *Pasajero*, I, ed. Renacimiento, p. 11, apud Herrero García, *Ideas*, p. 398).

1293 Although this line sounds very much like the title or subtitle of a *comedia*, it does not appear in La Barrera, pp. 562, 563, who lists twenty-nine different titles of the pattern *más* + adjective + noun and two with *piadoso* + noun (p. 572).—Read *ju/ez* (Poesse, p. 44).

1299 The Marqués de Villena is meant. See 30–47 n.

3113 Centro. "Abismo," a meaning derived from *el centro de la tierra*; see Denis, s.v.

1344 Bizarro. "Gallardo." A new word, probably of Italian (not Basque) origin (Harri Meier, "Die Etymologie des Wortes *bizarr*," *Archiv f. d. Stud. d. Neueren Sprachen*, Vol. 196 [1959–60], 317–20, and Corominas, s.v.); first documentation, 1569. "[Se siente] en los clásicos que lo usan, y en la vaguedad de sus variadas ac[epcione]s encomiásticas, la afición encaprichada por el vocablo de moda recién traído del país del buen gusto" (Corominas, I, 467b, 47). See also Fritz Schalk, "Das Wort *bizarr* im Romanischen," *Etymologica* [Festschrift W. v. Wartburg], Tübingen, 1958, pp. 655–679, espec. pp. 664–667.

1360 Carlos is the subject of *sufriera*.

1368 An ironical remark: Pacheco's unwelcome advice shows that he is now truly living up to the demands of his new *oficio* of *lacayo*, which the Emperor has granted him (lines 249–252).

1375–1376 Voluntad, memoria, and **entendimiento** are the traditional *potencias del alma* (cf. *Libro de buen amor*, I, 6 ff.). Both the religious and the secular meanings of *gloria*, "bienaventurança," "descanso," "gozo" (Covarrubias, 643b, 42) are applied to her love in a baroque ambivalence of erotic spirituality (cf. lines 1356–1357, 1380; cf. Hans Rheinfelder, "Gloria," *Festgabe Karl Vossler*, pp. 46–58; esp. p. 50).

1400 Cf. the title of Moreto's play *El lindo don Diego*, and the exclamation in Calderón, *El astrólogo fingido* (Aguilar ed.), p. 157a: " . . . señor / Don Diego, por quien se dijo / lo de '¡oh, qué lindo Don Diego!'" See also Montoto, *Personajes*, I, 249–50. Gracián, *Criticón*, I, 376, uses the phrase *hazer del Don Diego*. It is explained as "darse aires de caballero" and, further, with reference to the phrase *Don Diego de noche*, by Correas' commentary (p. 562): "Poner don a quien no le tiene, y para burlarse de las mujeres enamoradas." In the light of the next line, the idea of *burla* is the best explanation.

1406 Leonora's schizophrenic madness begins. She has the illusion of being Charles's consort, the Empress. Leonora's *locura*, according to Lope's medical theories based on Galenus, was a form of *frenesí*, which "conturba los sentidos," and the patient "percibe dentro en sí vanas imágenes" (*Los locos de Valencia*, BAE, XXIV, 128c; see Albarracín Teulón, *La medicina*, pp. 118, 130, 150).

1415–1418 In the 1530's there were "two duly crowned Christian kings of Hungary, patronised one by the Turk [John Zápolyai, woiwode of Transylvania], the other by the Emperor [his brother, Ferdinand of Austria]" (Tyler, pp. 133–4). Barbarossa invaded the Italian coast in 1536–1537. About the time of the Cortes, naval hostilities took place in the Ionian Sea (Ulloa, fols. 156r–157v).

1423 "El almuerzo corriente de los madrileños era unos tragos de aguardiente y una ración de letuario" (Arco y Garay, *Sociedad española*, pp. 640–41, with many examples from Lope, Quevedo, and Vélez de Guevara). *Letuario*, mod. *electuario*, can be a *fruta*, a *dulce*, or a medicine composed of various ingredients combined with honey and sugar (Fontecha, s.v.).

1437 Su refers to *temor* in line 1430.

1450 Tu desprecio. "El desprecio que tiene Carlos por ti." The possessive is used in the objective sense, as frequently in the *comedia*; see Vélez, *Embuste*, 491–492 n.

1460–1463 The pun is obvious. "Nuncio, el embaxador que Su Santidad embía a la Corte de algún rey o príncipe. . . . Casa del Nuncio, en la ciudad de Toledo, es un hospital donde se curan los locos; díxose assí por aver dexado esta memoria, allí tan insigne, un nuncio de Su Santidad" (Covarrubias, 832b, 18). The joke is repeated, lines 2391–2392.

1466 The humorous effect is produced by the combination of the juridical term *apelar* (Latin, *appellare*, "to appeal") and the low level verb *repelar*, "sacar el pelo, y particularmente de la cabeça, castigo que se suele dar a los muchachos" (Covarrubias, 905a, 15). A slapstick interlude follows (to line 1479). Cf. the title of Juan del Encina's *Auto del repelón*.

1474–1475 La Rota is the high ecclesiastical *Tribunal de la Rota*, Supreme Court of the Church, so called "por alusión al turno de los procedimientos" (Corominas, IV, 81a, 33). Matrimonial cases are an important part of its jurisdiction. The marriage between Henry VIII and Catherine of Aragon was submitted to *La Rota* (*Enciclopedia Cattolica*, XII, cols. 502–508). Leonora wishes to bring suit not only before the highest ecclesiastical court, but also before a civil court, and on an international scale.

1494–1546 See Introduction, pp. 47–48.

1514+ The *alcalde* is an *alcalde de corte*. "Ay muchas diferencias de alcaldes; los preeminentes son los de Casa y Corte de Su Magestad y los de las Chancillerías, y los ínfimos los de las aldeas" (Covarrubias, 72a, 33).

1515 Vusinoría. The forms are not fixed; cf. *vuestra señoría* (line 1508), *El desdén vengado*, line 1043: *Vueseñoria*, quoted by Charles Henry Stevens (ed.), *El palacio confuso*, p. 112. Miss Harlan's text offers *Vuseñoría* (no note). Denis (s.v. *Vueseñoría*) indicates *Vue Señoría*, *Vuesseñoría* as "formes usuelles."

1526 Rodrigo Ronquillo (14?—1545) is the famous *alcalde* who burned down Medina del Campo during the revolt of the comuneros. He had the reputation of being "adusto, severo e inexorable" (*Dicc. hist.*, II, 1069b).

1549 Cf. Sandoval, III, 239b–240a (for the year 1546): "Valió el nombre del Emperador por un gran ejército, para que los enemigos no se atreviesen."

1550–1553 See 1415–1418 n.

1551 Tunis had been in the hands of the Emperor since 1535. *Corrido* refers to the mutiny of the imperial troops, mentioned in lines 1066–1071.

1553 Trasiluania. The territory to the west of the Carpathian Mountains, today Rumanian territory, had been semiindependent since 1526 under John Zápolyai.

1560 Senor, without tilde as the autograph clearly shows, is "variante característica del español de Occidente" (Gillet, "*Senor* 'Señor,'" p. 266). The form *senor* originally indicated great humility. It is found sporadically in texts between 1494 (Juan del Encina) and 1606–15 (Cervantes). First being part of the *sayagués*, "sobrevivió hasta fines del siglo, reducida al cabo a zalamería gitano o melindre de enamorada" (Gillet, *op. cit.*, p. 267). The last remark refers to *La francesilla*, *Ac. N.*, V, 667: Felicina reads a letter which begins: "Señor de mi vida," whereupon Tristan asks: "Dice con tilde 'señor'?" and adds in explanation: "Porque ya, cualquier señora, / no escribe sino *senor* ... / Dicen que tilde en sazón / es perniabrir la razón / y se tiene a desvergüenza." Nevertheless, in the light of Gillet's article, it still seems most probable that the omission of the tilde is a mere oversight, without stylistic intentions. *Senor* occurs once more (line 2152), when the Duque de Alba so addresses the Emperor. In all other cases Lope writes *señor*.

1561 Asiento. In the discussion following Ramón Carande's paper "Carlos V: viajes, cartas y deudas," M. Lapeyre defines the word: "il a le sens de contrat et peut s'appliquer à un traité de paix aussi bien qu'à une opération financière. Il s'applique souvent à des affaires des fournitures pour l'armée et la flotte" (*Charles Quint et son temps*, p. 225). The last part of the definition applies here. Cf. also *Dicc. histórico*, s.v., acepc. 12: "Contrato u obligación que se hace para proveer de dinero, víveres o géneros a un ejército, asilo, etc."

1562-1567 See 1050 n.

1571-1573 According to Ulloa, fol. 110r, the Duke of Bourbon undertook the siege of Rome in 1527 without the Emperor's consent, to satisfy the demands for payment of his German and Spanish troops, which he could not meet. The atrocities, the *sacco di Roma*, are attributed to the death of the commanding general, the Duke of Bourbon, with the resulting breakdown of military discipline (Ulloa, fol. 110v).

1586-1597 Accumulation or enumeration is the stylistic device used here as well as in the color catalog, lines 2347-2363, although with a strongly marked humoristic intent in the latter passage. See 2347-2363 n.

1591 The "sentence" is under appeal (*en revista*) only from Leonora's point of view. As far as the Emperor is concerned it is final (lines 1266-1267).

1604 Aguila. "El emperador Carlos Quinto batió en España una moneda cuyo reverso era el águila, con el rayo y el ramo de laurel debaxo de los pies, y el mote *Cuique suum*; dando a entender que a los malos avía de castigar y premiar a los buenos, destruyr el vicio y coronar la virtud" (Covarrubias, 56a, 43).

1615 Sophí. *Sofí* or *Sufí* is the title of the kings of Persia. "Comp[aration] hyperbolique. Thème habituel à la Comedia" (Denis, s.v. *Sofí*).

1619 Gran Turco. The Sultan. The combination of Gran Turco and Sofí occurs also in *La mal casada*, XII, 545-1: "Aqueste honrado viejo / pudiera ser del Consejo del Gran Turco y del Sofí" (apud Gillet, III, 505).

1623 El Preste Juan, sometimes with the addition *de las Indias*, is a title by which the emperors of Ethiopia were known in Spain and elsewhere in Europe. See Covarrubias, 881b, 25; Tirso, *Burlador*, 1728 n., and Fontecha, s.v.

1625-1665 Despite Leonora's exaggerations and the chronological tumble, the geographical names in this passage—some of them quite exotic for Lope's contemporaries—give an imposing idea of Charles V's worldwide political ambitions and objectives. In Leonora's words, one could even detect a lingering trace of the isolationist opposition of the Spanish nobles during the Cortes of Toledo of 1538 to the Emperor's far-flung international policy. The Spaniards of all classes criticized Charles for not staying in Spain more often and for longer periods, a sentiment expressed by a *labrador* who met the Emperor without recognizing him (Sandoval, III, 72b-73b).

1638-1641 Charles was duly elected Emperor by the electors on June 28, 1519. His opponent was Francis I. There was no warfare nor a *traydor* in connection with the election.

1641 Tenbló. Cf. 1126 n.

1642 Charles V's active concern with the Lutheran movement began with the Diet of Worms early in 1521, but military operations against the Protestant princes did not begin until 1546, ending with the imperial victory of Mühlberg on April 24, 1547.

1645 Belgrade was conquered by the Turks late in August 1521 and remained in Turkish hands for nearly two centuries.—*Trasiluania.* Cf. 1553 n.

1649 There was intermittent warfare with France during all of Charles's reign, but the expression fits only the captivity of Francis I after the battle of Pavia (1525).

1650-1652 These titles are authentic. *Conde de Flandes* was one of his original titles (Sandoval, I, 83a). *Rey de Nápoles* he was as *Rey de las dos Sicilias. Duque de Milán* he became after the death of Francisco Sforza, vassal of the empire, in 1535. In 1540 he invested his son Philip II with this title.

1654 Antártico. " ... dicho assi por ser contrario al circulo arctico : por ende al antarctico es el austral contrario al septentrional" (A. Palencia, ed. Hill, s.v.).

1655 Yndio. Still in Lope's time there was no clear distinction between India, believed to be "término de la Asia," and South America: "Oy día se tiene más noticia de las Indias que en los tiempos antiguos. Ay Indias Orientales y Ocidentales; de la mayor parte de ambas y de lo descubierto dellas es señor la magestad del rey Felipe Tercero" (Covarrubias, 734b, 12).—Although embassies from faraway countries are reported by Sandoval (e.g., III, 301a), I have found no record of such embassies, either from the Indias Orientales or Occidentales.

1664 The Dalmatian coast was Venetian at the time, but the hinterland was actually Turkish.

1665 Sçitia. The classical name for the lands north of the Black Sea, which were also under Turkish rule.

1668 In her *locura*, Leonora sees the *desigualdad* in the opposite order; she thinks to be on a higher station than Carlos.

1680 The *doblón* has the same value as the *escudo* (for which see 1266 n.). It received its name because it showed the faces of the Reyes Católicos (cf. Rodríguez Marín [ed.], Cervantes, *La gitanilla*, *Clás. cast.* [M., 1928], p. 45); it is also called "escudo de a dos, doblón de dos caras" (Covarrubias, 479b, 43).

1700-1701 Al tienpo is direct object. *A* is used here because *obligar* is a verb which personifies the object (Keniston, *Syntax*, 2.47), and also to distinguish *tienpo* clearly as the object from the subject *tu gloria augusta*.

1708-1709 Pollos de Marta. "Los pollos de Marta piden pan y danles agua" (Covarrubias, 792a, 1). "Como los pollos de Marta, que no han comido y danles agua," is the form reported by Montoto, *Personajes*, II, 170, from B. de Garay, *Carta IV*, with the explanation: "dícese de aquellos a quienes se da lo accesorio, faltándoles lo principal, que se les niega por egoísmo o tacañería." The name *Marta* may be explained through the assonance with *agua*. Variations in name (doña María, doña Marina), however, exist as well as those in the wording of the proverb. See Cejador, *Fraseología*, II, 367a; Correas, pp. 277b, 278a; F[rancisco] N[avarro] S[antin], "Una colección de refranes del siglo XV," *RABM*, 3a Epoca, X (enero-junio, 1904), 434–47, No. 210: Hernán Núñez, *Refranes y proverbios en romance* (M., Juan de la Cuesta, 1619; first edition, 1555), fol. 65r; Sánchez de la Ballesta, *Dictionario [sic] de vocablos castellanos* (Salamanca, 1587), p. 396; Pedro Vallés, *Libro de refranes, copilado por el ordẽ del A. B. C.* (Zaragoza, 1589; facs., M., 1917), e5r. I owe much of this information to Professor B. B. Ashcom.

1712 Alimentos. "Asistencias que se dan para el sustento adecuado de alguna persona a quien se deben por ley, disposición testamentaria, fundación de mayorazgo o contrato" (*Dicc. Ac.*, 1956). *Muger*, "esposa" (cf. line 1714). See also Covarrubias, 90a, 44.

1717, 1719 Note the difference between the indicative *enloquezió* and the subjunctive *diesse*, "it seems incredible that..." "who would have thought that..." "The subjunctive, introduced by *que*, is occasionally used in exclamatory clauses to express an undefined emotion of astonishment" (Keniston, *Syntax*, 29.19).

1732-1733 "Quando alguna persona va con más pompa y autoridad de la que le pertenece dezimos que lleva mucho toldo" (Covarrubias,

8

965b, 39). See also Fontecha, s.v. and *La Dorotea*, p. 440, note 169; neither one gives an example for *bajar el toldo*.

1735 "*Trueco* se emplea en el *Quijote* y textos coetáneos, donde hoy diríamos *trueque*" (Corominas, IV, 591b, 23).

1741 Pesar de mí. *Pesar* is a noun. The expression is formed on the pattern: *¡cuerpo de mí! ¡guay de ti!* (Keniston, 6.83). See also line 2474.

1747 Lista may have a shade of the military in its meaning. Cf. Covarrubias, 769b, 28: "estar en lista, estar en la copia militar." However, the meaning *catálogo, padrón*, "ya aparece en Ambrosio de Morales (1575) y en el *Quijote*" (Corominas, III, 110a, 44).

1755 A is omitted, when the noun is modified by an indefinite word (Keniston, 2.242, who quotes Alonso Enríquez de Guzmán, *Libro de la vida y costumbres*, 32, 25, 1547: "andaban a buscar por todo el Reino . . . un capitan Machin").

1760 Sala. "Sala de justicia."

1771 Charles was born in Ghent on February 25, 1500.

1784 Traspuesto. Nebrija (apud Corominas, III, 848a, 21): "*trasponerse* 'evanesco e conspectu'" and, in the *lenguaje germanesco*, "huir o esconder" (Hill, *Voces*, p. 176; Salillas, *El delincuente*, p. 308).

1786–1791 An asyndetic sentence: the subordinating conjunction *quando* is used instead of one of the co-ordinating conjunctions such as *mas antes* or *sino aun* (Keniston, 40.855).

1793 Este ombre es mi gallo. "Acostumbravan . . . parear gallos, uno contra otro, que peleassen y atiniéndose unos a uno, y otros a otro, devían hazer sus apuestas por quál dellos vencería, de donde nació el proverbio tan usado: Este es mi gallo" (Covarrubias, 624a, 42; also Cejador, *Fraseología*, I, 572). In Leonora's situation there may also be implied a second, sexual allusion, since the cock is considered "ave luxuriosa" and "lascivo" (Covarrubias, 624a, 63; 625a, 25).

1794 La is the direct object of the verbal locution *tener miedo* (Keniston, 2.53).

1796–1799 Read *hu/ir* and *cru/el*. Dieresis is normal in these cases at the end of the line (Poesse, pp. 46, 44).

1801 Perra. Either Leonora, with the instinct of jealousy, has un-masked Dorotea's disguise or the feminine *perra* is Lope's slip. PA print *perro*.

1813 Guebo is today one of such "*vulgarismos generales*" as *güeso, güerto, güeno, güey*, etc., forms that offended the ear of Juan Valdés, but no more than that of Gonzalo Correas a century later (cf. Lapesa, *Historia*, pp. 288–89).

1829 Pie. Lope shifted from *pierna* (1813) to *pie* for metrical reasons. I found no evidence that *pie* can ever mean *pierna* as in South-German (Baden) colloquial language where *Fuss* does often mean *Bein*.

1877–1878 An echo of the Latin proverb *principiis obsta*. Sbarbi, II, 298: "Vale más poner remedio al principio que al fin."

1891 Posta. "Conjunto de caballerías con las cuales se prestan los servicios de correo y transporte"; first doc. 1550 (Corominas, III, 846b, 8).

1892 Conçertados casamientos refers to the marriage to be arranged between Francis I's second son, the Duke of Orléans, and one of the daughters of the Emperor's brother, Ferdinand of Austria, as proposed in Charles's address to the Pope (lines 580–585, 657+).

1899–1900 An elliptic sentence: "Es justo acuerdo y sería justo por sí mismo, aun cuando no fuera de importancia tanta. . . ."

ACT III

1925 Mexora en terzio y quinto. Mejorado en terzio y quinto, "aventajado con exceso, o favorecido mucho más que otro" (*Dicc. Ac.*, 1956, s.v. *tercio*). Originally a legal phrase, referring to additional bequests (*mejoras*) beyond the minimum legacy required by law (*legítima estricta*), taken from the "tercio de libre disposición" (*Dicc. Ac.*, 1956, s.v. *mejora*). *Quinto* refers to the "quinta parte de la herencia, que, aun teniendo hijos, podía el testador legar libremente, según la legislación anterior al código civil" (*Dicc. Ac.*, 1956, s.v. *quinto*). The phrase, used figuratively as here, occurs three times in *Don Quijote*: I, xi; II, xxxi ("hemos de salir mejorados en tercio y quinto en fama y hacienda"); II, xl (*Clás. Cast.*, II, 174, 8; VI, 242, 8; VII, 62, 3).

1942 The form *monstro* is frequent in the seventeenth century, e.g., Covarrubias, 812b, 17. Other forms are *mostro* and *mostruo. Dicc. Aut.*

8*

imposes *monstruo* (Corominas, III, 457a, 52; Denis, s.v.; *La Dorotea*, p. 321, n. 107).

1956 Vano. "Vacío" (Armendariz, *Burlas veras*, line 1039).

1959 Argén. "Dinero," a gallicism, as in Garcilaso's *Epístola a Boscán*, verse 76, reporting on his trip through France, as Dorotea does here.— *Angosta*, today obsolete. *Bolsa angosta* rhyming with *posta*, "escaso," in L. Argensola, *sát. Muy bien se muestra*, R., 42, 271a, apud Cuervo, *Diccionario*, I, 467b: "Imaginasle tú la bolsa angosta, / O por ser muy avaro, o por ser pobre, / Personas de que huyes por la posta."

1964 Trajano. "Natione Hispanus, omnium Romanorum principum citra controuersiã optimus, pacis bellique temporibus clarissimus, et in quo nihil omnino fuerit quod iure reprehendas" (Gessner). Cf. *El castigo sin venganza*, ed. van Dam, lines 2319–2321: "Ceñido de laurel bessé su mano, / después que me miró Roma triunfante / como si fuera el español Trajano." Three more references to Trajan in Lope's plays noted by van Dam.

1967–2126 See Introduction, pp. 48–53.

1979 Anne de Montmorency, called Memoranse in this play, was the Connétable de France. See line 16+.

1981–1982 The Condestable was accompanied by a retinue of four hundred, composed of members of various great families (*varios apellidos*) and their respective suite of *caballeros*. Cf. Covarrubias, 130b, 33, s.v. *apellidar:* "Es aclamar ... entre las parcialidades, declarándose a vozes por una dellas. ... Y assí los del apellido se juntan y llegan a su parcialidad. Y de aquí los nombres de las casas principales se llamavan apellidos, porque los demás se allegavan a ellas."

1985 Bles. The castle of Blois on the Loire between Tours and Orléans. He was there on December 17, 1539 (Foronda y Aguilera, p. 479).

1995 Estudio. Although Covarrubias, 571b, 58, says "si [el lugar donde se lee gramática o artes, o otra facultad] es universidad pierde el nombre de estudio," *universidad* is exactly the meaning of *estudio* here.

1996 Clérigos. "The minor clergy" ("los de primera tonsura, hasta los presbíteros" [Covarrubias, 327a, 49]). They are distinct from the *clero* (1993), evidently the theologians connected with the University of Paris (cf. line 1995). Cf. Santa Cruz, IV, 53, who, describing the parade, mentions "sesenta Doctores teólogos con ropas teologales" and "sesenta Bachilleres graduados en Teología, con las ropas que suelen argüir en los autos," as following the Rector of the University, and separated from this group "todas las parroquias de París con sus cruces y clerecía, que eran casi innúmeras."

2012 Cifras. "Emblems."—*Cañutillo.* "Gold or silver twist [used] for embroidery" (Williams). Cf. Covarrubias, 292b, 41: "Oro de cañutillo, cierta manera de encarrujar [to curl, to coil] el oro de martillo en cañutos que usan los bordaderos, y es obra costosa y muy luzida."

2015 For omission of *a* before the direct object modified by a numeral, see Keniston, 2.416.—**Regidores.** In Castile, members of the municipal *Regimiento* appointed by the King (*Dicc. hist.*, II, 993–94, 1000); here, the term translates *Conseiller*, of which there were actually twenty-four in Paris (Doucet, I, 371).

2021 Paramentos. "Adorno o colgadura de tela rica" (Fontecha); decorative trappings of the horses.

2022 Caballos frisios or **frisones** "son unos cavallos fuertes, de pies muy anchos y con muchas cernejas [fetlocks]; algunos son para silla y se huellan fuertemente" (Covarrubias, 610a, 11).

2029 Preboste "es palabra francesa usada en Cataluña" (Covarrubias, 879b, 15), "generalizado desde poco después, *Aut.*" (Corominas, III, 847b, 31). The Prévôté et Vicomté de Paris was the most important of the *baillages* and *sénéchaussées*, being the permanent intermediary between the king and his subjects in the capital. "La fonction judiciaire... avait toujours été une des attributions les plus importantes du bailli, et qui, au XVI⁰ siècle... devint l'essentiel de son activité" (Doucet, I, 258–64; quotation, p. 258).

2031 La Corte del Parlamento. The Parliament of Paris was the oldest and highest of the sovereign courts, "représentant le roi dans l'exercice de sa fonction de justicier" (Doucet, I, 178).

2032 Not only Parnassus, seat of Apollo and the Muses, "cosa muy sabida y tratada de los poetas" (Covarrubias, 854a, 62), but also the Pindus, mountain range of which Parnassus forms a part, was dedicated to the Muses (Rengifo, *Arte poética española*, in the Appendix, "Explicación de los consonantes proprios y apelativos más difíciles que van en la sylva," p. 455).

2035 Virreyes. The title *vice-roi* was not used in France at that time. The governors of the provinces were called *lieutenants du roi, lieutenants généraux*, or *gouverneurs* (Doucet, I, 229). Lope and his source probably referred to the *pairs de France*, whose number was originally fixed at twelve. Their rank represented the summit of the feudal hierarchy and they actually formed part of the *Parlement de Paris*. However, since 1515 twenty-eight new *pairies* had been created. Cf. Doucet, I, 168; II, 461–62.

2037 In 1540 there were seven presidents of the various chambers of the *Parlement de Paris* (Doucet, I, 168, 169).

2039–2040 There were, of course, ecclesiastics among the king's counsellors, but actually there was no division between a *Consejo Seglar* and a *Consejo Eclesiástigo* (Doucet, I, 131–53).

2048 Telliz. "La cubierta que ponen sobre la silla del cavallo del rey o gran señor quando se apea" (Covarrubias, 956b, 34).

2049 Hacanea. "Hacas... vienen de Inglaterra, de Polonia, de Frisia y de otras provincias de aquellas partes. Hacas y hacaneas, todo viene a sinificar una cosa, salvo que llaman hacanea a la que es preciada, cavallería de damas o de príncipes" (Covarrubias, 673a, 47; see also Corominas, II, 1021b, 52, s.v. *jaca*, who relates this group of words to English, *hack*).

2053–2054 For the importance of the royal seal in France see Doucet, I, 111.

2055 The functions of the chancellery were divided into two administrative units, *la Grande* and *la Petite Chancellerie*, the former attached to the court and presided over by the *Chancelier*. Doucet, I, 104–11, does not mention the title *Grand Chancelier*.

2059 *Consejo Real* renders *Conceil du Roi*. Cf. Doucet, I, 131–52.

2060 Prebostes are the *Prévôts de l'Hotel* and *Prévôts des maréchaux*, whose functions correspond to those of the *alcalde de corte* (Doucet, I, 117–18).—*Contino*, vulgar form of *continuo* (Corominas, I, 890a–10), which word assumed the meaning, "gentleman in the suite of a great nobleman" (*Tesoro*, s.v.).

2069 Cf. *Cronique*, p. 303: "Puis venoyent après les chevalliers de l'ordre du Roy, portans le grand ordre tous richement acoustrez." René du Bellay, son of Martin du Bellay, author of *Les Memoires*, was "Cheualier de l'ordre de sa Maiesté," according to the title page of his father's book, which he published (Paris, 1569).

2071 Monseñor de San Paulo. François de Bourbon, Count of St. Pol, military commander of the French troops in Piedmont in 1536 (Cerezeda, II, 212), was one of the twelve *pairs de France* at the time of Francis I's coronation (*Cronique*, p. 4 n.). He was actually a participant in the parade according to Santa Cruz, IV, 55: "Conde de San Pol, de sangre Real ... y éste iba a la mano izquierda del Duque de Alba, que iba cerca del Emperador." He is also mentioned by Sandoval, III, 86b.

2072 Fabricio. Hero of early Roman history, famous for his austerity and incorruptibility. "Nada codicioso de oro o plata" (Rengifo, p. 451); "frugalíssimo y nunca cohechado" (Covarrubias, 579a, 25; a larger entry in Estienne, *Dictionarium*, and Gessner).

2075 Louis de Bourbon de Vendôme, a cardinal since 1517 (*Cronique*, p. 302 n.).

2076 Magno is a *cultismo* of recent date (1596; Corominas, IV, 359a, 58), associated with Alexander, Pompeius, "y otros" in Covarrubias, 779b, 61.

2078 Xerxes. The name of Xerxes, King of Persia, the invader of Greece defeated at Salamis in 480 B.C., appears here as the symbol of immense power, as in Stephanus, *Dictionarium historicum et poeticum*, s.v.: "CLXX hominum myriadibus, hoc est, decies septies centenis millibus per totum quinquennium contractis, Graeciae bellum intulit. ... Tantum autem habuit nauium apparatum, vt totum Hellespontum operiret, et Asiam Europae ponte côiungeret." Similarly in Gessner, *Onomasticon*, p. 363. In *Fuenteovejuna*, in *Diez comedias*, lines 2346-2347, the King is addressed as "Jerjes divino" and the queen as "bella Ester."—*Cyrus.* His name, too, symbolizes the power of the conqueror: Stephanus, *op. cit.*, s.v.: "... qui primus ... deuicto Astyage, vltimo Medorum rege, Medorum imperium transtulit in Persas, et subacta Asia, totum orientem in potestatem redegit." Gessner, *op. cit.*, s.v., gives the same information.

2089 Quiuira. The conquistador Francisco Vasco de Coronado was made to believe that there existed a rich territory of this name. He did find Quivira (1541), but it turned out to be a poor Indian village, perhaps of the Wichita tribe, in the present state of Kansas, in the north towards Nebraska. "Quivira continuó siendo un mito, que aún exhibía en la corte de Luis XIV Diego de Peñalosa" (*Dicc. hist.*, II, 1383a, b).

2090 Desde el mar dulce al chino. Dr. Armando Melón y Ruiz de Gordejuela, Académico de número, Professor of Geography at the

University of Madrid, through the kindness of Professor Carlos Clavería, was good enough to transmit the following information:

Los españoles dieron el nombre de Mar Dulce a ciertas zonas litorales del Atlántico en que la salinidad desaparecía o casi desaparecía ante la aportación abundante de aguas de caudalosos ríos. Colón es el primero que habla de esto, aplicando aquel nombre a la zona vecina a la desembocadura del Orinoco, creyendo que el gran volumen de aguas dulces procedía del Paraíso Terrenal. Pedro Martir de Anglería aplica a la zona dicha el nombre de Mar Dulce. Después del viaje al austro de V. Yáñez Pinzón se designa con nombre de Mar Dulce a la zona de la desembocadura del Marañón (Amazonas). Por último, después de la expedición de Díaz Solís se aplica dicho nombre a la en que desembocan el Paraná y Uruguay o, sea, al estuario del Plata. Del "mar dulce al chino" es tanto como decir de parte a parte de América, pues el mar chino es el mar de Acapulco (México), de cuyo puerto salía todos los años el *galeon de Manila* o la *nao de la China*.

2102 Jazintos. "Es también hyacinto el nombre de cierta piedra' dicha assí por tirar al color desta dicha flor" (Covarrubias, 710a, 1).

2106-2107 "Et les suyvoyent messeigneurs les ducz de Vendosme, de Lorraine" (*Cronique*, p. 303).

2112 Vidro. "Una forma vulgar *vidro* tiene gran extensión, y estuvo a punto de generalizarse en la Edad de Oro" (Corominas, IV, 726b, 20, with two references from Lope).

2113 Cardenal Farnesio. Cardinal Alessandro Farnese, Pope Paul III's grandson, was elevated to his rank immediately after Paul III's election to the papacy. He used him on many diplomatic missions as cardinal legate (see Brandi, Engl. ed., Index).

2128-2134 These lines are not quite clear and caused correctors to tamper with them. The feminines *seguras* (line 2129) and *las que* (line 2131) refer to *mil venturas* (line 2127), which Dorotea wishes for Pacheco. *Ingrato* (line 2132) refers to don Juan, the *le* in *voyle*. A lo que (line 2133), "como," "conforme a." Cf. Cuervo, *Apuntaciones*, 364, with an example from Cervantes which parallels the use of *a lo que* here: "*A lo que* dijo Antonio el padre: paréceme, señora peregrina, que os da en el rostro la peregrinación" (*Persiles*, Lib. III, Cap. vi [ed. Aguilar, p. 1644b]).

2147 Grandezas. "Hecho heroyco, grandíssimo" (Covarrubias, 656b, 20).

2152 Senor. See 1560 n.

2154 The reference is, of course, to Seville.

2159 Charles was crowned with the iron crown of Lombardy on February 22, and with the imperial crown on February 24, 1530, however not in Rome, but in Bologna. There was a solemn and elaborate reception when he entered Rome on April 5, 1536 (Sandoval, III, 10b–11a).

2162 Con ser tal su monarquía. This sentence permits two interpretations: a) The subject of *ser* is *Roma* and the sense of *con* is concessive ("although," as in *con todo*; see Keniston, 37.945); b) the subject of *ser* is *París* with *con* expressing concomitance ("since her unique position is such").—For the extended meaning of *monarquía*, see 72 n.

2196 Conjunción. Besides the astronomical meaning, "conjunction of two celestial bodies," the word has also the meaning of "copulation" (A. Palencia, s.v.; Oudin, 1607, in *Tesoro*, s.v.).

2201 Fuérades. "Las formas [esdrújulas] . . . mantuvieron la -*d*- hasta el siglo XVII, en que Cervantes, Lope, Quevedo y Tirso todavía prefieren *amávades, hubiéssedes*" (Menéndez Pidal, *Manual*, §107.1). See also Malkiel, *HR*, XVII (1949), 159–65, for a structural explanation of the long delay in the fall of the intervocalic -*d*- in proparoxytonic forms.

Cornucopia. It is "símbolo de la abundancia, de la fertilidad, de la liberalidad, de la paz y concordia de la generación y de la felicidad" (Covarrubias, 382a, 24).

2205, 2207 Doña Juana, known in history as *la loca*, daughter of the Catholic Kings, and Philip the Fair, Archduke of Austria, were the parents of Charles and Leonor.

2206 La Vera de Plasençia, a region in Extremadura of semitropical fertility, home of *La serrana de la Vera*, celebrated in *romances* and *comedias* by Lope, Vélez de Guevara, and others (see Vélez, *La serrana de la Vera*, ed. Menéndez Pidal). Leonor was born in Brussels, not in La Vera; but she died in Talaveruela in 1558 (*Biographie nationale de Belgique* [1878], VI, col. 529). This may have caused the confusion. But there may also be a hidden scurrilous allusion, which only the *locura* of Leonora would make tolerable. In the "Libro de chistes de Luis de Pinedo," in *Sales españolas*, I, 296, we find an anecdote about "un monesterio al cual llaman Perales . . . [cuyas] monjas . . . no tenían buena fama."

2219 La Enperatriz Ysabel, born in Lisbon in 1503, became the wife of Charles V, her cousin, in 1526. Philip II was born on May 21, 1527. The Empress died on May 1, 1539, in Toledo.

2228 Subject of *partiçipe* is *Carlos*; the *gracias* are those mentioned in line 2225.

2241-2252 For the historical basis of Francis I's yielding his royal sovereignty to his guest, see Introduction, p. 54.

2251 Pribado, in the modern sense of "private"; "el que ha sido excluído de oficio o dignidad" (Covarrubias, 883a, 33).

2287 Temo ser Faetón. By his lack of experience Charles might ruin the Kingdom of France, like Phaeton, son of Phoebus, who could not manage the sun chariot which he had requested and obtained from his father, and who was destroyed by Jupiter.

2308 Gran Turco. See 1619 n.

2311 Actually, Charles was a widower at that time. See 2219 n.

2313 Aranbel. Besides the meaning, "colgadura que se emplea para adorno o cobertura" (Corominas, I, 125a, 18), there exists also the pejorative meaning *andrajo*, appearing in *Percivale*, 1599, as "a tattered or torne cloth" (*Tesoro*, s.v. *arambel*). Luis Vélez de Guevara, apud Emilio Cotarelo, "Luis Vélez de Guevara," *BRAE*, IV (1917), 155, speaks of "las bocas de mi arambel."

2319-2322 The French King was "the Lord's anointed, like David and the royal line of Israel. The holy chrism used at his coronation imparted to him a sacred character. His touch cured 'the King's Evil,'" which is a kind of scrofula (Guérard, *The Life and Death of an Ideal*, p. 64). This was well known to the Spaniards: cf. Covarrubias, 750a, 2, s.v. *lamparón*; Quevedo, *Sueños*, XXXI, 237, apud Herrero García, p. 419; more examples apud Fontecha, p. 208, s.v. *lamparón*; and, finally, Durán, *Romancero*, II (*BAE*, XVI), No. 1141, p. 144a: "Francisco I, prisionero desembarca en Barcelona":

> Entró dentro del cabildo,
> donde mucha gente había,
> llenos de las porcellanas
> del mal qu'él les guarescía,
> y allí dejando la capa,
> solo en cuerpo se ponía,
> empezó a santiguar
> los enfermos que había.

2321 Lámparas. The dictionaries do not record *lámpara* as referring to a skin ailment. However, Corominas, III, 22b, 40, lists the adjective *lamparoso* meaning "tiñoso, herpético o escrofuloso" in the Jewish Ferrara Bible (1553) and the Constantinople Bible.

2327, 2336 Mantener justa o torneo. "Ser el principal de la fiesta, al qual llaman mantenedor" (Covarrubias, 787b, 50).

2335 See 2205, 2207 n.

2348–2363 We have here an example of the "enumeración caótica," studied by Leo Spitzer, in "La enumeración caótica en la poesía moderna," *Lingüística e historia literaria*, pp. 295–355, where he speaks of the "gusto barroco de lo fragmentario" (p. 322). Accumulation of the adjectives of color is, of course, here of comic effect. Quevedo is the master of "enumeraciones diabólicas" (p. 327). El Prete Jacopín (apud Díez Echarri, *Teorías métricas*, p. 67) satirizes Herrera's style, characterizing it as "libre, alto, grave, terso, severo, hinchado, etc." An orderly accumulation of architectural terms, where the poet is evidently enjoying his display of technical vocabulary, like Lope here, is found in Vélez's *La serrana de la Vera*, lines 1701–1720, in a description of the tomb of the Infante don Juan, son of the Catholic Kings.

2348 Escuro was the popular form in medieval Spanish. In the Golden Age *escuro* and *oscuro* existed side by side. For details see Corominas, III, 592a, 38.

2351 Colonbino. Oudin, 1616, apud *Tesoro*: "de couleur colombine"; *Dicc. Ac.*, s.v. *columbino*: "Dícese del color amoratado de algunos granates."

2352 Genolí. "'Pasta de color amarillo que se usaba en pintura'; origen incierto. . . . 1a doc.: 1588, Lope, *La Hermosura de Angélica*, XIII, v. 149" (Corominas, II, 723a, 24). The word is now obsolete.

2353 Turquí. "Turquesado," "dark blue" (Corominas, IV, 636b, 47).

2354 Broncino. "Parecido al bronce." *Dicc. histórico* and Martín Alonso are the only dictionaries offering *broncino*, besides *broncíneo*. *Dicc. histórico* quotes this passage.

2359 Verdeterra. The word is not found in the dictionaries.

2362 Tornasol appears in the dictionaries only as a noun, meaning "iridescence." Calderón, apud Fontecha, uses *tornasolado*, "azul violáceo."

2369 Guacamayo. "'Especie de papagayo americano de gran tamaño,' del arauaco de las Pequeñas Antillas" (Corominas, II, 801a, 3).

2370 Girasol in the double sense of "sunflower" and "flatterers," "sycophant." *Indiano*, because the sunflower is of Peruvian origin.

2379-2386 A comical commentary illustrating the statement *quien ama a todo se obliga.*

2384 Leonora addresses the Duque de Alba by his first name, since she is on familiar terms with everybody, from the Emperor on down.

2386 Envidar. "Envidar de falso. (Tomado del juego: dar muestra fingida de querer lo que otro, para engañarle y hacer su hecho . . .)" (Cejador, *Fraseología*, s.v.).

2391-2392 For the pun on *Toledo* and *Nuncio*, see 1460-1463 n.

2401 Trapalatrapa. This word, not registered in the dictionaries, seems to be a spontaneous creation of Lope combining *trápala*, "ruido de voces e movimiento descompuesto de los pies," and *trapa*, "ruido de los pies o vocería grande con alboroto y estruendo" (Corominas, IV, 537a, 60, b, 12). Evidently, it has an obscene meaning.

2406 Tú sc. *muestras.*

2409 + Bisanzón. This name occurs also in *Nacimiento de Ursón y Valentín, príncipes de Francia* (*Ac.*, XIII, 453a) as "Bincenzón, tudesco, alabardero," as Professor S. Griswold Morley kindly informed me, and, as Bisanzón, in *El asalto de Mastrique por el Príncipe de Parma*, Acts I and II (*Ac.*, XII, 437, 463).[1] Morley-Bruerton date the first play 1588-95 (p. 15) and the second 1595-1607, but "apparently before 1604" (p. 172). In *El asalto* Bisanzón is an uncouth and quite stupid barbarian, who is the butt of ridicule of the clever Spaniards. *Visanzón* is the Spanish form of the Burgundian city of Besançon, *solar* of Charles's chief minister Nicholas Perrenot de Granvelle (Granvela), a free city of the empire, and, since 1535, seat of the "so-called Genoese fairs . . . [where] business could be transacted . . . without the official meddling that hampered it in Spain" (Tyler, p. 257). Cf. *El asalto*, p. 447b: "*Parma.* Tudesco . . . *Bisanzón. Señor . . . Parma.* ¿Tu nombre? / *Bisanzón.* Bisanzón. *Don Lope.* Allá quisiera / Que algo me remitiera. / Digo a la ciudad, no al nombre." In Quevedo's *Buscón* (*Clás. cast.*, 2nd ed. [1941], p. 100) there is also a play on place name and proper name: Pablo runs into a *ginovés* who "comenzó a nombrar a Visanzón, y si era bien dar dineros o no a Visanzón; tanto, que el soldado

[1] See now Morley and Tyler, *Los nombres de personajes*, I, 59.

y yo le preguntamos que quién era aquel caballero; a lo cual respondió, riéndose: 'Es un pueblo de Italia [sic] donde se juntan los hombres de negocios . . . a poner los precios por donde se gobierna la moneda.'" This place name, perhaps associated in Lope's mind with the Spanish augmentative suffix -ón, denoting "clumsiness or grotesqueness" (Ramsay-Spaulding, *A Textbook of Modern Spanish*, 32, 40), must have appealed to Lope as a fitting proper name for a ridiculous character.

Tudesco. *Tudesco* was a common name for the Germans in the seventeenth century, but in strong competition with *alemán*, as the numerous passages quoted by Herrero García, *Ideas*, pp. 525–52, show. *Tudesco* seems to be preferred when the text speaks of the Germans as soldiers and heavy drinkers (see also A. Farinelli, *Divagazioni erudite*, pp. 401–9), and it often has an ironical connotation, "teutonic." *Tudesco* and *alemán* are used as synonyms in the same context by Sandoval, II, 123b; III, 200, 201a and by Pedro de Gante, p. 79. For Covarrubias, 981b, 42, *tudesco* "es lo mesmo que alemán." See also the references cited by A. Morel-Fatio, "Les Allemands en Espagne," *RFE*, IX (1922), 280–81.

2416 Lope mentions *Los nueve de la fama* in *El valeroso cordobés Pedro Carbonero*, 62, and in several other plays, without ever identifying them (cf. Montesinos' note). Mr. Mac E. Barrick called my attention to this passage. Don Quijote (I, v; ed. Rodríguez Marín [M., 1927], I, 188–189 with note) boasts that he can be "todos los nueve de la Fama" and that his deeds will surpass those of everyone of them singly and all of them jointly. The nine were Joshua, David, and Judas Maccabaeus; Alexander, Hector, and Julius Caesar; King Arthur, Charlemagne, and Geoffrey of Bouillon. Antonio Rodríguez Portugal wrote about them in his *Crónica llamada triumpho de los nueve preciados de la fama* (Lisbon, 1530). "*Los nueve de la Fama* anduvieron en proverbio en nuestros poetas y prosistas." Montoto, I, 286, includes them, too, on the basis of the *Don Quijote* passage. Gutierre Díez de Games, *El Victorial*, pp. 35–36, replaces the three pagan heroes with three leaders of the *reconquista*, Fernán González, Cid Rui Díaz, and Fernando el Casto; and King Arthur with Charles Martel (see also María Rosa Lida de Malkiel, *La idea de la fama*, p. 235). Cf. line 1132.

2419–2423 J. H. Arjona, "Defective Rhymes," *HR*, XXIII (1955), 114, noted the "stray *quintilla* in the midst of *redondillas*." (The other four rhyming mistakes noted are Gálvez' copying errors, as Arjona correctly surmised.)

2423 Cf. the title of Lope's play *La corona merecida* (1603), the plot of which has nothing at all to do with the character Bisanzón. The line is metrically redundant. A. tries to remedy the situation by changing the text to *merecido*, transforming lines 2419–2423 into a *quintilla*.

2425 Hazañas. See 59 n.

2437 Hendín. Mod. Hesdin. See 657+ n.

2445 Vandas. "... para que estas compañías se distinguessen y conociessen, acostumbraron a llevar los soldados cierta señal de unas fajas, las quales se llamaron vandas" (Covarrubias, 992b, 52).

2450 "May you live long."

2450–2451 Bisanzón changes from *vos* to *tú*.

2456–2459 "Por el distinguido galardón de haberos dejado entrar tengo el derecho (*voy*) de enseñaros hablar delante de Carlos Quinto."

2466–2467 *Las calzas* and *la cuera* are those of Bisanzón. *Dexara* is first person singular. One would expect *dexarais*, if the rhyme would permit. "*Cuera* 'especie de jaquetilla de piel que se usaba sobre el jubón'" (Corominas, I, 970a, 44), but according to Oudin, 1607, apud *Tesoro*, s.v., also "de toute autre estoffe, comme *vna cuera de tertiopelo*."

2471 Despacho. "Dispaccio, cioè le spedizione di vn negozio" (Franciosini, 1620, apud *Tesoro*). "El recaudo que se lleva" (Covarrubias, 461a, 63).

2474–2475 Bisanzón's three curses, perhaps intended as "truncated oaths" (Gillet, III, 673), are, unexpectedly for Bisanzón, completed by Pacheco.

2474 Tasticot. Modern German, *Dass dich Gott [verdamme]*, a curse now obsolete, also used by the Bisanzón of *El asalto* (443b) in the form of *Trasticot*. The full form of this oath is found in Rabelais, *Gargantua*, I, 17: "*dass dich gots leyden (mart) schend*, c'est-à-dire 'que la passion (ou le martyre) de Dieu te confonde'" (A. Morel-Fatio, "Les Allemands en Espagne," *RFE*, IX [1922], 278). In sixteenth-century French there was a verb *dasticotter*, "fluchen," "jurare," with the extended meaning "parler allemand" (Morel-Fatio, *loc. cit.*). Another German or Flemish word occurs in *El asalto de Mastrique* (*Ac.*, XII, 447a, 449b). *Nitifiston* renders [*ich kann*] *nit dich verstan* or *niet te verstaan* ([*kann*] *dich nicht verstehen*). Lope uses this German phrase also in other plays (Farinelli, *Divagazioni erudite*, p. 394).

Pessar. A truncated oath of the type *pesar de San Martín* (Torres Naharro, *Trophea*, IV, 59, with more examples in Gillet, III, 364).

Reniego The first person present of *renegar* is used as a noun meaning "un género de blasfemia que castiga el derecho y el Santo Oficio..." (Covarrubias, 904b, 27; completed oaths in Gillet, III, 576).

2475 This line sounds like a truncated proverb, but I have been unable to identify it. It could be completed by *líbrenos Dios*. Cf. Martínez Kleiser, *Refranero general*, Nos. 43.436–43.442, which are proverbs combining women and wine, e.g., "La mujer y el vino emborrachan al más ladino."

2476 Vinagre refers to Bisanzón, in the meaning of "sugeto de genio áspero y desapacible" (*Dicc. Aut.*). "Let Mr. Sourpuss step outside (*váyase*)."

2477 Lo ayamos. "*Haberlas, o haberlo, con uno,* fr[ase] fam. Tratar con él, y especialmente disputar o contender con él" (*Dicc. Ac.*, 1956).

2485 The dissimilated form *celebro* was common up to the Golden Age and *Dicc. Aut.* says it to be the most widely used (Corominas, I, 773b, 8).

2487 Frisón. "Frisian horse"; a heavy-set, powerful, but plump horse; an allusion to the brute strength for which the Germans were famous.

2496 Covarrubias, 664a, 24, s.v. *guante*, notes this form of *desafío* to be common "entre soldados y gente belicosa," although, in his account, the glove is thrown to the ground by the challenger and picked up by his enemy who thus accepts the challenge.

2499 "Nothing could save you." Cf. the proverb (Sbarbi, I, 138), *No valerle a uno la bula de Meco*, with Sbarbi's explanation: "Aplícase a una persona para asegurar que cuantos medios ponga en ejecución, por más favorables que parezcan, no serán bastantes a librarle del castigo o de las desgracias que le amenazan." (Meco is a village in the province of Madrid, the inhabitants of which obtained a great number of privileges and exemptions contained in a "bula muy lata" [Sbarbi, *loc. cit.*].)

2537 Canpaña. "Campo abierto," "terreno descampado," a meaning recorded since Berceo and frequent in the Golden Age, still surviving in America (Corominas, I, 621a, 36).

Me matara. *Matarse*, "reñirse" (Fontecha, p. 233, with examples from *Lazarillo* and *Don Quijote*).

2567 There are two possible interpretations of *onrrado*: 1) adjective modifying *padre*; 2) past participle, the agent introduced by *de* (Keniston, 35.24; 35.251). The first seems the most natural one.

2584-2585 These lines reflect Charles's constant preoccupation with a crusade against the Turks. Dorotea seems to assume that, when it came to pass, Philip would then be in command.

2587 El tuyo, sc. *negocio,* contained in the verbal expression *has negoçiado* of the preceding line.

2591 Jehan Petit. "Jean Petit," a common French name, most likely a fictitious character. H. Hauser, *Sources,* II, No. 1120, lists a Jean Petit as the author of the poem, *La procession du roy . . . par dévotion à l'imaige de Notre-Dame,* s.l., n.d. [1528], but the possibility that Lope knew about it is extremely remote.

2596 Mil ducados. Another fairy-tale amount of money (cf. 1266 n.). *Mil ducados* is the salary currently received by the *letrados* of the Royal Council and generously raised to *mil y quinientos* by Charles (line 2624).

2609 Real Consejo. "Le Conseil du Roy," about which see Doucet, I, 131-52.

2613-2625 Lope's understanding of the composition of the French Royal Council was vague. Under Francis I, a *letrado* would be a secretary of the Royal Council, but not actually a member (Doucet, I, 136). In Lope's own time "le nombre des membres du Conseil était infini." The increase was due to the influx of "des gens de robe prenant le pas sur les gentilhommes." The average salary was 2000 livres (Doucet, I, 139).

2623 Generosos. " . . . a vezes sinifica el que considerada su persona sola, tiene valer y virtud, y condición noble, liberal y dadivosa" (Covarrubias, 636a, 4). A. de Palencia, p. 84, distinguishes *generoso* from *noble*: "generoso es de fecho y noble puede ser por parentesco o por mucha riqueza; generoso por noble o fuerte."

2633 Mosiur de Barlamón. "Berlaymont, Charles, comte de, baron de Hierges, de Perwez... homme de guerre," 1510-78 (*Biographie nationale de Belgique,* II [1868], col. 250). He was governor of Namur in 1533 and had achieved military fame already in 1542. He held many high offices in Charles's administration of the Netherlands, among which was that of co-governor of the Netherlands after Mary of Hungary's resignation. He had the reputation of being very greedy for favors for his family, which may be a reason that Lope picked him out to be presented by Leonor to her brother. As "Conde de Barlamón" he appears in *Los españoles en Flandes* and in *El asalto de Mastrique* (both in *Ac.*, XII) as a minor character, an officer connected with the Spanish military command.

2641 Read *que | a*. Poesse (p. 71, n. 28) lists one other example with hiatus before *ha* (*Corona de Hungría*, line 341).

2644 Estados. Cf. Sandoval, III, 89a, b: "Los Estados de Flandes." Charles V "creó con todo ello [Flanders and other territories] un Estado homogéneo y unido en diesisiete provincias" (*Dicc. hist.*, I, 1161b). The seventeen provinces have caused the plural *estados*, a plural expressing variety within the country, but also splendor and prestige (cf. Gillet, III, 793, explaining *Andaluzías*, *Españas*, and other geographical plurals).

2647 Ducados is undoubtedly a slip on Lope's part, caused subconsciously by the preceding verbs *enpobrezer* and *enriquezer*. A corrector changed *ducados* to *cuidados*.

2668 Torneo. There were indeed tournaments in honor of Charles V, for which see *Cronique*, p. 306, and *Copia de vna carta*, ed. Pérez Gómez, p. 104: " ... muchas justas y torneos ... con tanta demostracion de alegria y contentamiento que no puede ser mas."

2673 This is a faulty twelve-syllable line.

2675–2676 Estraño del balor. "Ajeno al balor." In *La Dorotea*, p. 204, Lope uses *estrangero de* with the same meaning, which was "corriente por extraño o ajeno," according to Romera-Navarro (ed.), Gracián, *Criticón*, III, 3, quoted by Morby, n. 14.

2691 In line 2653 Orazio has called Leonora "*nuestra* sobrina"; here she is his sister. We have another slip here, towards the end of the play.

2701 Venge. Cf. *rueges*, 604 n.

2712–2713 Ariosto, *Orlando furioso*, XIX, 20–40, tells how Angelica, fleeing from Orlando, finds Medoro near death on the battlefield, falls in love with his extraordinary beauty, and marries him. Their love causes Orlando's madness. Cf. Lope's *La hermosura de Angélica* (1602).

2717 Charles left Paris on January 7, 1540 (Santa Cruz, IV, 58).

2720 Enano. We must assume that Leonora addresses a dwarf in the royal suite. Cf. the dwarf in Velázquez' *Las meninas* and see José Moreno

Villa, *Locos, enanos, negros y niños palaciegos*, p. 46, who lists a dwarf Bonamo at the Spanish court for the years 1603–13.

2721 Quál is predicative object, as in Ruiz de Alarcón, *Empeños de un engaño*, III, 2.42: "¡Ay campana! ¿cuál me tienen tus necedades?" (Denis, *Lexique*, p. 232, who cites other examples).

2737 Me han enparentado. According to the dictionaries, both old and modern, the verb is usually intransitive and requires the preposition *con*.

2738 See 2691 n.

2739 Quando with past subjunctive for contrary-to-fact conditions is not unusual (Keniston, 29.731; Denis, p. 233).

2749 For the omission of the definite article before *palaçio* see Vélez, *Embuste*, 95 n.

2750 The omission of personal *a* before direct object is the rule when it is modified by a possessive adjective (Keniston, 2.412).

2752 El arco. Triumphal arches erected for the Emperor's entry are mentioned by Sandoval, III, 86b; Santa Cruz, IV, 56, 57 (*Recibimiento*, pp. 93, 94); *Cronique*, pp. 307–8, 312–13.

2755 "You don't care about me at all."

2773 The arches and allegorical figures described in detail in the *Cronique*, pp. 307–13, having nothing in common with the devices described by Lope.

2786, 2787 Los. In Lope's mind the persons of the rulers were substituted for the allegorical figures, *España y Francia* (line 2779); hence the masculine. *Los* as indirect object is common (Keniston, 7.311).

2789 This short-lived truce between Charles and Francis was never called *La Santa Liga*. The most famuos of the several alliances so named during the sixteenth century was the *Santa Liga* between Spain, Venice, and the Papacy which brought about the defeat of the Turks in the battle of Lepanto (October 7, 1571), celebrated in Lope's play, *La Santa Liga* (*Ac.*, XII, 315–352).

2806–2808 Cf. 580–585 n.

2815 Belardo. Lope also concluded *El acero de Madrid* and *El villano en su rincón* using his pseudonym (Rennert, *Life*, p. 103, n. 3).

The partial identification of the censors is based on a list of *aprobaciones* drawn from published manuscript texts of Lope plays, compiled by Mr. Mac E. Barrick.

Fray Gregorio Ruiz, on the same day as *Carlos V en Francia,* approved *El cuerdo loco* and *El príncipe despeñado.*

Juan Martínez de la Vega, also on the same day, gave the performance permit for the same two plays.

Thomás Gracián Dantisco gave *aprobaciones* for seventeen Lope plays for performance in Madrid from 1600 to 1617 and in Valladolid in 1604. He also approved publication of *El peregrino en su patria, Parte I* (Valladolid, 1604 and 1609) and *Parte IV* (Madrid, 1614). See *El sembrar en buena tierra,* ed. Fichter, p. 236.

El Doctor Domingo Villalva approved *El cuerdo loco* in Zaragoza on October 27, 1608, and again, presumably also in Zaragoza, on December 25, 1611. *El príncipe despeñado* received his *nihil obstat* a few days after *Carlos V en Francia,* in Zaragoza on November 10, 1608, and a second time on November (?) 16, 1611.

El Doctor de la Parra and *Fray Pedro Martín* do not appear in the texts consulted.

Doctor Antonio de Godoi Chica approved *El cordobés valeroso Pedro Carbonero* for performance in Jaén, on July 13, 1610.

El Licenciado Gonçalo Guerrero gave the permit for *El príncipe despeñado* on July 9, 1610; *El leal criado* on January 15, 1614; and *La contienda de Don Diego García* on January 17, 1614, all three for performance in Jaén.

El Doctor Francisco del Pozo gave the performance permit for *El cuerdo loco* in Málaga on November 22, 1610.

El Doctor Joan Andrés de la Calle released *El príncipe despeñado* on June 13, 1612, and *El cardenal de Belén* on December 22, 1614, for performances in Murcia.

El Doctor Francisco Martínez de Rueda approved *El cuerdo loco* on December 3, 1615, the same day as *Carlos V; El cardenal de Belén* on December 22, 1613; and *La discordia en los casados* on January 2, 1615, all three plays for performance in Granada.

Pedro de Vargas Machuca is recorded as censor for eleven Lope plays submitted for his approval in Madrid between 1621 and 1634. His position in regard to Lope during these years is comparable to that of Gracián Dantisco during the preceding two decades.

From the aprobaciones we also learn that El príncipe despeñado and El cuerdo loco were a part of the same company's repertoire, together with Carlos V en Francia, during their stay in Valladolid, May, 1607; Zaragoza, October, 1608; Jaén, July, 1610; and El cuerdo loco only, Málaga, November, 1610; Murcia, May to June, 1611; Granada, December, 1611. The two plays received aprobaciones on or very close to the day Carlos V en Francia was approved, and often, although not always, by the same censors.

APPENDIX

In the published Gálvez version of the autograph we noted the following textual differences, exclusive of spelling and punctuation:

	Gálvez	Autograph
475–479	omitted	
582	que se le doy como dote	que se le doy como en dote
1005	con más tiempo	con mal tiempo
1023	dicen que esta ciudad	dizen que es esta çiudad
1031	Ya no me ser tan forzoso	y a no me ser tan forzoso
1036	antes que ocasión se diera	antes que ocasión te diera
1042	y con dinero le acuden	y con dinero le acude
1046	desde la Liga jurada	los de la Liga jurada
1052	omitted	
1056	ya española, ya tudesca	ya española y ya tudesca
1058	piden paga y en morir	piden paga y en motín
1085	La tuya serán mis ojos	La tuya serán mis çelos
1091	trae	tray
1094	Cesa esos vanos antojos	Dexa esos vanos antojos
1190	es el otro cuya espada	es el otro, y cuya espada
1526	llevadle luego a un Castillo	llevenle luego a un Castillo

(This is the incorrect reading of a correction found in the autograph. Our text has adopted the original reading.)

1566–1569	omitted	
1865	Dn. Albaro de Gande	don Albaro de Sande
1875	y apenas vive hombre	y apenas ombre viue
1898–1902	omitted	
1903–1907	There is a considerable difference in wording between the Academy text and the autograph, not reported by Amezúa. See textual note to these lines.	
1985	hasta Bles te acompañaron	hasta Bles le aconpañaron
2013	en que el español Leon	en que al español león

	Gálvez	*Autograph*
2022	frisos	frisios
2024	rendidos	tendidos
2067	Tras los capitanes a estos	Tras los capitanes destos
2112	vidrios	vidros
2127	Y a ti de mill venturas	y a ti te dé mil venturas
2612	pero todo lo merece	Pero todo lo merezes
2654	haya infamado nuestra sangre y casa	aya infamado n[uest]ra sangre y casta
2707+	*atenla*	*Atanla*
2720	Yo vos al momento enano	Ydvos al momento, enano
2743	No ay ayros	No ay oyros
2744	Dispararles cuatro tiros	Disparaldes quatro tiros

ADDENDUM

P. 197. *Plus vltra.* When Charles V adopted the *Plus ultra* emblem in 1516 or 1517 as Grand Master of the Order of the Golden Fleece, it had a personal, heroic and chivalric implication. The columns of Hercules symbolyzed extreme moral strength and the words signified instigation to ever greater effort. While this moral meaning was still alive in Gracián's *Criticón* (after 1650), the second sense, as evidenced by Pellicer's comment, begins to assert itself after the first reports of the conquest of Peru were published in Seville in 1534. See Marcel Bataillon, *"Plus Outre*: Le cour découvre le Nouveau Monde. Appendice," *Fêteset cérémonies au temps de Charles Quint* (Paris, 1960), pp. 23–27.

Bibliography

Accame, Paolo. "Una Relazione inedita sul convegno di Acquemorte," *Giornale storico e letterario della Liguria*, VI (1905), 407–17.

Adam, Francis Osborne, Jr. "Some Aspects of Lope's Dramatic Technique as Observed in his Autograph Plays." Abstract of Univ. of Illinois thesis, Urbana, 1936.

Ady, Cecilia M. "The Invasions of Italy," *The New Cambridge Modern History*. I: *The Renaissance* (Cambridge, 1957), 343–67.

Albarracín Teulón, Agustín. *La medicina en el teatro de Lope de Vega*. M., 1954.

Alemany y Selfa, Bernardo. *Vocabulario de las obras de don Luis de Góngora y Argote*. M., 1930. (The references are to the edition of R. Foulché-Delbosc, *Obras poéticas de don Luis de Góngora*. 3 vols. N.Y., 1921.)

Alonso, Martín. *Enciclopedia del idioma*. 3 vols. M., 1958.

Alpern, Hyman and José. Martel (eds.). *Diez comedias del Siglo de Oro*. N.Y., 1939.

Amezúa, Agustín G. de. *Una colección manuscrita y desconocida de comedias de Lope de Vega*. M., 1945.

Antonio, Nicolás. *Bibliotheca Hispana Nova*. 2 vols. M., 1783–88.

Arco y Garay, R. del. *La sociedad española en las obras dramáticas de Lope de Vega*. M., 1942.

Arjona, J. H. "Defective Rhymes and Rhyming Techniques in Lope de Vega's Autograph *Comedias*," *HR*, XXIII (1955), 108–28.

———. "The Use of Autorhymes in the XVIIth Century *Comedia*," *HR*, XXI (1953), 273–301.

Armendariz, Julian de. *Comedia famosa de las Burlas veras*. Ed. S. L. Millard Rosenberg. Philadelphia, 1917.

Armstrong, C. A. J. "The Burgundian Netherlands, 1477–1521," *The New Cambridge Modern History* I: *The Renaissance* (Cambridge, 1957), 224–58.

Asensio, Manuel J. "*El Lazarillo de Tormes*. Problemas, crítica y valoracíon." Diss., Univ. of Pennsylvania, Philadelphia, 1955.

Ashcom, B. B. "Concerning 'La mujer en hábito de hombre' in the *Comedia*," *HR*, XXVIII (1960), 43–62.

Atienza, Julio de. *Nobiliario español. Diccionario heráldico de apellidos españoles y de títulos nobiliarios.* M., 1948.

Barrera y Leirado, Cayetano Alberto de la. *Catálogo bibliográfico y biográfico del teatro antiguo español.* M., 1860.

——. *Nueva biografía de Lope de Vega.* M., 1890.

Béthencourt, see Fernández de Béthencourt.

Biographie nationale . . . de Belgique. 29 vols. Bruxelles, 1866–1957.

Bogeng, Gustav A. E. *Die grossen Bibliophilen. Geschichte der Büchersammler und ihrer Sammlungen.* 3 vols. Leipzig, 1922.

Brandi, Karl. *The Emperor Charles V. The Growth and Destiny of a Man and of a World Empire.* N.Y., 1939.

Büchmann, Georg. *Geflügelte Worte. Der Zitatenschatz des Deutschen Volkes.* Berlin, 1928.

Calderón de la Barca, Pedro. *El astrólogo fingido,* in *Obras completas,* II. *Comedias* (M., 1956), pp. 125–62.

Carande, Ramón. "Carlos V: viajes, cartas, y deudas," *Charles Quint et son temps* (P., 1959), pp. 203–26.

Carlos V y su época. Exposición bibliográfica y documental. B., 1958.

Carraffa, see García Carraffa.

Cascales, Francisco. *Cartas filológicas.* Ed. J. García Soriano. 3 vols. M., 1930–41.

Castro, Américo. "Alusiones a Micaela de Luján en las obras de Lope de Vega," *RFE,* V (1918), 256–92.

Catálogo de la exposición bibliográfica de Lope de Vega. M., 1935.

Catalogue of the Library of Robert Hoe . . . . 4 vols. N.Y., 1911–12.

Cejador y Frauca, Julio. *Fraseología o estilística castellana.* 4 vols. M., 1921–25.

Cerezeda. See García Cerezeda.

Cervantes Saavedra, Miguel de. *El ingenioso hidalgo Don Quijote de la Mancha.* Ed. Diego Clemencín. 6 vols. M., 1833–39.

——. *El ingenioso hidalgo Don Quijote de la Mancha.* Nueva ed. crítica by F. Rodríguez Marín. 7 vols. M., 1927–28.

——. *Novelas ejemplares. Clás. cast.* Ed. F. Rodríguez Marín. 2 vols. M., 1928 (cover: 1932).

——. *Obras completas.* Aguilar ed. by Angel Valbuena Prat. M., 1956.

Charles-Quint. *Mémoires.* Ed., trans., Alfred Morel-Fatio. P., 1913, in *Historiographie de Charles-Quint,* Prem. Partie.

Chiste real sobre las pazes del Emperador y rey nuestro señor dõ Carlos: conel christianissimo Rey de Frãcia . . . 1539. In *Pliegos sueltos sobre el Emperador Carlos Quinto (Relaciones en verso).* Valencia, 1958.

Copia de vna carta muy verdadera delo que ha suscedido en la corte y campo de su Magestad (1554). Ed. Antonio Pérez Gómez, in *Pliegos sueltos . . .* (Valencia, 1958), pp. 119–24.

Corominas, Juan. *Diccionario crítico etimológico de la lengua castellana.* 4 vols. M., 1954–57.

Correa, Gustavo. "El concepto de la fama en el teatro de Cervantes," *HR*, XXVII (1959), 280–302.

Correas, Gonzalo. *Vocabulario de refranes y frases proverbiales.* Ed. M. Mir. M., 1924.

Cotarelo y Mori, Emilio "Luis Vélez de Guevara y sus obras dramáticas," *BRAE*, IV (1917), 137–71, 269–308, 414–44.

Covarrubias, Sebastián de. *Tesoro de la lengua castellana o española.* Ed. Martín de Riquer. B., 1943.

Cronique du Roy Françoys premier de ce nom. Ed. Georges Guiffrey. P., 1860.

Cuervo, Rufino José. *Apuntaciones críticas sobre el lenguaje bogotano.* Bogotá, 1939.

———. *Diccionario de construcción y régimen de la lengua castellana.* 2 vols. P., 1886–93.

Cuesta, Luis. "El Emperador Carlos V y la Biblioteca Nacional de Madrid," *El Libro Español* (Madrid), I, Núm. 2 (1958), 55–64.

Curtius, Ernst Robert. *Europäische Literatur und lateinisches Mittelalter.* Bern, 1948.

Décrue (de Stoutz), Francis. *Anne de Montmorency, grand maître et connétable de France, à la cour, aux armées et au conseil du roi François I.* P., 1885.

Denis, Serge. *La langue de J. R. de Alarcón.* P., 1943.

———. *Lexique du théâtre de J. R. de Alarcón.* P., 1943.

Díaz Rengifo, Juan. *Arte poética española.* B.: María Angela Martí, Vda, 1759.

Diccionario de historia de España desde sus orígenes hasta el fin del reinado de Alfonso XIII. 2 vols. M., 1952.

Diccionario de la lengua castellana . . . 6 vols. Real Academia Española. M., 1726–39 (known as *Diccionario de Autoridades*).

Diccionario de la lengua española. 18ᵗʰ ed. Real Academia Española. M., 1956.

Diccionario histórico de la lengua española. 2 vols. Real Academia Española. M., 1933–36.

Dictionary of National Biography. 22 vols. London, 1937–38.

Diez comedias, see Alpern, Hyman and Martel, José.

Díez de Games, Gutierre. *El Victorial.* Ed. Juan de Mata Carriazo. M., 1940.

Díez Echarri, Emiliano. *Teorías métricas del Siglo de Oro. Apuntes para la historia del verso español.* M., 1949.

Dolce, Lodovico. *Vita dell'invitissimo e gloriosissimo imperator Carlo Quinto.* Vinegia: Gabriel Giolito de Ferrari, 1561.

Doucet, Roger. *Les Institutions de la France au XVIᵉ siècle.* 2 vols. P., 1948.

du Bellay, Martin. *Les Memoires.* P., 1569.

Durán, Agustín. *Romancero general, o Colección de romances castellanos anteriores al siglo XVIII.* 2 vols. (*BAE*, X, XVI.) M., 1849–51.

Enciclopedia Cattolica. 12 vols. Città del Vaticano, 1948–54.

Enciclopedia Pictórica Duden. N.Y., 1943.

Entrambasaguas, Joaquín de. *Vida de Lope de Vega.* B.-M., 1942.

Espasa-Calpe. *Enciclopedia universal ilustrada europeo-americana.* 70 vols. B., 1914–30.

Estienne, Charles. *Dictionarium historicum et poeticum.* Lutetiae, 1561.

Farinelli, Arturo. *Divagazioni erudite. Inghilterra e Italia, Germania e Italia, Italia e Spagna e Germania.* Torino, 1925.

Fernández Alvarez, Manuel. "Panorama bibliográfico actual sobre Carlos V," *El Libro Español* (Madrid), I, Núm. 2 (1958), 65–68.

Fernández de Béthencourt, Francisco. *Historia genealógica y heráldica de la monarquía española, casa real y grande de España.* 10 vols. M., 1897–1920.

Fichter, William L. "New Aids for Dating the Undated Autographs of Lope de Vega's Plays," *HR*, IX (1941), 79–90.

Fontecha, Carmen. *Glosario de voces comentadas en ediciones de textos clásicos.* M., 1941.

Foronda y Aguilera, Manuel de. *Estancias y viajes del Emperador Carlos V, desde el día de su nacimiento hasta el de su muerte.* M., 1914.

Gante, Pedro de. *Relaciones.* Bibliófilos Españoles, M., 1873.

García Carraffa, Alberto. *Enciclopedia heráldica y genealógica de apellidos españoles y americanos.* 82 vols. M., 1919–59.

García Cerezeda, Martín. *Tratado de las campañas y otros acontecimientos de los ejércitos del Emperador Carlos V en Italia, Francia, Austria, Berbería, y Grecia desde 1521 hasta 1545.* . . . Ed. G. Cruzada Villaamil and El Marqués de la Fuensanta del Valle. 3 vols. M., 1873.

García de Diego, Vicente. *Gramática histórica española.* M., 1951.

Gessner, Conrad. *Onomasticon.* Appendix to Ambrosius Calepinus, *Dictionarium.* Basileae, n.d.

Gillet, Joseph E. "*Senor* 'Señor,'" *Nueva Revista de Filología Hispánica*, III (1949), 264–67.

Gongora. See Alemany y Selfa.

Gossart, Ernest Édouard. *Charles Quint et Phillipe II dans l'ancien drame historique espagnol.* Bruxelles, 1924.

Gracián, Baltasar. *El Criticón.* Ed. M. Romera-Navarro. 3 vols. Philadelphia, 1938–40.

———. *El oráculo manual y arte de prudencia.* Ed. M. Romera-Navarro. M., 1954.

Graf, Arturo. *Miti, leggende e superstizioni del Medio Evo.* 2 vols. Torino, 1892–93.

Guérard, Albert. *The Life and Death of an Ideal. France in the Classical Age.* London, 1957.

Hackett, Francis. *Francis the First.* N.Y., 1935.

Hamilton, Earl J. *American Treasure and the Price Revolution in Spain*, 1501–1650. Cambridge, Mass., 1934.

Hauser, Henri. *Les sources de l'histoire de France, XVIe siècle*, 1494–1610. 4 vols. P., 1906–15.

Henne, Alexandre. *Histoire du règne de Charles-Quint en Belgique*. 10 vols. Bruxelles-Leipzig, 1858–60.

Herrero García, M. *Ideas de los españoles del siglo XVII*. M., 1928.

Hill, John M. *Voces germanescas*. Bloomington, Ind., 1949.

Horace. *Oden und Epoden (Carmina)*. Ed. Adolf Kiessling and Richard Heinze. Berlin, 1917.

Jörder, Otto. *Die Formen des Sonnetts bei Lope de Vega*. Halle, 1936.

Keniston, Hayward. *Francisco de los Cobos, Secretary of the Emperor Charles V*. Pittsburgh, Pa., 1959.

———. *Garcilaso de la Vega. A Critical Study of his Life and Works*. N.Y., 1922.

———. "Peace Negotiations between Charles V and Francis I (1537–1538)," *Proceedings of the American Philosophical Society*, CII (1958), 142–47.

———. *The Syntax of Castilian Prose. The Sixteenth Century*. Chicago, 1937.

Krenkel, Max (ed.). *Klassische Bühnendichtungen der Spanier*. I, II, III. *Calderón*. Leipzig, 1881–87.

Lafuente y Zamalloa, Modesto. *Historia general de España, desde los tiempos más remotos hasta nuestros días*. 30 vols. M., 1850–69.

Lapesa, Rafael. *Historia de la lengua española*. 2nd ed. M., 1950.

Lazarillo de Tormes. Ed. J. Cejador y Frauca. M., 1926.

Leathes, Stanley. "Habsburg and Valois," *The Cambridge Modern History*. II: *The Reformation* (Cambridge, 1903), 36–65, 66–103.

Lettenhove, Bon H. Kervyn de. *La Toison d'Or*. Bruxelles, 1907.

Lida de Malkiel, María Rosa. "El fanfarrón en el teatro del Renacimiento," *Romance Philology*, XI (1957–58), 268–91.

———. *La idea de la fama en la edad media castellana*. México, Buenos Aires, 1952.

López de Gomara, Francisco. *Annals of the Emperor Charles V*. Ed., trans. Roger Bigelow Merriman. Oxford, 1912.

López de Haro, Alonso. *Nobiliario genealógico de los reyes y títulos de España*. 2 vols. M., 1622.

Maldonado de Guevara, Francisco. *La Maiestas Cesarea en El Quijote*. M., 1948.

Malkiel, Yakov. "The Contrast *tomáis ~ tomávades, queréis ~ queríades* in Classical Spanish," *HR*, XVII (1949), 159–65.

———. "Old Spanish *fazaña, pa(s)traña*, and *past(r)ija*," *HR*, XVIII (1950), 135–57, 244–59.

March, José María. *Niñez y juventud de Felipe II. Documentos inéditos sobre su educación civil, literaria y religiosa y su iniciación al gobierno (1527–1547)*. 2 vols. M., 1941–42.

Marín, Diego. *La intriga secundaria en el teatro de Lope de Vega.* Toronto-México, 1958.

Martínez Kleiser, Luis. *Refranero general ideológico español.* M., 1953.

Mas y Gil, Luis. "Carlos I de España en la historia de la insigne Orden del Toisón de Oro," *Hidalguía,* VII (1959), 385–404.

Meier, Harri. "Die Etymologie des Wortes *bizarr,*" *Archiv. f. d. Studium d. Neueren Sprachen,* Vol. 196 (1959–60), 317–20.

Menéndez Pelayo, Marcelino. *Estudios sobre el teatro de Lope de Vega.* 6 vols. Santander, 1949.

——. *Orígenes de la novela.* 4 vols. (*NBAE,* I, VII, XIV, XXI.) M., 1905–15.

Menéndez Pidal, Ramón. *Manual de gramática histórica española.* 9th ed. M., 1952.

Merriman, Roger Bigelow. *The Rise of the Spanish Empire in the Old World and in the New.* III. *The Emperor.* N.Y., 1925.

Montoto y Rautenstrauch, Luis. *Personajes, personas y personillas que corren por las tierras de ambas Castillas.* 2 vols. Sevilla, 1921–22.

Morel-Fatio, Alfred. "Les Allemands en Espagne du XVe au XVIIIe siècle." *RFE,* IX (1922), 277–97.

Moreno Villa, José. *Locos, enanos, negros y niños palaciegos. Gente de placer que tuvieron los Austrias en la corte española desde 1563 a 1700.* México, 1939.

Morley, S. Griswold and Courtney Bruerton. *The Chronology of Lope de Vega's "Comedias."* N.Y., 1940.

Morley, S. Griswold and Richard W. Tyler. *Los nombres de personajes en las comedia de Lope de Vega. Estudio de onomatología.* 2 vols. Berkeley and Los Angeles, 1961.

Navarro, Tomás. *Métrica española. Reseña histórica y descriptiva.* Syracuse, N.Y., 1956.

N[avarro] S[antín], F[rancisco]. "Una colección de refranes del siglo XV," *RABM,* 3.ª época, X (enero-junio, 1904), 434–47.

Noticias de Madrid, 1621–1627. Ed. Angel González Palencia. M., 1942.

Núñez, Hernán. *Refranes o proverbios en romance.* M.: Juan de la Cuesta, 1619.

Obras de Lope de Vega publicadas por la Real Academia Española. 15 vols. M., 1890–1913.

Obras de Lope de Vega publicadas por la Real Academia Española. 13 vols. M., 1916–30.

Palencia, Alfonso Fernández de. *"Universal vocabulario"* . . . ; *Registro de voces españolas internas.* Ed. J. M. Hill. M., 1957.

Paz y Melia, Antonio. *Catálogo de las piezas de teatro que se conservan en el Departamento de manuscritos de la Biblioteca Nacional.* 2nd ed. 2 vols. M., 1934–35.

Paz y Melia, Antonio. *Sales españolas o agudezas del ingenio nacional.* 2 vols. M., 1890–1902.

Pena, Joaquín, and Higinio Anglés. *Diccionario de la música Labor.* 2 vols. B., 1954.

Pérez Pastor, Cristóbal. *Bibliografía madrileña, o Descripción de las obras impresas en Madrid.* 3 vols. M., 1891–1907.

Pietsch, Karl. "Zur spanischen Grammatik," *ZfRPh,* XXXV (1911), 167–79.

Pliegos sueltos sobre el Emperador Carlos Quinto (Relaciones en prosa). Valencia, 1958. Id. *(Relaciones en verso),* Valencia, 1958.

Poesse, Walter. *The Internal Line-Structure of Thirty Autograph Plays of Lope de Vega.* Bloomington, Ind., 1949.

Quevedo y Villegas, Francisco de. *El Buscón. Clás. cast.* Ed. Américo Castro. 2nd ed. M. (1941).

———. *Las zahurdas de Plutón,* in *Obras. BAE,* XXIII. Ed. A. Fernández-Guerra.

Ramsay, M. M. and Robert K. Spaulding. *A Textbook of Modern Spanish, as now Written and Spoken in Castile and the Spanish-American Republics.* N.Y., 1956.

Recibimiento. Full title see p. 54.

Reichenberger, Arnold G. "Boscán and the Classics," *Comparative Literature,* III (1951), 97–118.

"Relazione inedita," see Accame, Paolo.

Rengifo, see Díaz Rengifo, Juan.

Rennert, Hugo Albert. *Bibliography of the Dramatic Works of Lope de Vega Carpio based upon the Catalogue of John Rutter Chorley.* N.Y.-P., 1915.

———. *The Life of Lope de Vega* (1562–1635). Glasgow, 1904.

———. *The Spanish Stage in the Time of Lope de Vega.* N.Y., 1909.

——— and Américo Castro. *Vida de Lope de Vega, 1562–1635.* M., 1919.

Rheinfelder, Hans. "Gloria," *Festgabe zum 60. Geburtstag Karl Vosslers* (München, 1932), pp. 46–58.

Rosenbach, A. S. W. *Books and Bidders. The Adventures of a Bibliophile.* Boston, 1927.

Rouanet, Léo. *Colección de autos, farsas, y coloquios del siglo XVI.* 4 vols. B., 1901.

Ruiz, Juan. *Libro de buen amor.* Ed. J. Cejador y Frauca. 2 vols. M., 1913.

Salillas, Rafael. *El delincuente español. El lenguaje (Estudio filológico, psicológico y sociológico).* M., 1896.

Salinas, Martín de. *El emperador Carlos V y su corte según las cartas de Don Martín de Salinas, Embajador del infante Don Fernando, 1522–1539.* M., 1903.

Salvá y Mallén, Pedro. *Catálogo de la Biblioteca de Salvá.* 2 vols. Valencia, 1872.

San Román, Francisco de. *Lope de Vega, los cómicos toledanos y el poeta sastre. Serie de documentos inéditos de los años de 1590 a 1615.* M., 1935.

Sánchez Alonso, B. *Fuentes de la historia española e hispanoamericana.* 2 vols. 2nd ed. M., 1927.

Sandoval, Fray Prudencio de. *Historia de la vida y hechos del Emperador Carlos V.* 3 vols. *BAE,* LXXX-LXXXII. M., 1955-56.

Santa Cruz, Alonso de. *Crónica del Emperador Carlos V.* M., 1920.

Sbarbi, José María. *Diccionario de refranes, adagios, proverbios, modismos, locuciones y frases proverbiales de lengua española.* 2 vols. M., 1922.

Schalk, Fritz. "Das Wort *bizarr* im Romanischen," *Etymologica* [Festschrift W. v. Wartburg], Tübingen, 1958, pp. 655-679.

Schevill, Rudolph. Review of M. Romera-Navarro's *La preceptiva dramática de Lope de Vega, HR,* V (1937), 94-96.

Schottus, Andreas. *Hispaniae bibliotheca.* Francofvrti, 1608.

Simón Díaz, José. *Bibliografía de la literatura hispánica.* 5 vols. M., 1950-58.

Slabý, Rudolf and Rudolf Grossman. *Wörterbuch der spanischen und deutschen Sprache.* 2 vols. Leipzig, 1932.

Spencer, Forrest Eugene and Rudolph Schevill. *The Dramatic Works of Luis Vélez de Guevara. Their Plots, Sources and Bibliography.* Berkeley, Calif., 1937.

Spitzer, Leo. *Lingüística e historia literaria.* M., 1955.

Spooner, F. C. "The Habsburg-Valois Struggle," *The New Cambridge Modern History.* II: *The Reformation* (Cambridge, 1958), 334-58.

Stephanus, see Estienne, Charles.

Suárez de Figueroa, Christoval. *Plaza universal de todas ciencias y artes.* M.: Luis Sanchez, 1615; Perpiñán: Luys Roure, 1630.

Tárrega, Canónigo. *El cerco de Pavía y prisión del rey de Francia,* in *Poetas dramáticos valencianos.* Ed. Eduardo Juliá Martínez (M., 1929), I, 442-91.

Terlingen, Johannes Hermannus. *Los italianismos en español, desde la formación del idioma hasta principios del siglo XVII.* Amsterdam, 1943.

Tesoro lexicográfico. Ed. Samuel Gili y Gaya. M., 1947——.

Tirso de Molina. *El Burlador de Sevilla,* in *Diez Comedias.* Ed. Hyman Alpern and José Martel. N.Y., 1939, pp. 237-321.

Torres Naharro, Bartolomé de. *Propalladia and Other Works.* Ed. Joseph E. Gillet and Otis H. Green. 4 vols. Bryn Mawr and Philadelphia, 1943-61.

Tovar, Enrique D. "Estudios dialectológicos. Supervivencia del arcaísmo español," *Boletín de la Academia Argentina de Letras,* XIII (1944), 493-659.

Tyler, Royall. *The Emperor Charles the Fifth.* Fair Lawn, N.J., 1956.

Ulloa, Alfonso. *Vita dell' invittissimo e sacratissimo Imperator Carlo V.* Venice, 1560; Venetia, 1575.

Valdés, Juan de. *Diálogo de doctrina cristiana.* Facsim. ed. by Marcel Bataillon. Coimbra, 1925.

——. *Diálogo de la lengua.* Ed. José F. Montesinos. M., 1946.

Van Horne, John. "The Attitude Towards the Enemy in Sixteenth Century Spanish Narrative Poetry," *Romanic Review*, XVI (1925), 341–61.

Vega Carpio, Lope Félix de. See *Obras*.

——, *El castigo del discreto, together with a Study of Conjugal Honor in his Theater*. Ed. William L. Fichter. N.Y., 1925.

——. *El castigo sin venganza*. Ed. C. F. Adolfo Van Dam. Groninga, 1928.

——. *El cordobés valeroso Pedro Carbonero*. Ed. José F. Montesinos. M., 1929.

——. *La corona merecida*. Ed. José F. Montesinos. M., 1923.

——. *El cuerdo loco*. Ed. José F. Montesinos. M., 1922.

——. *El desdén vengado*. Ed. Mabel M. Harlan. N.Y., 1930.

——. *La Dorotea*. Ed. Edwin S. Morby. Berkeley, Calif., 1958.

——. *El palacio confuso, together with a Study of the Menaechmi Theme in Spanish Literature*. Ed. Charles Henry Stevens. N.Y., 1939.

——. *Peribáñez y el Comendador de Ocaña*, in *Cuatro Comedias*. Ed. John M. Hill and M. M. Harlan. N.Y., 1941, pp. 1–177.

——. *El príncipe despeñado*. Ed. Henry W. Hoge. Bloomington, Ind., 1955.

——. *Santiago el verde*. Ed. Ruth A. Oppenheimer. M., 1940.

——. *El sembrar en buena tierra*. Ed. William L. Fichter. N.Y.–London, 1944.

——. *Sin secreto no ay amor*. Ed. Hugo A. Rennert, *PMLA*, IX (1894), 182–311.

Vélez de Guevara, Luis. *El embuste acreditado*. Ed. Arnold G. Reichenberger. Granada, 1956.

——. *Reinar después de morir, y El diablo está en Cantillana*. Clás. cast. M., 1948.

——. *La serrana de la Vera*. Ed. R. Menéndez Pidal. M., 1916.

Vidal. Sr. José Vidal Bernabeu, Lecturer in Spanish, University of Pennsylvania. Linguistic and costumbristic information.

Webster's New International Dictionary of the English Language. Springfield, Mass., 1943 (2nd ed., unabridged).

Williams, Edwin B. *Spanish and English Dictionary. Diccionario inglés y español*. N.Y., 1955.

Zapata, Luis. *Varia historia (Miscelánea)*. Ed. Geertruida Christine Horsman. Amsterdam, 1935.

INDEX TO NOTES

Numbers refer to lines

A embebida, 1121, 1122, 1126, 1130
A, preposition, 1700–1701, 1755, 2015, 2750
A la vista, 811
Abordar, 939
Abstract nouns, 526
Accumulation, stylistic, 1586–1597, 2347–2363
Acuerdo, acuerda, 656
Adorar, 964–965
Adynaton, 712–719
Aeneas' descent into Hades, 872–873
Africano, 1131
Aguas Muertas, 882
Aguila, 1604
Aguilar, Conde de, 1200–1201
Alba, Tercer Duque de, 289, 961, 1162–1163
Alcalde de corte, 1514
Alcanzar, 743
Alimentos, 1712
Alma, potencias del, 1375–1376
Almirante de Castilla, 1172–1173
Anacoluthon, 1038–1045, 1073
Angélica y Medoro, 2712–2713
Antártico, 1654
Apellidos, 1981–1982
Apelar, repelar, 1466
Aquel discreto, 353–354
Aranbel, 2313
Arco, el, 2752, 2773
Ardía, 319
Argén, 1959
Armado en blanco, 1128
Asia, 1127
Asiento, 1561

Aste, 93–100
Asyndeton, 1786–1791
Atlas, 211–212
Autorhymes, 869–870
Ayre, 390, 393, 394, 396, 498

Bajar el toldo, 1732–1733
Barbarroja, 320
Barlamón, Mosiur de, 2633
Basto, Marqués del, 93–100, 1064
Bazán, Alvaro, 1198–1199
Béjar, Duque de, 1206–1209
Belardo, 2815
Belgrade, 1645
Bella, word play on, 852
du Bellay, Martin, 2069
du Bellay, René, 2069
Benavente, Conde de, 1176–1177
Bisanzón, 2409 +
Bizarro, 1344
Bles, 1985
Bourbon, Duke of, 1571–1573
Bourbon, François de, 2071
Bourbon de Vendôme, Louis de, 2075
Broncino, 2354

Caballos frisios, caballos frisones, 2022, 2487
Cabestro, 749
Cabeza, 535, 639
Cabrera, Luis Henríquez, 1172–1173
Camarada, 777–779
Campaña, 2537
Campo, 283
Capítulos, 527
Caracol, 446

Cárdenas y Enríquez, Diego de, 1214
Castro Andrade y Portugal, Pedro Fernández de, 1192–1193
Castro y Portugal, Fernando Ruiz de, 1192–1193
Celebro 'cerebro,' 2485
Centro, 1313
Cerda, Juan de la, 1202–1205
Chancellery in France, 2055
Charles V: political ambitions, 1625–1665; elected Emperor, 1638–1641; concern with Lutheran movement, 1642; warfare with France, 1649; titles of, 1650–1652; coronation, 2159; reception in Rome, 2159
Chirimías, 961+
Cifras, 2012
Clérigos, 1996
Cobos, Francisco de los, 1216
Colonbino, 2351
Conçertados casamientos, 580–585, 1892, 2806–2808
Conclavi, 542
Condestable de Castilla, 1168–1169
Conjunción, 2196
Consejo Real 'Conceil du Roi,' 2059
Consejo Seglar, Consejo Eclesiástigo, 2039–2040
Córdoba, Gonzalo Fernández de, 1200–1201
Córdoba, Pedro Fernández de, 1200–1201
Cornucopia, 2201
Corte del Parlamento, 2031

Dalmatian coast, 1664
Defective line, 2673
Defective rhymes, 2419–2423
Denia, Marqués de, 1180–1181
Desafío, 2496
Desde el mar dulce al chino, 2090
Despacho, 2471
Dieresis, 637, 794, 1111, 1293, 1796–1799
Doblón, 1680
Donde, 1029
Doria, Andrea, 300

El, feminine article, 911
Ellipsis, 1899–1900
Embarcación, 998
Empatado, 519
Empressa, 523
Enano, 2720
Endecasílabos sueltos, 880–929
Enparentar, 2737
Envidar, 2386
Eroticism, 842–844
Errar, 1284
Escoto, 65
Escritura en traspasso, 766
Escuro, 2348
Estados (de Flandes), 2644
Este ombre es mi gallo, 1793
Estraño de balor, 2675–2676
Estremos, 389
Estudio, 1995
Exceder de, 638

Fabriçio, 2072
Faena, 929+
Faetón, 2287
Farnesio (Alessandro Farnese), Cardenal, 2113
Flor, 757
French, Spanish attitude toward, 385–429
French King, the Lord's anointed, 2319–2322
Fuérades, 2201

Garcilaso, 268+
Garzés, 933
Generosos, 2623
Genolí, 2352
Gibraleón, Marqués de, 1206–1209
Girasol, 2370
Gloria, 1375–1376
Gonzaga, Fernando (Ferrante) de, 293–295
Gran Capitán, el, 1200–1201
Gran Turco, 1619, 2308
Grandezas, 2147
Guacamayo, 2369

Guebo, 1813
Guzmán, el Bueno y Zúñiga, Alonso
    Pérez de, 1202–1205

Haberlo con uno, 2477
Hacanea, 2049
Haréys, 438
Hazaña, 59, 2425
Hedín, Hendin, 657, 2437
Heracles, 211–212
Hiatus, 271, 636, 2641
Hieros, la ysla de, 897
Humor, 753
Humores, 60
Humores de amor, Lope's slip for *humores
    de honor*, 60
Hungary, rival kings of, 1415–1418

I (*see also* Y)
Imperial clemency, appeal to, 197–200
Infantado, Duque del, 1162–1163, 1180–
    1181, 1184–1185

Jazintos, 2102
Jehan Petit, 2591
Joie de vivre, 425–427
Juana la loca, 2205, 2207

Khair ad-Dín Barbarroja, 320

Lámpara, 2321
Le, 237, 271, 285
Lecho, campo de batallas, 839
Lemos, Conde de, 1192–1193
Lerma, Duque de, 1180–1181
Letrado, 2613–2625
Letuario, 1423
Ligeros, 294
Lindo don Diego, 1400
Lista, 1747
Lo, 795
Locura, 1406
Lombardía, 1287
Lorena (Lorrain), Duque de, 2106–2107
Los, 2786, 2787

Magno, 2076
Manrique de Lara, 1212–1213
Manrique de Lara, Juan, 1212–1213
Mantener justo o torneo, 2327, 2336
Maqueda, Duque de, 1214
María, la reyna, 1050
Más piadoso juez, el, 1293
Matarse 'reñirse', 2537
Medina Sidonia, Duque de, 1202–1205
Medinaceli, Duque de, 1202–1205
Memoranse, Mosiur de, 16+, 1979
Mendoza te llamarás, 29
Mendoza, Juan de, 268+
Mendoza, Diego Hurtado de, 1184–1185
Mendoza, Iñigo López de, 1184–1185
Mendoza, Luisa de, 1180–1181
Mentís, 102
Mexora en terzio y quinto, 1925
Milan, Duchy of, 580–585, 2806–2808
Miranda, Conde de, 1188–1189
Monarquía, 72
Money, value of, 1266, 2596, 2613–2625
Monstro, 1942
Montmorency, Anne de, 16+, 1979
Mortal, 1152

Nájera, Duque de, 1212–1213
Nice, meeting of, 577
No fueras por bula a Roma, 2499
Nueve de la fama, los, 2416
Nuncio, pun on, 1460–1463, 2391–2392

Oaths, truncated, 2474–2475
Ofiziales, 770
Orden del Rey, 2069
Osuna, Duque de, 1196–1197
Otra vez, 540

Pacheco, 30–47
Paje de espuelas, 831
Palaçio, used without article, 2749
Paramentos, 2021
Parnassus, 2032
Pazes, las, 78
Perra, 1801

Personal pronoun, position, 432; redundant, 429
Pesar de mí, 1741
Pessar, 2474
Philip II's age, 616
Piñarolo, 93–100
Pie, 1829
Pimentel, Pedro, 1176–1177
Pimentel de Velasco, Antonio Alonso, 1176–1177
Pimentel Pacheco, Alonso, 1176–1177
Pindus, 2032
Plus ultra, 209
Pollos de Marta, 1708–1709
Pomas, las, 903
Ponga sobre los ojos, 122
Porfiar hasta morir, 867
Posesión, tener en, 738
Possessive, used in objective sense, 1450
Posta, 1891
Preboste, 2029, 2060
Presencias, las, 526
Preste Juan, el, 1623
Pretensión, 985
Pribado, 1098, 2251
Priego, Marqués de, 1200–1201
Primero mouimiento, 1021
Principiis obsta, 1877–1878
Prinçipios, 725
Produzga, reduzga, 213, 216
Prohejar, 935
Propuesto que, 581
Proverb, truncated, 2475
Puertas, dar, 887
Puns, 1460–1463, 2391–2392
Puntos, 826
Puntos, en los dos, 66

Quál, 2721
Quando, 2739
Quiuira, 2089
Quintillas, 390–399, 430–434, 445–454, 470–474, 485–489

Rayo, 449

Real Consejo, 2609, 2613–2625
Reçiuís, 435
Reflexive pronoun, 1179
Regidores, 2015
Reniego, 2474
Rentoy, 68
Ronquillo, Rodrigo, 1526
Rota, Tribunal de la, 1474–1475
Rueges, 604

Sacco di Roma, 1571–1573
Salba, 735
San Paulo, Monseñor de, 2071
Sande, Alvaro de, 1066–1071
Sandoval y Rojas, Diego Gómez de, 1180–1181
Sandoval y Rojas, Francisco Gómez de, 1180–1181
Sandoval y Rojas, Luis de, 1180–1181
Santa Cruz, Cardenal de, 1230–1231
Santa Cruz, Marqués de, 1198–1199
Santa Liga, la, 2789
Scipión, three-syllabic, 1135
Sçitia, 1665
Seal, French Royal, 2053–2054
Senor, 1560, 2152
Seville, 2154
Si es, 524
Slip by Lope, 60, 2647, 2691
Soldadesca, 1055
Soliman the Magnificent, 1044
Sonnet, 341–358
Sophí, 1615
Spelling of present subjunctive of verbs ending in ——*gar*, 604, 2701
Suelo, 311, 418

Tasticot, 2474
Tavera, Juan Pardo de, 1161, 1230–1231, 1233
Téllez Girón, Juan, 1196–1197
Téllez Girón, Pedro, 1196–1197
Telliz, 2048
Temblar, 431, 1126
Tener de, 1158

Terzero, 537–539
Terzia, 1171
Tiniéndole, 567
Toledo, la imperial, 1022–1025
Tornasol, 2362
Tornay, 663
Trajano, 1964
Trapalatrapa, 2401
Trasiluania, 1553, 1645
Traspuesto, 1784
Tray, 1091
Trueco, 1735
Truxe, 617
Tudesco, 2409 +
Tunis, 1551
Turquí, 2353
Tusón, 625 +

Vandas, 2445
Vandón (Vendôme), Duque de, 2106–2107
Vano, 1956
Velasco, Iñigo Fernández de, 1168–1169
Velasco, Pedro Fernández de, 1168–1169
Venge, 2701

Vera de Plasençia, la, 2206
Verdeterra, 2359
Vidro, 2112
Villena, Marqués de, 30–47, 1299
Vinagre, 2476
Virgil, *Aeneid, 851–53,* 197–200
Virreyes, 2035
Vusinoría, 1515

Word play, 537–539, 656, 852

Xerxes, 2078

Y, 508
Y for *e,* 371
Yndio, 1655
Yngalaterra, 592
Yr a la parte, 829
Ysabel, la Enperatriz, 2219

Zúñiga y Avellaneda, Francisco de, 1188–1189
Zúñiga y Avellaneda, Juan de, 1188–1189
Zúñiga y Sotomayor, Francisco de, 1206–1209

Facsimile of the Autograph Manuscript

Leaves 19, 20, 21, 22, 41, 42, 43, 44, 45, 67, and 68 are blank on both recto and verso, and are not included in the facsimile. All leaves blank only on recto *or* verso are included.

Carlos 5º en francia ACTO P

Pacheco soldado la espada desnuda quatro franzeses
sobre el yun capitan

Pach, fuera digo / ca / date preso
Pac, presso yn Español, villanos
cap, dalas manos / Pa, yo las manos
    no ble soy, honor professo
cap, Mira q soy capitan
Pa, q ymporta si eres flandes
    y yo Español / cap / tu no ves
    q te mataran / Pa, no saran.
Sol, dexanos darle la muerte
    q tiene tan merezida
Pa, y yo sabre vender mi vida
cap, q temerario / 30 / q fuertes
ca, Lasta el mismo Alojamiento
    denro Rey se retira
    no le mateis q ya mira
    nro Rey, su atrevimiento
Mosiur de memoranse caballeros del
Rey Francisco de Franzia

me) Plaça, desbiaos, q̃ esta
   su magestad esta aqui
Pac) Rindome señor a ti
   ya estoy a tus plantas puesto
   mandame cortar el cuello
   y el braço q̃ te offendio
Fra) quien eres / Pa 170. / Fra quien / Pa
   señor, no acierto a sabello
   soy Español, y assi
   en el Reyno de Toledo.
   con apellido q̃ puedo
   osar dezirtele a ti
Fra) Mendoça te llamaras
pac) pacheco soy / fra / gran noblesa
   gran balor gran gentilesa
   del duq̃ deudo seras
   de escalona Pa / no señor
Fra) pues ay pachecos sin el?
pac) mi apellido tome del
   no de su sangre el balor
Fra) como Pa dio leche mi madre
   al Marques, q̃ oy a voz
   criome conel Marques
   mientras q̃ vivio su padre.
   y todos en escalona
   pachequillo me llamauan
   siendo niño, y me tratauan

como a si misma persona.
Crezi, y saliendo tramieso
pase de pase a soldado.
y aunque pobre soy onrrado
fra. por que le llebabas preso?
cap. mate dos alabarderos
de tu guarda fra. pues por que?
cap. lo que yo fui, te dire
con algunos caualleros
que todo el suceso uieron.
pa. yo no te dire lo çierto
fra. pues di, por que los has muerto
pa. por que no se defendieron
me. se espanta tiene sumor
pa. usase mucho en España
que se tiene por sadaña
tener sumores de amor
Señor yo llegue a jugar
estrella con que naci,
por que dell juego sali
y al juego pienso tornar
que dessoto a sed de quien soy
me ha dicho, que en los dos puntos
que naci, jugauan juntos
Venus y Marte al rentoy
en fin llegue donde sauia
guarda a tu real persona.
de Francia digna corona
y dell mundo Monarquia

Jugue, perdi, y dixe alli
luego q me lebante
si a Franceses lo pague
con Franceses lo perdi.
dixome cierto soldado
si las pazes no se ciñieran
los españoles perdieran
lo q de Francia han ganado.
replique, el Emperador
tiene la paz por divisa
y solo ha venido a Nisa
a confirmarla mexor
y pues el papa las haze
por bien dela cristiandad
gracias a su santidad
de quien la concordia nace
q si acá durara la guerra
yo tuviera q jugar
lo q supiera ganar
con la espada en vra tierra.
Pues por q me respondio
no nos aguardo el Marqs
del Vasto, dixe Frances
si el Marqs se retiro
de Piñarolo no fue
por q le falto balor
mas por q estaua mexor
en Aste. esto solo hable.
quando. botando enel viento

meto os Vn mentis la espada
decuya ofensa indignado
fido ygual atreuimiento.
binieron mil sobre mi
yentretantos yo no se
aquien deri, aquien matar
mas se que me defendi

fra   soldado Vos soys honrrado.
y Pacheco yasi oydme
mi palabra, q fui y soy
a bro nombre inclinado.
por el y por el Marqs
del billena y de norabuena.
pues el Marqs del billena,
vro dueño dezis q es
q pues yo he venido a Nisa
a hazer conel Cesar paz.
tras el odio pertinas
y la dilacion remisa.
todas sus cosas estoruen
y porqe sobre los ojos
ya pasaron los enojos.
y a la enemistad tanbien.

y dos   libre por soldado
de Carlos, y por pacheco
toma deste anillo, / Pa / oy trueco
el ser pues tu sol me ha dado
q pues me ha dado tu sol
tu soldado vengo a ser.

fran   yo debo faborezer.
    todo soldado Español.
    q[ue] se uisto el balor q[ue] tienen
    con las armas en las manos..   entr

salgan un capitan   cap. oy q[ue] dos Reyes cristianos
español y algu-   afirmar las pazes uienen.
nos soldados   oy q[ue] el Papa los Junto
                     aqui en Nisa de Proenza.
                     Un soldado sin verguenza.
                     a romper la paz llega;

    Sol. a dos Franzeses a muerto
    cap. q[ue] dira el emperador
       si desu parte un traydor
       rompe la paz y el conzierto..
    Sol. aquel es / cap. date apris[ion].
    Pa. Españoles q[ue] quereis.
       si soy Español y Voys
       q[ue] los mate con razon.
    cap. date al capitan villano
    Pa. no conozco al capitan.
       asi los buenos se dan

todos le   cap. date aprision. / Pa / meted m[ano]
acuchillen   cap. mataide / sol / muera el tray[dor]
    cap. q[ue] con tal atrevimiento
       hasta el mismo aloxamiento
       llegue, del Emperador.
       mataide / sol / ya el cesar

alas Voçes y ruido

qui? Caseçe es esto? / cap / Vn ombre atreuido
conquien ni tu nombre Vale.
ni las espadas, q Ves.
y es digno de gran castigo
g dl Franzes amigo y a tu amigo.
mato dos ombres otros,
Carl por q ala Justicia suya
no te entregaste Homisida?
Vas por conseruar esta uida
para defender la tuya.
y en Tunez en la goleta
en Viena y en Turin
y quando enprendiste elfin
dla luterana seta
te serui. aun q pobre esto
con la sangre, q esta gasto,
por ti, dgas de dl Vasto
en Aste y en Piñarolo
Verdad es q los mate
quando a Hazer las pazes Vienes
pero q dl soldado tienes
ni que dl Español eres
q sufra Vn mentis de Franzia.
ay tienes soldado razon
pero quitar la ocasion
era agora de ynportanzia

no escuso el dar aentender
al de francia, ý se sentido
ý Españ̃ol se aya atrevido
antas pazes romper
llevalde vos Capitan
yala vista del quartel
de flandia, le ahorcad, y al cruel
sentençia, a Pacheco dar
tus manos siempre piadosas

Cap.   ea, caminad Soldado
Pac.   señor oye, aunq̃ enojado
pues tus armas gloriosas
~~contra val~~ para humildes yproterbos
ý te enojan, y bendizen
parcere ~~~~~~~~ subiectis d
et debelare superbos
oye, ~~señor~~ assi veas.
tu filipe ý ocho años
tiene agora, Rey de estraños
Reynos, en ý tu lo seas.
assi crezca yasi robe
tu fama en nro Hemisferio
ý se diga ý el imperio
parte conel mismo Iobe.
assi ~~aquel~~ plus Ultra adelante
con que ~~~~~~~~~ elotro mundo n
asi venga aser Alçides
de donde, tu, fuiste Atlantes

y assi Filipe produzga
otro Filipe tan bueno
(q) a todo el mar ponga freno
y el mundo a sus pies reduzga.
y deste Filipe venga
otro y tantos q no acabe
el tiempo. Un nombre tan grabe
ni el mundo otro dueño tenga.

Carl. q quieres pa (quando enprendieron
los Franzeses darme muerto
me llebaron desta suerte
por q de otra no pudieron
hasta el mismo Aloxamiento
del Rey, Salio, y supo el caso
y por ti, detubo el passo
su enojo, a tu atrebimiento.
si estimando tu perßona
me perdona, sera hazaña
q castigue el Rey de España
lo q el de Franzia perdona.

Car. el pudo como agraciado
y yo no por q le respeto.

Pa. pues dame aqste decreto
solo en un papel firmado
por q el de Franzia le llebe
y luego me ahorcaran.
o digale el Capitan
lo q a matarme te muebe

Car. notable Español Marqs
Rey. El balor y las razones
merezen q le perdones

y por q pacheco es
Vn soldado mui honrrado
y te le visto pelear.

Car. de so y del modo dela plat
te estoy algo afishonado
q q q q podra tener
acerca de mi persona.

mas Ta buena cuya te abona
tu cacayo puede ser.

car ya Pacheco estais aca
yo os llebo en amparo mio

Pach dadme esos pies/ car/ese brio
mucho contento me da.

pac dadme esos pies o segun
cesar, por q dellos se
q con solo vn puntapie
podran derribar el mundo.
soy vn cacayo y soy.
en ser del cesar cacays.
el bri sol algun rayo
pues cerca de vos estoy,
y rayo vn por dios

Ga deser/car/Ven te conmigo
Pac vida, en muerte, honrra, en castigo
solo pudo hallarse en vos

entre garcilaso dela Vega, y don Ju de Mendoza

pa en fin llegais/agora/ ycon disgusto
del camino de Flandes, ya por largo.

ya por haberle echo sin mi gusto

de q̃ os quexais, pues el honroso el cargo.

Juar. No pense hallar a Carlos quinto Augusto

a quien en proenza [~~~] ya se ha puesto embargo

a la guerra de Francia [~~~] de q̃ ~~~~ modo

~~~~~~~~~~~~~~~~~~~~~~~~~~~~~~~~~~~~

Juan. Su santidad puso remedio en todo.

Despues q̃ Carlos por no haber cumplido

francisco la palabra en Madrid puesta

de Paulo berzio en Roma recibido

con tantos Arcos regozijo y fiesta.

Hizo aquella orazion q̃ el mundo ha sido

por sus graues palabras manifiesta

su campo los neuados Alpes passa

por darle guerra hasta en su misma casa

Nunca su magestad mayor q̃ tuuo

cavorze mil ~~~~ los Españoles eran

y boze mil ytalianos tuuo.

q̃ las montañas de hazer pudieran.

por general el duq̃ de Alba estuuo

para q̃ conel Alba amanezieran

en Francia ~~~~~~~~~~~~~~~~~~~~~

A darles tan pesado el dia

Como ~~~~~ Carlos la noche de Pauia

tanbien lleuaua cinco mil caballos

entre los hombres de armas y ligeros

Don Hernando Gonzaga, que a mirallos

paraua el sol los suyos lisongeros
pudo mui bien el Cesar sustentallos
aun q por montes asperos y fieros
porq por la Ribera q el mar laba
Andrea de Oria, el campo sustentaba
No quiero referirte las empressas
de Carlos contra Francia pues no basto.
el valor las hazañas y las pressas
del Duq de Alba, y del Marqs del Va
ni + las de Francia en la memoria impr
q en vano el tiempo y las palabras q os
~~xxxxxxxx~~
pues tuvieron mil vezs a Saboya
como los griegos la abrasada Troya.
Assi creció la guerra q hasta el cielo
mostro con nubls sangrientos arrebo
la discordia fatal de Flandes suelo
la enemistad y furia de Españoles.
vieronse por Paris, en alto buelo
alos lados del sol, otros dos soles
q el uno echaua sangre, ~~xxxxx~~ el otro
prodigio q en el mundo se vio luis.
Mas viendo el Papa el gran rigor q a
entre aq estos dos Principes cristianos
yq por su rigor a Italia ardio
Barbarroxa, con Turcos y Africa

trato la paz y estoy donfii Pedia
si lo quieren los cielos soberanos.
Que se han deVer, el Rey francisco y Carlos
por Q su santidad, viene aJuntarlos.

En fin le obedezieron y han venido
a Nisa de Proenza ↑↑↑ y aLlegado
su santidad? ↑Jua↑ con gran riqueza haspdo
de Carlos reunidos y Alloxado.

Gar abranse aiustas pazes reducido:
Jua Franzeles y Españoles se han Poblado.
vnos yotros se aloxan casi Juntos
sin enojarse ni mirar en puntos

Gar al cesar nosera posible hablalles
Juan no veys Q ya saliv a hablar queria
sobre esta Paz, al Papa xxxxx acompañalle
sera mejor entou [tos] tene dia

Gar fernandillo Jua Buen paje Gar de buen talle
fernandillos Ou señor Gar a la Posteria
buelue y dirasej al cesar acompaño
no es malo el paje Gar es Vn luces sehani

dese sola
otrsca.

No

Dos yvas de Amor, Estrellas enenu
leyes dll gusto, fuerzas del desseo
adonde me lleuais, donde me Vec
al cabo detan asperas fatigas
y tu cruel Q a tanto mal me obligas
Q le estoy padeziendo y no le creo
por Q me enlazas, quando no pelec
y quando me defiendo me desligas

donde por tierra y mar llevas sujeto
Vn coraçon tan flaco, Amor aduierte
q tienes de cobarde mal conçejo;
que gloria esperas si me das la muerte
mas ay que dixo bien, aquel discreto
q es solo para amar la muger fuerte

en vna ventana
Leonora dama
Camila

Leo	desde aqui podremos Ver
	Camila al Emperador.
Cam	con razon muestras tener
	afiçion a su balor.
	y a su invençible poder
Leo	apenas la cosa entiendo
	pues sin nacer Españoles
	siempre sus partes defiendo
Cam	ni eres en ytalia sola
	ni de escucharte me ofendo
	es Carlos el mas notable
	prinçipe, q oy tiene el mundo
Leo	donde quiera q se hable
	de su balor sin segundo
	de su grandeza admirable.
	muestro tan grande affiçion
	respeto y ynclinaçion.
	que doy bien q murmurar
Cam	oy le veremos
dor	damas el prensa son
	q salen a las Ventanas
	a Ver al gran Carlos quinto.
Leo	pues sus glorias soberanas
	su persona heroyca pinto.

y grandezas mas q Eumanas.
No cuentan de Scipion
ni Alexandro tantas cosas

Dor — ya damas las dll Balcon
q digo damas hermosas,
aguardan conversacion?

Leo — Si soys Español tendremos
oy conversacion con Vos.
sino el balcon cerraremos.

do — Español soy y Leo bien por dios
Do — no lo dizen los estremos.

Leo → dizelo el ayre de alçar
la mano al sombrero, y dar

cuerpo y ~~cabe~~ pie, con tal donayre
~~todos~~ pareceis tidos dll ayre
en el ayre del andar.

doro — no selo parezca pues
q el buen ayre solo es
con las damas q requiebran
pesados son quando quiebran
andas en pedz Flandes.
mas por mi vida ~~tod~~ a quien son
mas afizionados, donde
las lleba su inclinacion.

Leo — a España el alma os responde
q es exelente nazion

dor — pues Español mui de Veras
q España es Reyna, y Senora
de quanto bien consideras.

Leo → Español eres agora:
y veras sino lo fueras

do   quando no vbiera nacido
     español, solo franzes
     damas q̃ quisiera saber sido
leo   que q̃ tanta nobleza veo
     en el franzes apellido

do   si de aq̃stas dos naçiones
no   no me vbiera hecho el çielo
     no quisiera ser /leo/ no pones
     mal tu gusto ~~pues era~~ en todo te suelo
     sus meritos anteponer

dos   Español huelgo de ser
     de no lo ser, Franzes fuera
     de no ser Franzes, no ay ser
     adonde mi ser cupiera
     antes de xar de ser

leo   no digas tal q̃ no ay cosa
     como ser, q̃ el no saber sido
     es la mas triste. /do/ la hermosa
     naçion, q̃ en hueste teñido.
     oy haze carlos gloriosa
     agora vereys passar
     a quien tiemblan tierra y Mar
     mas quereis me dar vn dedo
     desa ventana /leo/ no puedo.
     que tengo a quien dar pesar

do   si vos no le reçiuis.
     dadme liçençia y vereis
     el ombre q̃ alla subis
los   q̃ hareis /do/ matarle /leo/ no hareis
     q̃ no hareis lo q̃ deçis /

do   como no, no tengo enel
     ni en otros dies, para vn taso
     subidme al balcon y del
     le echare por dios abaso
     como alucifer, Miguel

Leo   Diabolo ys / dor / soy Español
     mas po bre q el Caracol.
     con esto os puedo servir
     abad q quiero salir
     al Rayo del bñ sol.

Leo   por q os llaman fanfarrones?

Dor   por q todas las naciones
     vnas deotras embidiosas.
     ynfaman nras q briosas
     empresas, y altos blasones
     sabemos desir y hazer.
     y por q se vso el retar
     En españa q es poner
     con la execucion del dar
     la gloria del prometer
     pero de cesar viene ya.
     poned los ojos en quien
     todo el bien del mundo esta.

Cam   este nos dira tan bien
     q gente con Carlos va.

No
No

ca, acompañamiento Carlos detras por el telon por
sombros. sin hablar se entran.

Leo   a pocos tal ombre lleuelo
     si me enamoro su fama
     por su talle me desuelo
     dichosa amiga la dama.
     si tiene tal prenda del suelo
     merezca En dulces lazos

aquellos gallardos braços.

de quien tiembla el Athia el mundo

Cami la tierra y el mar profundo
cofrezen dulces abraços.

estos seran sus amores
al son de trompas y caxas
y a do siguieren sus faldas
corren con muchas ventajas
los Cesares vençedores.

de q sirbe q te agrade
Ceos ay Camila de la fama
tanto aqueçe persuade
q para la vista q ynflama
y aun fuego tantos anade.

cami pues como pones tu amor
en Carlos enperador
de Alemania y Rei de España.

Ceos no fuera del Amor hazaña
se ygualara en basos
Conçertar desigualdades
es del Amor la grandeza
si en yguales calidades
la misma naturaleza
confierta las voluntades.
yo le quise retratado
y agora le quiero visto
y de manera me agrado
qse del ayre conquisto
y no despreçio el cuidado.
Sumilde fuy y a lo Veo
pero soy muger ca Reyntentas
Ceo goçarle / Cami estraño deseo
luego admitida te cuentas
Ceo i no fera mucho p Ceo.

~~escriue quien vna muger~~

Vn ombre de humilde ser
a una muger de balor
no la puede merezer.
y puede al mayor señor
gozar qualquiera muger
a hidalgo quereis llebarme
donde esta junta se va eco?

dos abridme y podeis harme

Vro señor leo entrad y do suçede
q estas quieren engañarme

leo entrad Español os ruego

dos aqui ni pierdo mi gano
por q hare q sepan luego
q rui gana la mano
semos empatado de juego ¿.

ubrase vna cortina y sobre vnas gradas se vea
lo terçio en vna silla con alonso çaeas a los pies y Carlos
uto en otra y algunos caballeros y alabarderos a los
dellas gradas la musica es forzosa

Mucho me pessa Carlos y della so dia
decir q a la comun yglessia pessa
q hauiendonos juntado aqueste dia
para esta paz. q es de mi ofizio empressa.
no quieras ver con pertinaz porfia
al Rey francisco, si es q le odio cessa
pues mejor las presençias conçertaran
lo q aquestos capitulos declaran.
si el quiere verte, hijo, por q niegas

tu rostro alegra tienes con tu amigo.
por que a mis braços disgustado llegas,
quando con tanto Amor estoi contigo?
si por la paz Vniuersal me ruegas,
y por el exemplo de quien sabes sigo,
miramos bien los dos lo q̃ debemos
por q̃ antras cabeças y mitemos.

Carlos   Beatissimo padre, Paulo
              de asse nombre tercero
              no sin causa pues lo eres
              de ntra paz y concierto.
              otra vez represente
              y agora te represento
              en tu conclaui sagrado
              y apostolico, colegio.
              los agrauios q̃ la casa
              de Austria, por diuersos tpos
              recciuio de muchos Reyes
              de Francia sin merecellos
              ya te dixe del Repudio
              por Carlos o tal o fecho
              con Margarita mi tia
              mas para q̃ te refiero.
              Cosas de tpos passados
              quando en los p̃sentes Vencos
              las muchas causas por quien
              del Rey Francisco me quexo.
              quando ala guerra de Tunez
              passe conpiadoso celo
              hiço amistad con el turco
              y le seruicio de secreto

11

Cartas se hallaron entonçes
en q se vio y todos vieron
q embiaua a Barbarroxa
muniçiones y dineros.
esto contra mi seria
mas para q trato desto.
si despues de tantas guerras
tiniendole en Madrid presso
y hauiendole regalado
como aun hijo, q bien puedo
deçir q asi le trate
pues q le di en casamiento
mi propia hermana q romaio
lo q fue en aqel acuerdo
por los dos capitulado.
y con omenaje eterno.

presas causas ____ o Padres
ver a Françisco no quiero
pero la paz conçertada
la abraço, estimo y açeto.
dare a Milan a su hijo
el duq de orliens propuesto
q se le doy como en dote
del tratado casamiento
con la hija de mi hermano
el Rey fernando y fin esto
han de ser restituidas
al de saboya mi deudo
las tierras q le han tomado
hasta verse su Alteça.

Sa de renunçiar françisco
Beatisimo padre nuestro
la amistad de Yngalaterra
y los hereges Tudescos.
Sa de entrar en nra liga
contra el Turco y por lo menos
pagar lo (y le tocare)
para la guerra (y emprendo
Sa de bolber el estado
a los hijos y herederos
del Duque Borbon difunto
quando puso a Roma çercos el çerco.
Todo esto to (y) pido
y (y) me tengas te ruego
por hijo y ruegas a Dios
Conserbe a España mi Reyno
en la fee de su servicio
y el Aleman y imperio
estirpe las heregias
del apostata Lutero
y con esto humildemente
los pies Sagrados te beso
por sustituto de cristo
y sucesor de san pedro
en mi nombre y de mi hijo
filipe, a quien te encomiendo
(y porque tiene ocho años)
no le truxe donde Vengo
con toda humildad y amor

a los pies q̃ reberencio.
y en la fee del q̃ por mí
fue en la Cruz Clabado y muerto
Como prinçipe Xpiano
morir y uiuir protesto.
toma padre este papel
yguarda tu uida el çielo

nperador se baxa de las gradas y saliendose por el
con musica Daya entrando por la otra parte
Rey de françia y subiendo las gradas besse el
al papa abraçele y buelve el Rincon ↑↑ trayga
don de françia que Vr̃s. Miguel al papel.

an) No me quiso aguardar Carlos Pau/ no creo
q̃ de su boluntad debes quexarte
de la paz estima con ygual desseo
quiere darme a Milan/ pau h quiere darte
mas lee este papel / Fra/ mui lexos beo
de mi yntençion a Carlos/ Pau, no fui parte
para q̃ juntos se tratasen pazes
bien a tu officio padre, satisfazes

pero señor Beatisimo no puedo
dexarme de quexar de su aspereza
sean las condiçiones q̃ yo queda
a la fiança de fee gran nobleza
pues tu bienes q̃ de la paz no exçedo
Sumillado a los pies de tu cabeça
pues para confirmar la estan nombrados
de la parte de françia dos legados

Mosiur de Memoranse esta presente
y allorena El cardenal, Pau, recela
franusco, El cesar Vengas differente
fra, Capaz, nofufe ardid, ni amor cautela
enelegados nombro, Pau, enanbos feanfeme
~~franusco~~ Nicolo Perenoto de granuelos
y Cobos, quedaran q es de castilla
omendador mayor, l fa, tu facra filla
es tribunal tan justo, q bien crea
q tendia mi Justida, el lugar justo
Pau ~~el duque de lua deso~~ /datos Frempre El desseo
~~es orendor~~
del cessar fue la paz, fra oyela gusti
aun q pues no me quiere Ver, bien Veo
q duran las reliquias del disgusto
~~Alfon~~ de aql acuerdo de Madrid fe acuerda
fra fu amigo foys, yo care q El odio pierd
— Cea ~~datos~~ Capitulaciones con q afsenta la paz
Carlos quinto cesar maximo emperador
de Alemania y Rey de España, con ~~fra~~
~~es torbes~~ El cristianissimo Rey de fra
franusco de Valoes.
Primeramente ~~las andre q el~~ ~~l~~ duq
orleans fu tijo ~~en fu andre su~~ con fija
del Rey Fernando fu permano, ebar
~~derfes~~ a Milan reserbando por tres
años p fs las fortalezas
yten en debolver le el Rey cristia
fimo a Hedin, al cesar, al de fabor

13

Sus tierras y a los Herederos de Borbon
Su estado
mas q̃ a de dexar la amistad de los
Indexos Hereges y entrar en la liga
contra el Turco pagando lo q̃ le tocare
de parte en armas y dineros

quedo dig[...] no Cays
q̃ son fuertes condiçiones.
Esos mal os confirmais.
oye padre estas razones
vanas razones me days
a Tornay me a de bolver.
Carlos, q̃ no la de tener
las fortalezas q̃ dize
de Milan, con q̃ autorize
a mi costa su poder
Como puedo yo dexar
las amistades q̃ tengo
y en la liga se de entrar
no se de pagar q̃ no vengo
a perder, sino a ganar.
hazer la guerra a su gusto
ni quiero parte ni batalla
francisco cesse el disgusto
Carlos esta ausente y calla
Dios sabe lo q̃ es mas justo.
despacio lo trataremos
las treguas por los diez años
por lo menos confirmemos
pues en esto no ay engaños

yº digo ǵ en paz quedemos
y puntando el pie de besso
ruega a dios padre por mi
La fee de xpo confiesso
y morir como naçi
en La ǵ adoro y pro fesso.

caxesse con musica dela(s) gradas y çierrese l(a)

tina
† Galuan.
dorotea y
Leonora

Leo no tienes tu quien me Uebes
tras el çesar ǵ Se Vas
do   bravo frenesi te da
loco Amor y tus passos mueve
admirado me has / Leo / deque
Si sabes lo ǵ es Amor
do   Si Se he Uorado Fer Rigos
dios lo Sabe. y yo lo Ses
pero mira ǵ Se aumenta
Amor entre los yguales
ǵ desygualdades tales
convierte Amor en afrenta.
tu con un emperador
de Alemania y Rey de España
Leo esa fernando es Razona
de Amor, Si es ǵ es dios Amor
do   bien dizes por ǵ Sa de Razon
milagros ǵ Amor es dios
Leo Se Juntarnos a los dos
como ninguno Sa deseir
ǵ Ame Se Sondeis La obeja

la loba al lobo, y el ~~lobo~~
al lobe, ~~no~~ ~~~~ en su forma cabe
~~se~~ la misma se lo aconseja
mas q̃ una simple cordera.
Ame aun leon desigual
y q̃ aun Aguila caudal
una tortolilla quiera
esto es milagro de Amor
y asi lo ha sido querer
a Carlos una muger
de tan humilde valor.
tu me has de llevar a quien
me de a Carlos, pues no es santo
q̃ los ombres aman quanto
cerca dellos ojos ven.
gozele y muerame luego

dor ¿q̃ juizio tienes de loca
el mismo Amor me provoca
por q̃ me espanta su fuego?

leo no podra ese caballero
q̃ tu bes llevarme a el

do no osare tratar con el
lo q̃ me pides, ni aun quiero
q̃ le adoro y ~~no~~ ~~~~ y es ageno
aparte

wi, ~~~~ pues si te vee
~~~~ podia ser q̃ del Rey te dé
con salba, que eres veneno.

leo q̃ dizes do q̃ es sospechoso
el soldado con quien vengo
y q̃ en posesion le tengo
es atrevido y de amoroso.

Vive dios si le doy parte
de q̃ vienes desse modo
q̃ se lebante con todo.
Y q̃ no me alcançe parte

q̃ vuerria q̃ a Carlos fuesses
Con quien tan fiel te llebases
q̃ despues q̃ el te gozasse
Si quiera vn gusto me diesses
q̃ algo merezes por ser

q̃ e ~~a q̃~~ Sabestos destos to
mejor te cautiuen moras
q̃ yo venga atu poder
tiene desso, les por q̃.

Las mugeres de tu humor
Soys como arina, les a mi Amo
el tiene vn dueño. Vndios mi se
tres partes la arina tienes
flor, media arina, y salbado
Y una muger de tu estado
atener tus mismas vienes
goza la flor vn señor
y aga el primer bocado
por q̃ come regalado
en los deleytes de Amor
la media arina tras el
Come el mayordomo acaso
q̃ es escritura en tras paso
Y se sustituye en el
es salbado q̃ ya es
lo vil, destos tres linages
viene a ofiziales y pajes
y aun a lacayos despues

y desta suerte uendras
leonor a parar en mi

Aco   quedo, gente viene aqui

Pacheco Pa   Viuedios y primo en nos
a Lata
el enpe.   q el oficio q me a dado
y ser ura Camarada
Serna, por q entiendo onrrada
q aze al q la tiene onrrado.
~~y deste~~ y deste agradecimiento
quando dios nos buelba a España
vereys si el q os acompaña
es ombre de cumplimiento

Fern   los q soldados como vos.
y parezen muy bien al lado
de ura Paz su fue soldado
o q se q vai por dios
y no saze menos en onrrarme
desta plaza y do estos soldados
conozco le q quien son do q criados
del cesar, quiero infamarme
si a España se a de bolber
dios guarde a Vuesas merçedes

Aco   si fiar de alguno puedes
no lo dexes de enprender

Pac   Vuestra merçed sea venido
en buen ora q nos mandas

do   pensamos q el cesar anda
de partida, o q esta armado.

Pac   ~~que~~
aconpaño con su armada
al Papa y do q asta donde fue

Pa ꝺaba genoua en q el pie
    el besso y haçiendo aguada
    ~~selesepara~~ mando las proas poner
    ~~detegoua~~
        desde genoua la bella
        a españa do entrara en Mas
serv como, ni aun la piensa ver
      aun q tancysco le ruega
      q entre en ella y se regale
Pa con diuerso yntento salle
do desian q el rey de francia
      queria verse con el
~~Pachec~~ huyele Carlos que del
Pache no espera paz de ymportar
      vays vos a españa por dicho
do y llebo esta dama alla
pa de españa, pues a q bol
do llebala çierta despedi
      dara una cadena a quien
      la llebe al Enperador
      q aun para ablar aqui
      esto es menester tanbien
Pa los dos çerca del españo
      el se enbarca vamos juntos
      q yo entiendo mal los pun
do quedo por mi uida y bamo
      q tiene çiertas joyuelas
      y sabemos del yr a la pa
Pa 5 treynta abraços quiero da
      quien eres / do / paje de es

el Vn soldado yespañol

Pa ¿quien es? ¿o? ¿dõ Jñ de Mendoza

Pa y vos q pretende esta moza

So verse en los rayos del sol

quiere / Pa. ¡o ay q te abergueñzas

So ver el Carlos en presençia

donde tiene la potençia

võ q las Batallas venzes

Pa no entiendo bien el misterio

So quiere, escusa tesuplico

medir las Vñas yel pico

al Aguila del imperio

Pa agora entiendo peor

no puede liso desirse

So quiere con Carlos medirse

para ver qual es mayor

¿tiere ser enperadora

y esta potestad perdida

sino por toda la vida

alo menos por Vn ora

Ca y atiendo dexame ellas

dios guarde a Vuesa merced

por mi fee, y hase merced

con Vella por q si mira Vella

si quereys señora hablar

al Cesar Venid conmigo

q su casa y causa sigo

oy quiere alargarse al Mar

no os faltara en la galera

de aqui a España conpañia

Los estimo la cortesia

Pa la suya parte ligera

en la o Vez ... ...

es fuerça q luego sea

Leo   ss muger, señor dexar
        porfiar hasta morir
Ca   O señor serna es mi amigo
        bien vra. vuesa merçed
Ao   y espero toda merçed
        Carlos por la mar despu̅s
        y por el ynfierno osara
        y alla fueras sino lucas
Serna vamos por q̅ el gusto dexas
        Con un español te anparo
Pa   Vienes/ do si no quieres q̅ passe
Ba   pues ya carpan ven tras mi
do   y rimos a dios q̅ Sali
        de q̅ donde la topase

El Rey de frança tras   q̅ no quiere seruirse de mi casa
me uoranse y   q̅ no quiere pesar Carlos Moh
                           si quiera por mar sella q̅ guasque
me   y o le di tu recado y de tu parte
        O bedi las rodillas por el suelo
        q̅ pues pasaua por Marsella, si
        si quiera a ver la fuerças de Ma
        G̅rodas le darian puerta y la bego
fra   que tiene Carlos mi cuñado p ring
        no se fia de mi. piensa por dich—
        q̅ engo deprenderlo yo en mi tie
        la pas Jurada y por terzero el pa
        pues como si yo fui supresa engo
        en pas lese deprender / me pues no te
        Leonor su hermana, q̅ va asa

y tu muger. mui por amor te muestro

Don Carlos q con mal tpo a nauegado.
en la ysla de Hierro detenido
Salir quiso por fuerça delos remos
en ella ~~~~~~~~~~~ alquinto dia
Hallose al Alba cerca de Marsella
donde le hizieron salbos con gran gusto
Veynte galeras tuyas q vinieron
hasta las Puntas, y el Castillo
sobre sus peñas disparando
estraña cantidad de artilleria
se ~~~~~ con sus vezinos todos
~~~~~ por ~~~~~ del, y este gusto ~~~~~
~~~~~ delos señores españoles
a Marsella en q Saltaron ~~~~~~~
~~~~~~ de puesto, entraron dentro
~~~~~~~ se el Vey el ~~~~~~ alegria
~~~~~~ q fueron de todos reçiuidos.

tuuo ~~~~~ y al venir la noche
Creçio el mal tpo y fue les necessario
q se apartasen las galeras todas

Rompio el timon en la q Carlos viene
y asi le fue forzoso, aun q no quiso
desembarcar aqui ~~~ pide me albricias
Carlos esta en mi tierra / ~~~ esta en tu puerto
aun q ella galera no ha salido
oy quiero q mi amor conozca Carlos
aprestarle una barca, por q solo
sin mas q dos remeros q la llebar
le quiero ~~~~~ y asegurarle
~~~ q dizes, mira no te lleben

Dios° q Carlos es quien es, y yo el Rey de Fra
grandeza estraña, ¿me / a Carlos à ver
pues en su tierra se le da vendido.

Descubrase con su galera un espolón de galera
en el con otros principes, y Andrea de Oria

Car.   a bes dicha los se venido
andrea Señor no tengais pesar
  Car. ¿y aqui l inieja a llegar
        garzes y timon rorepido
        andrea de oria q̃ haremos?
 and   señor no ay q̃ protestar
        sino sufrir y esperar
        hasta q̃ el tp̃o tengamos.

✝ Vayan dos remeros sacando un barco
al teatro y en el el Rey de Francia

fra   acosta acosta d la orilla
        llega, aborda a la galera
 and   un frances d la ligeros
        se acerca en una barquilla
        Jesus Car q̃ de espanta, Andrea
  an   el Rey de Francia señor
  Car   notable, amor y balor.

✝ a la fra tu magestad sacra sea
borca   a mi tierra bien venido
abrace Car Jesus señor, _____ fra llega
alagale Car v̄ra magestad ansi
via   fra hermano la mano o fr
             q̃ dame la badauela

Veysme aqui en vro prisson
segunda vez, / car, estasson
al vn prinçipe soberano
façañas deeberna q loria
aquie stoy como en madrid
prendeds, rescatad pedid[s]
q perdoneys a Andres deoria
yo le perdono por vos
entrad comereys conmigo
vedavra ermana, amigo
q amistad sal cuadola dios.

con chirimias y salba dolaçusma
Seqerre

Jn del 8º Acto

Los q̃ hablan en el 2º Acto.

1 D. Ju͞o de Mendoza +
1 Dorotea +
1 Pacheco +
1 Y Leonor +
1 Carlos quinto +
Cobos . +
El Du q̃ dell Infantado +
El Conde de Benauente +
El Condestable de Castilla +
Vn alcalde de Corte
Vn alguazil .
1 Mosiur de Memoranse +
Don Albaro de Sande +

ACTO. 2.

Ju de Mendoça y Dorotea en su Jardinito de Pase.

Ju   estraña Vienes deçelos
     çelos atodas las oras
Do² pienso / Ju / piensas mal / do (gadoras
Ju   ç adoro. p lega alos çielos
Do   esta muger esta neçia
     ç ha dado enesta locura
Ju   sus meritos y hermosuras
     quien tiene çelos despreçia.
     mira ç te tengo Amor
     ç enobras se puede Ver.
     y quiere esa muger
     siguiendo al Enperador
Do   farto procure escondella
     detus ojos naucgando
     no temiendo ni pensando
     ç era tan hermosa ybella.

     sino al Verla tan liuiana
     ç eslo ç alombra pbocca
     ç muger ç en libre toca.
     el passo asu gusto allana.
     no temo yo su hermosura
     sino su façilidad
Ju   biense ç la libertad
     la ptension asegura
     pero puesto ç pareçes

liuiandad dexar su casa.
y q a tierra estraña passos
diuerso nombre mereze.
q no sigue Vn Español
delos q enel campo Van.
oficial o capitan
dos pues q sigue. Ju. el mismo sol
dos y mientras el sol no acetas
q entre sus rayos se abrase
no puede ser q topases
alli cerca, desse Planeta
Ju. en toda la enbarcacion
te consenti q creyesses
quando aqsta muger biesses
tu propia ymaginacion.

en la entrada de Marsella
y quando desenbarcamos
en Barcelona, y tomamos
puerto, con mal tiempo enella.
en el camino despues
de Valencia a esta ciudad
oya por su libertad
oya por q hermosa es

mas q llegando a Toledo
donde Carlos Cortes hazes
tengo zelos, de q nazes?
dor na... de q Amor es miedo
Ju. Vna muger estrangera
donde las ay tan hermosas?
dor en las pasiones zelosas
luego la razon se altera

no Reyna el entendimiento
ni los sentidos discurren
sino las cosas q ocurren
al primero mouimiento.
el Reyno dela hermosura
dizen q es esta ciudad
y por antiguedad
primero lugar procura
pero se entre tus dobles
a lenor inclinacion.
mas justos mis celos son
donde te lleba tu desseo.

ya me cansas borotea
ya no me es tan forzoso
esperar a q de famoso
Carlos las cosas puebeas
para q de flandes vine.
de Toledo me partieras
antes q ocasion te dieras
a q tu amor desatine.
las cortes q Carlos haze
en Toledo para ver
si España con su poder
a su yntencion satisfaze
y su dinero le acude
para la guerra q llaman.
contra el Turco Soliman.
antes q el tiempo se mude
los de la liga jurada
con tan santo pensamiento
son el mismo fundamiento
demi propuesta embaxada.

porq̃ la Reyna Maria
q̃ Conella me cubrio
mal contenta despidio
a Española ynfanteria

No

q̃ como pazes se dan essas
con Francia, la soldadesca
ya española y ya tudesca
viendo q̃ cesa el probecho
piden paga y en motin
rebelados se defienden
y su dineros no entienden

no

q̃ tendra su enojo fin
los q̃ estan en Lombardia
q̃ despuy de tanto gasto
no paga el Marq̃s del Vasto
muestran mayor rebeldia
y los de Don Bernardino
de Mendoza, con tal brio
q̃ de tal suerte inquietos
la pagan q̃ la paz indino
q̃ Don Albaro de Flandes
contra ellos campo firma
de todo Carlos se ynforma
y el mal estado ~~de gente~~
y pide a España dinero
~~_____~~ se enfera q̃ te reparo
q̃ en acabando las cortes
partirme a Flandes espero

dor. como yo tus ojos veas

nenos trauiessos don Juan
y q̃ solamente vom
al alma de Dorotea.
que duren ~~plega~~ ruega a los çielos
las cortes vn siglo. / Ju.º aguarda.
q̃ ento venir aguarda.
da tuya seran mis çelos.

do.º

Ju.º   creo q̃ los grandes son
q̃ a las cortes an venido

do.º   pues q̃ se çesar no a salido
oy tendras resoluçion.
ay de mi negra ventura
Pacheco tray a Leonor

Ju.º   mira q̃ al emperador
yntrodujirla procura
dexa esos vanos antojos.

✠
...checo   Pas llegate Leonor aqui
Leonor   q̃ yo hare q̃ ponga en ti
el emperador los ojos
por q̃ estoy ya tan priuado
y çerca de su persona
des de q̃ vio en barçelona
q̃ mate vn ombre afrentado
en çierta rebolucion
q̃ suçedio en su presencia
q̃ desde aq̃lla pendenzia
me muestra grande afiçion

Leon   Ay Pacheco si quisiese
Amor q̃ el çesar mirase
lo q̃ me cuesta y llegase
a q̃ mi pena entendiesse

Por Justa y bien empleada
daria mi perdizion.

tocan

q es esto pa los grandes son
q para desta jornada
junta Carlos en Toledo.
mira con q magestad
passan. y lagrancuidad
los mira los si no es q puedo
ver a mi Carlos no ay essos
y no deco, a mis ojos grandes
faz q a verle entrar me mandes
aqlla presençia devuesta
aqllas sienes cuñidas.
de laurel por mil vitorias
q apenas aqsus distorias
se pudran ver reducidas
a ql peso q ven blanco
el Asia, quando le vio
armado en blanco, y entro
por Tunez q entierra estava
aql delespe aql dia
cesar Africano llama
y faziendo los delafama
diz, onrro su compañia
por q nunca de Trajano
de cesar ni Scipion
cuentan mas obstentazion
enelaplauso Romano.
goze te yo, y esta vida
se acabe alli pa toca estas

Leo

cuerda estoy y merese mas

Pa. grave Amor / Leo estoy perdida
no lo dudes si corriendo
me acuerdo, en los que me dan.
como a Carlos. por que estan
su rostro, mis ojos viendo
lo vebo, alli a Carlos bebo
como el mordido de rabia
que ve el perro que le agravia
dentro del agua que pruebo.
si Duermo mis sueños son
que Carlos me trata mal
si me visto, estoy mortal
carlos mis vestidos son.
si Una ~~laminas de gua~~ pared viendo estoy
alli le miro pintado
como sombra esta a mi lado
por donde quiera que voy.
No se que tengo de hazer

Pa. oye que los grandes van
al alcazar. / Leo / mal podrian
con el sol resplandezer

entren con musica y acompañamiento, los grandes
y puedan llevando en medio El Cardenal Tavera
y vayan passando con orden.

pac. Aquel alto es don Fernando
de Toledo, duq. de Alba
q. ~~~~ esta dll ocaso de ~~~~
su sol, el Asia temblando
aquel en la paz afable

y en guerra un firme peñasco
es Yñigo de Velasco
de Castilla condestable
a quien la ancha cuchilla
erzia de aquella manera
es luis Enrriqz cabrera
almirante de Castilla.
El q después yba enfrente
y mira y Sablo con el
es don pedro pimentel
gran Conde de Benauente.

Es aquel ~~aquel~~ delas plumas roxas
galos dos se ~~exa~~ ~~————~~ ~~Marques~~ i sigue luego
El Marquez de denia ~~Saaa~~ diego ~~aaa~~
gomez. Sandobal y Roxas
y aquel ~~————~~ q llena en ~~————~~ afilados
y de venerle segoros
y niys lopez mendozas
gran duque del Infantado
a q de la Roxa Vanda
q yba en Medis. dellos tres
don Ju de cuñiga es
Conde yllustre de Miranda
El El otro ~~aquel~~ ~~————~~ ~~————~~ ~~————~~ y cuya espada
ques estatuas de Alabastro
pedro fernandez de Castro
Conde de Lemos y Andrada.
~~————~~ ~~————~~ y aq cuyo talle ay voz
~~————~~ muebe atenerle afuso
Don pedro Tellez giron
duq de osuna famoso.

on ~~fee~~ don Albaro Baban
el los ~~que~~ ~~fuegos~~ furos rays y fuego
y ba ~~con~~el gran Marqs de priego
sangre del gran Capitan.

Dos diegos de dos Medinas
los dos ~~ybla~~ ~~xxxxx~~ ~~exxxx~~ juntos van
gle y sidonia ~~xxxxx~~ guzman.
y çerda, cassas diuinas..
Mira el de Bejar alli
~~que me~~ Marqs de gibraleon
amiga cuyo blason
se offrece tiembla aqui

Es aquel ~~q~~ ~~xxxx~~ conta lustre
de Casas onrra su casa
don ju Manriq de Lara
de naxara duq y lustre
y ba conel de Maqueda
yel comendador Mayor
obos, q se emperador
tenblando de alma me queda
luego q ~~xxxxx~~ su nombre escucho
mas no te quiero cansar
ni entanta grandeza hablar
q es tarde, me obliga amucho

titulos ~~xxxxxx~~ y señores
~~x~~o, q tienen ~~xxxx~~ alli
o nos hizo q ansi
~~xe~~ los debidos loores
~~x~~quel insigne prelado
~~x~~ba onrra ~~xxxxxx~~ ndo los atros

aunq̃ de son bar[i]os nudos
y ba de todos onrrado
Aquel es el Cardenal
de Santa cruz. ~~xxxxxxxx~~ Justame~~te~~
~~xxxxxx~~ de Castilla presidente
y ynquisidor general
su nombre es don ju̅ tabera
arçobispo de To̅ledo.
pero proseguir no puedo
~~xxxxxxxx~~ ~~xxxxxxx~~.
✠ ~~xxxx~~ su magestad sale, espera

guarda de Alabarderos con librea, y la tubiere, a
pañamiento y el enperador, llegase ael, Pac̃e
sele mirandole con buena g̅a.

Car̃ quieres algo. / Pa / hablarte quiero
Car̃ traer alg̅ un memorial
Pa   tu magestad inperial
       sepa, soy buy su terzero
Car̃ q̃ dizes / Pac / ponga los ojos.
       enesa hermosa muger
car̃   esta q̃ puede querer.
Pac   tiene la dierter antujos
       del s̃e Nisa de Proenza.
Car̃ es muger de algun soldado
       hablar de q̃ esto turbado
       y ella mira con verguenza
       si algo me quiere pedir
       dile q̃ me llegue a hablar
Pa   s lo q̃ quiere negoziar
       no lo puede aqui dezir /

enamorale tu fama
confirmola tu prezençia.
y quiere (q dios licençia

car no mas a la muger llamas
pac llega leonor / car o que me quieres
leo no lo sabes / car l no lo se
pero desde oy mas sabre
lo (q sabeys las mugeres
da(q...) todos / señor / car dalde a esta
con (q a su tierra se baya.

leo tu respeto me desmaya
y matame tu respuesta

car dalde quatromil ducados
y no este vn ora en toledo
dexi pacheco. (q q miedo
de ir, como los soldados
en estas (......) cosas se emplean?

pac no se lo (q te queria
car pacheco Amor te tenia.
no permitas (q me vean
tales mugeres a mi
o ni tu seras soldado
ni yo carlos, has pensado
(q eso cabe en mi gente.
quando estemos en la guerra
traeme cabeças de Moros
a trueco de los tesoros
(q la bella España encierra.
si te las enseñados llegara
con desseo de agradar
alisongear y a errar.

aprehender ya fingir
mesto con Vna Ventajas
estaras en Lombardia

Pae. no penso q pretendia
esta muger / ay cabos bajos
yaprende para otra vez
arespetar mi personas
por q no siempre perdonas
el mas piadoso Juez /

Pae. Señor Juramento Tago
ala q traygo ceñida
por vida vra y por vida
fuesse, tengo el Justo pago
mas por vida adquirir ~~cabeça~~ torno
del Marte q me crio
por q presumais que yo
el otras empressas me adorno
de daros De primer dia
q en la guerra este con bos
mas cabezas, mas perdidas
q nueva mexor la mia
q Tize triste demi
como al mismo Sol llegue
como sus rayos turbe
~~que desto que a~~ yasu valor me atemi
pero Bien se lo se pagado
pues debu alcazar eterno
caygo por mi mal govierno
al centro demi cuidado.
no conozi su virtud
atrevime asu balor

El empera
Sebaya y
solos Pae
Cesuou

El Rayo de su furor
Vendra contra mi salud.
morir por el oydo
Palabras de Rey y malas
Son de Artilleria balas
q̃ matan con el sonido.
y te parece Leonor
Lo q̃ he medrado por ti
o Lindo para mi
quedo quedo emperador
emperador quedo, quedo.
q̃ andamos todos errados
d al de quatro mil ducados
Y nos este vn ora en Toledo
malos años y mal mes
q̃ yo soy la emperadora
esto nos faltaua agora.
q̃ tienes Leo y ya no lo ves
tengo vna desconfiança
q̃ fue esperança fingida
tengo vna cansada vida
q̃ nunca ala muerte alcança
tengo vna sentencia injusta
de vn injusto atreuimiento
tengo vn alto pensamiento
q̃ de mis desdichas guesto
tengo vn alma de feton
q̃ al sol quiso furtar el carro
tengo vn yntento bisarro
de ymposible execucion
tengo mil dificultades

y allanaua de ser muger
si el Amor supiera Hazer
cadenas de voluntades
~~tanto del oro esclaua~~
mis eslabones de plomo
y los del oro de Carlos
no supo se Rapaz Juntarlos
aun q[ue] le dixeron como
tengo esta pena cruel
~~xxxxxxxxxx~~
mas por q[ue] Carlos condena
esta alma a ynfierno de penas
es se Dios, soy yo Luzbel

Pac[o] Leonor Leonor, como es esto
estas enti, Leos pues que quien
q[ue] sufiera el mal tambien
en q[ue] tanto amor me [ha] puesto
quieres saber lo q[ue] ha sido

Pac[o] la amiga, espera, reposa
no seas pintura Heremosa.
sin alma, cobra el sentido
q[ue] vna tan bella muger
daua lastima alas piedras

Leonor ~~...~~ con el oficio medias
paciencia abras menester
q[ue] mas Rigurosos te ~~xxxxx~~ dizes
y q[ue] no Haygas mugeres
para liuianos plazeres
por q[ue] a la guerra desdiхe
mirad donde pues yo.
mi Voluntad ni memoria
ni entendimiento, ni gloria
y quanto tien dios medio

en un soldado cruel
armado de fierro y yelo
con que arrojas del cielo
es el Dios Rey yo su belo?

Pac. pense el leonor que huuiera
ta desgra en q̄ se caydo
con el cesar, y se sentido
el uerte desamanera.

pense partir~~~~~~ con el eco
~~~~~~~ dellas palabras q̄ oī
donde supiera que fui
soldado onrrado y pachero
y has me dado tal dolor.

q̄ uiendo el mucho q̄ tienes
con dos manos me detienes
una espiedad y otra Amor.
Guelbe en ti y pues has perdido
lo q̄ nunca tuyo fue
cobra me a mi, y te dares
gran parte de mi sentido
y en mi hallaras aun q̄ pobre
amparo. escucha te ruego
o q̄ graçioso don diego.

Leon el oro me trueca en cobre
estas en ti picaron
loas, descompuesto, loco
mi magestad tiene en poco
ay tan notable traysion.
pues como a una enperatriz
guarda, q̄ es esto? ea porteros
ola, grandes, caballeros.
mataldes la moza y infeliz

Leo. por q̄ dexais q̄ entre gente

quando con Carlos estoy.
y mi parezer le doy
para la guerra presente.
dize vra magestad
q el Turco alborota a Vngria
y q aytalia cada dia
con notable libertad
da molestia Barbarroxa
pues yo soy de parezer
q al turco, qa triste muger
q acidente, y congoxa

Co ⟶ le den quarenta mañanas
atuario y agua ardiente
y a Barbarroxa en la frente
con dos çestos de manzanas
y si no bastare assi
yo saldre contra los dos
den me mis armas, pa, por dios
q te tiemples, leo soye, pa, di

Leo luego al respeto el temor.
un dia, q fue atreuido.
ella verguença ~~struck~~ oprimido
y ynportunado de Amor.
pidiole q se dexasse
gozar, pues aunq era Apolo
no naçio para si solo
y q su noche alumbrasse
q fiso el respeto luego.
~~struck~~ yo soy quien ty responde
y un vaya al temor tiro
q boluio ~~struck~~ su zelo en fuego
Carlos el respeto fue
yo el temor. llegue, temi
mostrome su sol, Cay

arrepentina çeque
puse ygualarme conel
Ved q puntapie me ha dado
q enel mundo aun no he parado
es se dios, o soy yo luzbel?

Pac. Leonor si ver tu desprecio
te priva dela razon
oye Leo mis pleytos noson
para un Alcalde tan necio
Juezes ay yo sabre
si el Reyno me toca ami
opory razon perdi
lo q demis padres fue
divorcio el emperador
con Leonor, q lindo cuento
apelo al nuncio pa saunque atiendo
no has dicho cosa mexor
q el nuncio llama Toledo
ala casa dellos locos
Leo sonya los acuerdos tan pocos
q apelar al nuncio puedo
apelo yrepelo q pac tente.
Leo no puedo yo repelar
pa ~~pa~~ si mas donde aya lugar
de derecho y no en mi siente
creo q me ha de boluer
loco y leo si iuis vais conmigo
que es mio te y mi perio digo
El papa lo ha de saber
pongase el pleyto en la rrta
Y en las salas de Paris
pondrase, uno, q decis?
pa, que se ponga en la picota

por el pleyto enderamala
Jº das las manos ten.

Leo.   oyralo el papa / ya / tambien

Leo.   ya se ve el pleyto en la Sala
ya comienza el relator
pleyto entre Leonor / pa / Sosiego

Leo.   y carlos, por q̃ le niega

pa.   q̃ le niega / Leo / Vn grande Amor

pa.   no ves q̃ ay desygualdad

Leo.   mentis. q̃ yo soy muger
q̃ a mil Reyes pudo hazer
esclauos / pa / dizes Verdad

Leo.   yo yre al papa. Voyme aca

pa.   Seguirla quiero, ay demi

Leo.   Carlos me desprecia ansi
es se dios. Soy yo Isabel   Vanse

✝ Vayan saliendo los grandes particularmente D.
de Alba, y el duq̃ dell ynfantado y el conde
Benauente y vn alguazil ~~xxxxxx~~ q̃ los Vaya
brisa q̃ anden Y don Ju de mendoza y Dorot

✗ al.   ea caualleros ea.

   caminen Vayan delante

du. inf   mui bien hablo El Almirante

d. alba   Seruir al Cesar dessea

Bena   no pone dificultad

   España enquanto le manden

Algu   ea caballeros anden

   q̃ Viene su magestad

D. Inf.   amigos essas Vozes Daldas /

enla plaça / alg / Vo respuesta

ynf   ay libertad como esta
       tocado mesa en las espaldas
       sombre conoreysne / al / Si

ynf   Sartu bien por vida mia
algu   vaya vra Señoria
       q viene el cesar aqui

ynf   Sabeis acaso mi nombre
algu   el duq del ynfantado
ynf   Vos sois vn desvergonçado
no   mui atrevido y ruin ombre
le   y tomad / al say q me ha muerto.

na ✝   Vayan saliendo los demas grandes
do   Vn alcalde y Carlos quinto detras

dlba   no en ficie Vra noria
       sus manos / inf / descortesia
       tan grande / tan / gran desconsierto
algu   gran señor / alcalde   plaça, / car / q es esto
algu   por Saber por la ciudad
       lugar a su magestad.
       desta manera me han puesto
Car   qvien os Sirio? / algu gran señor
       el duq del infantado.
Car   Vos q ocasion le haueis dado?
dlg   respetar vro valor / car / luego
Car   prendelde alcalde
       en fin q no ay condestables

dinero agora ~~....~~ es notable
a ocasion para pedillo
pero España os ha de dar

✝
Llega el Alcalde
al duq ~~....~~

la sangre en qualquier fuego
~~....~~ Vuestra Señoria sea presso

yñt Sabeisme vos dellebar?
Soldado de emperador
esa orden? ~~....~~ dos pren
~~ordenado~~ ~~Juan~~ por q diez
exemplos nro valor

~~alba~~ nosotros le llebaremos
mui bien yra con nosotros

✝
Vasse el duq
entre el de alba
y el conde de
Benauente

~~alba~~ ni en España toda ay otro
bien es q el lugar os der
los grandes presso san llega
al duq scar mui bien esta
~~....~~ y d vos luego ~~....~~ de
mirad q esta a buen recado

✝
Vayasse el
Alcalde
y aguazil

y hazed curar ese ombre
es me forzosa la guerra
por q es ~~escrito da~~ tier
Vnico Amparo mi nom
los daños de Barbarr
de lo de Tunez corridos
y los del Turco atrevido
q la transilvania enoja
corren ya por cuenta mia
Señor todo se la de dar

pues solo vro poder
ampara a ytalia y a Vngria.
no y reys señor discontento
dellas cortes q juntais.

ar · don Jua nuo señor, car y no os partais
hasta acabar este asiento
q ya le escriuo ami hermana
q enbiare presto dineros

ñu · ya con ruegos, y acon fieros
la española gente allana
q enrebueltos motin.
van destruyendo la tierra

Car · como sea fin de qualquier guerra
es desuprobecho fin.
hazen esa rebelion

Dug · dela misma suerte fueron .
los q a Roma se atreuieron
conel general Borbon.

r loca · Pa →tente y mira dondellas
cos · q esta aqui El enperador
Ces · como dela Reyna Leonor
dizen q se tenga atras
mal me trata vra gente
marido y mui sin respeto
castigaldos, y, os prometo
de hazerosatos /pa /detente

Car · q sesto / pa / a q lla muger
q te dixe / car pues q sabido ?

Pae · señor. El seso za perdido

Car · de q pudo enloquecer

poeta   el vn altiuo pensamiento
de vna aficion ynposiblè
el vn desengaño terrible
y el vn engañado yntento
de vna confusion ql̀lorà
el vna sentencia en reuistà
el vna priuacion de uistà
de la grandeza q̀ adorà
el vna amorosa pasion
de vna esperanza suŕada
el muger y desṕciadá
q́ es la maior ocasion.

leon   no selo digais anfi
q no lo querra entender
dezid q́ soy su muger
y q me aparta de sí
pues carlos aun q reaiś
por balor o por misterió
aguila el vn grande imperió
y el mundo a los pies tengaiś.
y aun q deis el picotazo
al turco q el paso enfrene.
sabed q san pedro tiene
vna llabe como vn brazo.
y q os dara en la cabezá
a san po se de apelar
q no me sabeys dexaŕ
por otra sumana bellezá
y os e carlos q os casais
con la hija del sopló

y q os apartais demi
por los Reynos q eredais
ya se q os quereys a zer
gran Turco y q ~~y q a~~ lo han tra3ado
las cortes q se han juntado
San pedro con la ysabez
quereys q Reyne en España
el preste Juan y yros vos
a ser gran Turco por dios
q el pensamiento os engaña
mientras yo tubiere vida
Carlos mio sabeis el ser
lastima, me ha dado el ber
tan bella muger perdida
vra virtud gran Señor
la puso enesta desdicha
ay el mundo estoy) leon) pensais por dicha
ser de mil mundos Señor
o cos dizia de Reynar
quando Rey de España os quistes
media ytalia pretendistes
Conservar y con quistar
luego Carlos por la espada
os fazeys enperador
apesar de algun traydor
q os en Flor Coronaba
luego fazeys guerra a Alemania
y Castigais a Lutero
luego Contra el Turco fiero
por Belgrado y Trasiluania
luego enel Africa que entrays

Ya Tunez echais por tierra
luego al Frances hazeys guerra
y en ~~las~~ Vñas se lleua~~is~~
soys ~~....~~ arbor onze de Fran~~cia~~
Rey de Napoles, tanbien
duq̃ de Milan y ĝ bien
q̃ tengais reynos tan grandes
el mundo antartico es ̃vr̃o
hasta el yndio os viene aleer
pues q̃ os faltaua de ser
despues del ser cesar n̄ro
y a lo entiendo y bien se entiende
Solo gran Turco os faltaua
aesto Vays / car llocura braua

Pa mas con tu vista se entiende
Ceo ea hazed las prouisiones,
Carlos quinto, por la gra̅ia
de Dios gran Turco en Dalmaçia
en Satia y otras regiones
a vos la Reyna Leonor
salud y gr̄a se pades
q̃ nunca en desigualdades
Callo buen despaes Amor
mas por quanto ami me pades
relaçion de quien soys Vos

Pa Calla Vn momento / car / pardios
q̃ me sa enternegido despues
Pacheco / pa Señor / car / di Jacobos
Ceo no digais nada Señor
hasta q̃ sepais q̃ Amor

no es comida para bestias.

car　dile q aesto boca den.

para posada y ración

cada mañana Vn doblon.

y pagale tu tambien.

q pues aqui la truxiste

tu la as de dar de comer

Pa　gran señor / car / su ayo as deser

pues q tu la enloquezistes

e alba ~~delgaste~~ / dug / señor / car quiero

q me saqueis de Vn cuidado

al dug del ynfantado

diole de Alguazil p rimero

bastante ocasion / dug / señor

ocasion le dio bastante

Caur　honrrarle sera y nportante

q tiene de dug balor

yo aberle de mi parte

y libertad le llebad

que　porel a tu magestad

bessos los pies / Car / yd aparte

dexo ~~dentro car~~ al dug Siguista

ggn　~~al dang~~ q al alguazil se castigue

a fama y nmortal sublique

al tiempo tu gloria Augusta

e Cartas　　Pa　el enperador señor
cantable

tu tienes ya de gmes

ces　q esso mas q puedo hazer

mui buen remedio me da.

quanto en estos discursos fragua
el pensamiento su Calor
pollos de Marta es mi Amor
piden pan y dan les agua
no quiero comer, por Cartos
Dios me dara de Comer.
y alimentos de muger
si yo un perro, puede darlos
a una Reyna como yo
Vn dotrlon tan bien apelo

Pa   Calla que te ayuda el cielo

Salcedonsu ñu   que Señor en lo que esso
y don ka]   que tan hermosa muger
                diesse en esse freneSi

Dor   que se Va don Juan ati

ñu   aguarda, quiero laver
       Puy pacheco, y es aq tu

Pa   Ved don Ju en q sa parado
       Vn soldado tan onrrado

Ju   Vos, pues q os alcanza desto
Pa   Saleme su magestad
       el ayo de aq sta loca
       Mirad Si la causa es poca

Dor   oficio de Calidad
       y so q pesa q no os pesa

Pa   quiero e mete en esto alpaSe
Dor   yo Señor Cacayo y base

       El Tol boo, pa palabra es essa
       q de Vn general frances

~~111~~

14

yda,	oviera en trueco
~~despacia~~	la mano, Juº quedo pacheco
pac	es tres se pase, Juº si es
	tu rapaz vete de ay
do	salga de cacays aca fuera
pa	esto se desufriz, espera
Juº	pacheco, pa pesar demi.
Juº	doy lugar aun q̃ de

vayatras
dorsteas

dos cozes y bofetones
por decirle dos razones
~~aqui~~ aun q̃ sin razon estes
dla mas hermosa boca
q̃ tiene amor en su lista
al ca del suelo la vista
q̃ al sol a embidia proboca
boca porel pensamiento
mas alto que muger tuuo.
aun q̃ del cielo en q̃ estauas
cayo por su atreuimiento
buelbe los ojos a ber
un Caballero Mendozas
yl sea despojos gozas
de quien los gozaua ayer
de mil Turcos y franzeses

leon	ydos mucho en noramala

y no os metais en la sala
dando tajos y rebeses

Juº	no te turbe el ber un loco

pues ya vengo a ser tu ygual

ta Seys desto Memoria

Juº, yo soy, Leo, pues echalde Vn ruego

Mº, la tierra por esta cada

g uiero conforme al sujeto

tarla, por q me ac

q es hablar aun loco e

hablar aun necio en

quien piensas q fuy Leo

Leo, quien eres, Juº, Carlos e

Leo, a Carlos tengo del

emperador mi señor

es posible q me miras

q me faltas y regalo

Juº, q a mi baxeza te q

Leo, q por mi frespiri

veo q muger por mi

y en fin te vengo a q

Leo, soy tu muger, Mº, y no

amas berrico te q

prueba abrazarme y ve

entredowbea Leo, dichosa ya, do, q es

apenas me ves trasp

quando los brazos le das

no solo no me defien

de quien sino me metie

No, entre mis brazos med

quiza los q tu preten

quando abrazado te

duna boca Leo, y qu

q os metais entre los dos
no veys q este ombre es mi gallo

Ju. de miedo, q ya se ha ĭdo
la abraze q da en dezir
q soy Carlos [ ] dos, y el huir
no fuera mexor partido

Ju. y yo lo hare pues tu lo quieres
Co. donde vas Carlos cruel
Dor. tente no vayas tras el   Vayase
Cõ. o perra ynfame, quien eres   D. Juan.
do. ay q me muerde ay de mi
Cõ. a Carlos quieres quitarme   Vayase
Doro. vete y gozale, a hurtarme   Leonor
buelbe ya Pacheco aqui

Pas si yo no hubiera mirado
q eres un rapaz sin seso
pase, aun q pase traviesso
de un caballero y soldado
ya del un pie asido bolaras
por el ayre tan gran buelo
q en las almenas del cielo
como huebos te estrellaras
sabes tu quien es Pacheco
antes q fuesse lacayo
del cesar, fue trueno y rayo
q dio en otro mundo el eco
fue un ombre q apuntabas
mas Tarros tiene arroxados
en el ynfierno, q ay Dados
en todo un campo Frances

en Tunez rota la espada
fue un ombre de tal decisro
q con la pierna de un Moro
por la cadera cortada
descalabro mas de mil

ꝺor. hombre por mi uida fuerte
q mega ~~baja~~ q tomo la muerte
esse pie con peregil

Pa. Burlaste pues uiue dios
q a ombre no di punada
co3 puntapie o bofetada
q tuuiesse menester dos
pues a no tener respeto
a essa cara q do q si tienes
Pacheco, por q no uienes
a hazer de mi ygual conceto
esta cara es de muger
y estas palabras no son
don Juan me ha dado ocasion
con su ingrato proceder
para hablarte deste modo
que dizes q ꝺor q q le he de uengar

Pa. ~~delante~~ de tu persona amparar
y darte cuenta de todo
oye y sabras como uiene
a este trage q pa espera
q uiene el cesar q do q que
~~toca~~ a una isca el alma y
y q no tome uenganza
no lo ~~permita~~ consienta el cielo

y no ay remedio mexor
q cura ingratitud, mudança

Carlos y ~~mostrar se demuestra~~ y don albaro
ude, de Camino, Carlos trae Vna Carta en la ma~
~de de Alba~

Carl. No se tenido en mi mayor penas
q ver mi patria misma lebantada
q pienso q por no darsela tan grande
dbra magestad la Reyna e so rica
menos encargada q pudiera

Carl. y q el tributo la ocasion q de do
pagado justamente a mis mayores
q me espanto de España pues en flandes
los de la misma patria los testigos
de mi Criança y nacimiento son esso
la rebelion y aquesta Carta dize
mas deyzme don Albaro de Sandes
no pudo remediarse en los principios
de la Reyna maria ylustre inuicta
Peroyca y muger celebre entre todas
quantas la fama pone en sus Piramides
Se puede presumir q Sebaldia
de su duino y raro entendimiento
se dano Crece, y como Ven los subditos
q se rebelan las cabeças grandes
estiendese por todos los estados
y apenas onbre vice baxo o alto
adhesion del Carlos Rey de España
q uien no remedia el mal en los principes
tarde procura q remedio tenga

tan presto es ymposible fazer exe
don Albaro si yo partir pudiera
siguiente a los estados facilmente
el rribera del ombro e sus cale
mas pongoniere a peligro siue en b...
su Uñra magestad Cesar inuicto
ciese la voluntad del Rey de frança
y a sus amistades son tan çiertas
si nueva que se pufo en una barca
en solo un ombre, aunque sumuisi...
yentre a sus braços entre tanto exerçe
por frança puede yr libre y seguir
tomar la posta y Castra rebo a
tratar los concertados casamientos
eso fuera sin duda de importo
y digis duq de Alba salba, otra
yr Uñra magestad, pues le asegu
no siur de Memoranse el guisar
del Magno y ~~franças~~ anisimos
Rarezeos ~~com ella~~ que bays
por frança dela liberaçion es que
quando no fuera de importa tanta
hzer lo que se pide de Rey França
y confirmar las prometidas paz
pues alto queda gobernando a f...
en mi lugar el Cardenal Taber...
dignitinus Arçobispo de Toledo
con el comendador mayor, que es digno
deste lugar françisco dellos cobos
postas a frança y alba, vengan postas

yo abiso al ... g vas, ... escriue

y ... ... do, y ... ...

... para ... las mugeres

a esta jornada ...

n de quieras.

i para muncho men de beras.

fin

Personas del tercero vj etc.

Serna
pacheco +
don Juan de mendoça +
dorotea +
Leonor +
Carlos quinto +
El Duque de Alba +
Mosiur de Memoranse +
Bisanson tudesco +
Franco Rey de Francia +
Leonor Reyna + y Mariana
oracio
y Antonio criados de Leonor
Un Letrado.

ACTO, 3.º

Entren serna. y Pacheco.

ser   Por muchos años gozeys
         el offiçio de portero
Pac   para q vos me mandeys
ser   yo pierdo Vn gran compañero
pac   ninguna cosa perdeys
         q al amigo q es onrrado
         nunca le muda El estado
         por q donde a subir biene
         lleba al sabo, a quien le tiene
         en otro tiempo obligado
         servi caminando a França
         al inuicto Carlos Quinto
         y es tan segura ganança
         q mexora en ter ßis y quintos
         cosas de poca importança .
         espero q a quien Paris
         mucha merzed me a de ßazer .
ser   mui Justamente subis
         y el sabe bien conozer
         ßoys Vos quien le seruis
         q ay del paß de Toledo
Pac   q de boluis con don Juan
         no se sißce ßazer semedos .
ser   Vendran a Paris ßa y Vendran.

Ser		braua Pistoria / Pac / lindo enrredo
Ser		vino aqui tanbien Leonor?
pac		ya se echo tan graçiosa
		q gusta el emperador
		della enestremo / Ser / No ay cosa
		como el Mar, sino es Amor
		q notables monstros cria
pac		anda ya consu librea
ser		quierela bien toda via
pa		Amor q Vn loco dessea
✠ +		sera lo mas cada dia.
don lu	lu	Das q la ropa se llebe
y dorotea		fernandillo dla posada.
	do	yo lo Eare / lu / pues buelbe enbrebe
	ser	esesta la disfraçada
	pa	atodo Vn Amor se atrebe
		fernando / do / pacheco Germano
	pa	bien Venido / do / atu serviçio
	pa	bienes bueno / do / bueno y sano
		dll Cuerpo q dll Juiçio
		Vengo mas perdido q sano
		por no Venir por la posta
		semos perdido la entrada
		poco Arsen y la posta angosta
	pa	merese ser celebrada
		fernando engrandeça y costa
		como Francia ha reçindo
		a Carlos, Roma ha perdido
		de Trajano la memoria
	do	refiere perdios la Gistoria
	pa	q me das atento oy do

Rogado y asegurado
del Rey de Francia Francisco
el gran çesar de Alemanias
Rey de España y Carlos Quinto.
que pasase por su tierra
A castigar los delitos
dellos Rebeldes de Gante.
por la posta a Francia Vino.
~~a la entrada~~ de Bayona
del Rey los gallardos hijos
Delphin y duq de Orliens
~~ieron~~ a recivirle
estava el gran condestable
de Francia en el mismo sitio
con quatrocientos Varones
de diversos apellidos
destos en nombre del Rey
con grande Amor recivido
hasta Bles le acompañaron
adonde estava El Rey mismo
No quiso por humildad
El çesar de España invicto
entrar en cavallo Blanco.
Uso de aq[ue]l Reyno antiguo
pero salió media legua
de Paris a recivirlo.
El clero y ordenes sacros
q[ue] Un numero infinito
Como el estudio es tan grande
Sin clerigos y Vezinos

a dosientas mil personas
llego el numero q~ pinto.
~~[tachado]~~
~~[tachado]~~
huvo q~ es cosa notable
seyscientos frayles franciscos
de san Agustin trecientos
y quinientos Dominicos
dosientos Arcabuzeros
de a caballo paris vido
q~ con armas y Casacas
hiziesen plata y Camino
luego trecientos Archeros
con los dorados cuchillos
y otros dosientos soldados
todos de tela vestidos.
la color blanca y sembrados
de cifras de Canutillo.
en q~ al Español leones
abrazava el Frances lirio.
Veyntiquatro Regidores
morado brocado vizo
adornava en ~~[tachado]~~ forros blancos
el siempre blancos Arminños
cien mancebos ciudadanos
de ~~[tachado]~~ quatro enquatro
con paramentos de tela
y van en caballos frisios
Con doze Vanderas blancas

dela ciudad y tendidos
los tafetanes al biento Viento
de sus dinisas testigo
con trezientos oficiales
desu corte entro luzido
el Preboste de Paris
y su criminal oficio.

La corte del Parlamento
~~naba~~ ~~........~~ Vn Parnaso Vn Pindo
de ~~..........~~ dotores y abogados
~~ques por~~ ~~............~~ sus escritos
Venian doze Virreyes
amula todos Prestados
de grana, y los Presidentes
en Capuses dello mismo
luego el Consejo Seglar
y el Eclesiastico Vino
en largo aconpañamiento
de Criados y de amigos
Delos Confines de francia
bordados, gallardos, ricos
entraron los generales
~~..........~~ todos por el mismo estilo
luego la Chancilleria.

Vn Telliz ~~........~~ ~~.............~~ amarillo
~~naba~~ ~~...................~~ Vna Hacanea
mil perlas ~~........~~ ~~.............~~ y Zafiros
Sobre esta ~~....~~ Vna caxa Azul
con clabos de oro fino
guardaua ~~........~~ de francia el Sello
~~....~~ blason del cielo Venia

El gran chanciller trae el
de cuyos ombros altiuos
pendian ~~acordenetas~~ ~~...~~ a las
tres cordones ~~...~~ ~~...~~ ~~...~~ de arriquos de oro,
luego de consejo real
los prebostes y continos
entre ar cabuzes y picas.
g armas, guardan bien los libros
tia señor vino la guarda
del Tudescos y su ~~z~~ ~~...~~
con dozientos gentilombres
dor ~~que~~ Trabo ay ~~tanço~~ / ser / nunca visto
Pac ~~...~~ tras los Capitanes de sus
~~...~~ los caballeros antiguos
del orden del rey, venian.
ay leras de cinco en cinco
con Monseñor de San paulo
Yba un Espa ~~...~~ ~~...~~ ~~...~~ ñol Fabri
un duq de Alba ~~...~~ ~~...~~ ~~...~~ un Toledo.
famoso del ~~...~~ ~~...~~ ~~...~~ Taso
tras de Cardenal Borbon.
y ba de magno Carlos Quinto
de español alexandro
~~...~~ Claro xerxes, nuebo Çiro
El defensor de la ygleçia
se santa y nombre ~~...~~ de Xpō
El terror del a quee cuyos pies grau
dragones y basiliscos
No con los ricos diaman
de los Arabes Fenicios ~~de los orientales minas~~

4.

ni con las lustrosas perlas
del Mar a suspies rendido
ni conel oro preçioso
q̃ le ofreçen tantos yndios
desde La Abana a Çiniura
y desde El Mar dulçe al chino.
sino por mayor grandeza
de paño negro vestido
con un sombrero de fieltro
Ds q̃ me cuentas J Paçj verdad dijo
mas toda la magestad
y acompañamiento dichos
armas oro plata y perlas
los y Françeses brios
vençia la grauedad
de aq̃l paño humilde y limpio
por q̃ en los dos tenia
mil diamantes y Jaçintos J
Seys Cardenales tras sse
y quareuba y seys obispos J
y con quinientos Archeros J
los dos de q̃ sse conoçidos
el Vandon y de Lorena
entro en fin entre los hijos
del Rey, q̃ gran con sus piedras
guarniçion de su vestido
françisco y Leonor mirauan
desde una baston de oro y vidrios J
Con el Cardenal farnessi
por paulo a paris venido.

Como entrava de Buenos Carlos
y lo primero q hizo
fue ver la yglesia y dar gras
a quien le dio el bien q dizo.
fuese a palacio y del Leonor
su hermana, bien resivido.
ceno conel Rey su hamija
y sus gallardos sobrinos
de casamientos se trata
el cielo guarde a Filpos.
para q herede sus glorias
y las goze eternos siglos

dor y a ti te de mil venturas
con esse cesar, q a ti tu Amor
ostentando, fueran seguras
Pa si tengas tu señor Portabales
llevando las q p vieras
dor y voy te a servir aunq
acoge a lo q ya te viste y a buscar
En España, q ne maltrat
dor quando te veres Pac y
a buscarte de aqui aun rato
dor a dios y guarde te el cielo
ser caxas suenan Pa fiestas son
ser tapas Pa ricielo
q encendiera en afision
sombra q no fuera yelo
vente por aqui y sabras
juan mal don su casa paga
ser si en que paheos veras

y oluida el Amor amado
y con desden quiere mas.

los y el	car	Notables grandezas son.
del Alba	alb	mueuo francisco dessees
		(q Vra magestad sea
		la Verdad desu afiçion
	car	Hermosa es Paris porcierto
	alb	Ciudades teneys fenor
		detal grandeza y balor
		yuna de otro mundo puerto.
	car	q generoso corazon
		fran mostrado sus Vesinos
		por mil diuersos caminos
	alb	erades vos la ocasion
	car	no ygualo Roma a q odia
		q enella me corone
		a este q en Paris entre
		conset tal su monarquias
	alba	diRen q nunca se ha ddecho
		con ningun rey q han tenido
		lo (q con vos) car, todo ha sido
		mostrarme francisco el pecho
		q contenta esta mi hermana
	alb	dessea Veros en paz
		su boluntad satisfaz.
		los ymposibles allana
		muera el odio, sed amigos
		tiemblen los Turcos deber
		q amigos buelben aser
		dos tan grandes enemigos
	car	y q os prometo duq de Alba
		q nunca falte por mi

Dus   Los Reyes vienen aqui

Car   Dexadme mis braços salbos

      pues sin exercito estoy

✠

Francisco Rey   fran. hermano / car / señor / fra amig

de Francia y   car yo lo soy vros testigos

Leonor Reyna   el cielo de q̃ lo soy.

en quien venga   hermana mia / Reynas estos braços

Leonor ya es   Carlos mi alegria os dexan

Santa de loca

Car   a tanta merced me obligan

      q̃ bri en el alma laços

Leon   como delante de mi

      a mi marido abraçais

      mui desvergonçada estays

Rey   Leonor q̃ te se da a ti

      no ves q̃ es carlos mi german

Leon   vros hermanos / Rey si el es nro

Leo   el cierto ciertos Rey. y q̃ el am

      entre hermanos es mui llano

Leo   ola francisco entre a estos

      no puede aber conjuncion

Fra   tu no ves q̃ hermanos son

      sus abraços son onestos

      si no / yo era el ~~que~~ q̃ os

      q̃ es Leonor mi muger propia

Leo   ya fuera des cornucopia

      ola abraçalda marido

      q̃ francisco da licencia

fi   ~~jesu~~ os pario q̃ marabilla

      doña Juana de Castilla

      en la vera de Plasencia

Fra   el Archiduq̃ felipe

      fue su padre de los dos

Leon — ese es mi suegro por dios
Fra — Leonor casaste a felipe
Leo — qual / Fran / el principe de España
— mi sobrino, Leo, cuyo listo
Fra — de carlos, Leo, quien os lo dijo
— cata, o se diablo os engaños
— si hoy del emperador
— muger y yo no le he parido
— a felipe como sabido
Fra — yo te lo diré Leonor
— la emperatriz ysabel
— parió a felipe / Leo / mentis
— franos en lo q deçis
Fran — yo miento / Leo / si, vos y el
— q carlos es mi marido
— y el papa q nos junto
— bulas de parir me dio
— de carlos, y no le he parido
— rogalde vos Rey Frances
— destas gras participes
— q yo pariré un felipe
— con sus ojos y sus pies
— mirad q es un desabido
— q no me toma una mano
Fran — yo se lo diré a mi hermano
vans m — se parlamento ha venido
— y aguarda en la sala ya
Fra — di no hier de Memoranças
— q nadie en ver me se canse
— mientras Carlos, aqui esta
— y por consejar lo orean
— desde oy puedes avisar
— q cedo mi Reyno en carlos
— mientras en francia le vean

Conel negocian, dell pidan
merzedes Se es el Rey
Siga Justicia, de ley
porel las causas deçidan.
Carlos es el Rey de francia
yo no tengo ya poder
solo tengo de onbre el ser
no soy de mas importancia
Vn privado cavallero
me podeis todos llamar

Car   grandeza tan singular
no la vi, ni verla espero
Cesso tus reales manos
mas no lo tas el permitir

Fran   ami consejo Sas de yr.
~~pues~~ ~~le cinde~~ ~~Estremos~~
mira Glomos Jermanos
y Sel mundo no es Bastante
para mudar este yntento
ve Carlos al parlamento

Alba   ay grandeza Semejante
Ve Señor Reyna estos dias
en francia, y ~~causa~~ el mundo ca
Sa paz. y amistad presente

Car   alto no aya mas porfias
Rey Soy de francia mas desto
ynfiero, ~~se----Se qua~~ o engañado esta
G como en fin Huesped Soy
guereys G me baya preso
por G me dais ocasion
con ser Rey, a G lo sea
poco tiempo / Gra J nadie crea
G esa Sue nra yntencion

sino q̃ como en saliendo
el sol las demas estrellas
no alumbran ni ay luz enellas
donde esta resplandeçiendo
asi yo claro español
no alumbro donde salis
Car. antes os contradecis
y confesais ser el sol.
Si el q̃ da a otro, esta claro
q̃ es mayor q̃ el q̃ recibe.
Vos soys el sol q̃ aqui vine
yo quien de essa luz me amparo
y assi temo ser faeton.
oy con el Reyno de Françia
pero sera de ymportançia
a mi mucha obligaçion.
q̃ Vays a España y Reyneis.
o q̃ les deis de s de aca
eyes q̃ guarden alla.
fra. presto pagaros quereis
yd q̃ os estan esperando
mirad q̃ sois Rey fazed
a todos mucha merçede
Carl. vos las quedareis pagando
mas la q̃ delos reinos
como os la puedo pagar
leon. a Reyna
aca os venis
mirad ⱨ engañada vivo
ya q̃ le falta desse
el se era este emperador
traça es del Rey me señor
de mas riqueza y poder
y agora en Françia lo es
gran Turco fue el otro dias

mas quanto va q porfia
Sostiene Papa y Rey y no be...
leonor q es ~~Carlos~~ Carlos Casado
Leo y conquin̄ Rey y Con... y sabel
Leo tambien vos doña Arabela
Salid luego de mi estado
no tomeis mas almohada
adonde estubiere yo.
no es ysabel suya no
Leo escucha ~~...~~ el estoy enojad
Leo fransisco vos no curais
de tiña y desabañones
Camparas y Camparones
y quantos quereis, Sanais
pues Sanadme deste Amor
q es un sabañon del alma
que me come y me desalmas
y me enciende en mas fieros
fra duq no mantendreis vos
Se tienes prevenido
alb Si hare Siendo vos Servido
aun q me pesa por dios
donde ay tales Cavalleros
Rey vos duq el Alba Soys y flor
de España y podeis mexor
entre todos Cavalleros
y pues yo Soy española
en mi nonbre mantened
alb ~~...~~ pudo esa merzed
venir de esa mano Sola
~~...~~ de me v̄ra magestad
Cobrese como Criado

a Verde son ~~titt~~ ; morado

y ~~pajes~~ blanco y ~~colorada~~

o > donosa necedad

rabano pareçereys

sacad dos mis colores,

pr q son mucho mexores

y mas gallardos saldreys

alb > quales son leo, blanco, Leonado

azul Verde, pardo escuro

amarillo roxo puro

negro ~~en~~ pajizo encarnado

~~celeste~~ rosa secas colonbino

naranjado, genoli

Jalde, mezclado, Turqui

rubio dorado Dron Pino

plateado cabellado

Cardeno Sanguino Cento

Colorado çeniziento

baxo, grana, acanelado

Verde terra, ~~celestial~~ cristalino

azulado, Nacarado

~~porpurino~~ arrebolado, rosado

tornasol y purpurino

Canbiante. brasil / al detente

q si estas se desacan

no ay en mil cuerpos lugar

leo > pues estas llebad pareçientes

por q pareçcais al sol

un fenis un ~~pedro Indiano~~ Papagayo

Pa un ~~pecora~~ Pauon, Un ~~gvacamayo~~

yun Indiano girasol.

y por empresas ~~llebada~~ onrradas

llebad con otra sutil

Vn turrezno del Pernil
puesto entre dos Rebanadas

alb   la letra / leo / la letra digo
     así me aprieta el alma

ala   llebare a todos la palma

leo   quien ama a todo se obliga
     si se ofreçe ser leçion
     se a de dexar hazer cuerdos
     por q ay de dos asaderos
     q fuego del alma son
     si salchicha se ha de hazer
     picar y enbutir Fernando
     por q nadie puede amando

enbidar ~~aguardar~~ sino querer

fran   Vamos a hazer prebenir
     las fiestas pa mañana

alb   mirad Reyna soberana
     q un Toledo os va a seruir

leo   ~~mirad~~ o la pues q Reys Toledos
     y teneis el nuncio alla
     de q d q lesmes esta
     aca de Amor, y de miedo

Rey   asee q tele de Casar
     con Carlos aq sta noche

leo   si esto hazeys yos mando vn coche
     adonde os Vays a espulgar

fra   ~~parque betosa~~ tu padrino soy / leo ser
     en had a llamar al Papa
     y haremos trapa la trapa
     ~~esto~~ ~~~~ ~~~~
     yo y Carlos, Vos y Leonor

☩ ~~~~tense y salga Carlos / car. llegadme vna silla aca
~~~~ memoranse y pachos] m. de oyrte en el parlamen

muestran notable contento
ın el gran balor. ¿ay enti

Pacheco — Aqui llegan recsaiantes
entraranſ car ſenſin yoſoy
Rey de Francia. bueno eſtoy.

E
anzon Gi yo os quiero dar para guantes
eſco dexadme Eſpañol entrar
pa ſon bie graue parezeys
ſuplicos q̃ os acordeyſ
q̃ eſtoy eneſte lugar.

Bis — Carlos enel nonbre quinto
y decimo por la fama.
para cuya ardiente llama
el mundo es breue y ſuccinto
y ſoy vn Tudeſco nobla
Biſanzon es mi apellido
al Rey de Francia ſeſeruido
~~negocios ne de ganara~~
tengo del lauril y noble,
nuͤ coronas merezidas
ſi por Roma hubiera eſto
las hazañas q̃ por el
no ſe negociado con el
coſa alguna deprobecho
en años de pretenſiones
dizenme q̃ vos Rey nayſ
mientras en Paris eſtoy
Voys aqui mis peticiones
tres heridas tengo aqui
quatro enelbrazo ſinieſtro
en las piernas q̃ no os mueſtro
otras muchas reciui

este fue vn arcabuzaço.
por mi tomo el Rey a Hendin.
por q̃ fui el primero enfin
q̃ puso enel muro el braço
en la guerra de Pauia
quando a Francisco prend
por vra ducha vençistes
y tardastes por la mia
treynta Españoles mate
las vandas de todos tengo
a pediros merçed vengo.

Carl premio es justo. y se os de
dos mill ducados de ayuda
de costa ledoy/ Ri: se q̃ elo
te cubra el blanco pelo
donde me mandas q̃ acuda?

✠ Car al tesorero del Rey
de salir le ase   pa teneor por vida mia
pachew   Rs comos pa q̃ hablar con dos qu
                         Rs pagaros es justa Ley
                         pa quiere galardond
                         de saberos dexado entra
                quiero   ella enseñaros a la braz
delante de Carlos quinto acondiciona vra
quien hablara como desaticarse vos
              y agradeçed q̃ esta alli
              quien me detiene q̃ aqui
              no os haga de vn golpe dos
              q̃ talcuchillada os vieñ
              anuo respetar su cara
              q̃ aqui las cajas dexar
              y en otra parte la cuera

treynta Españoles ocrauso
tu los osaras mirar.
~~xxxxxxxxxxx~~
vete y parte llebar
deste dinero el despacho
por q̃ yo te le menester
y te le se de quitar luego
Tastico, pessar, reniego
de ruin uino y peor muger
bayase luego ꝯ inagre
donde lo ayamos los dos
q̃ tengo de fazer por dios
de su misma sangre almagres
con q̃ por Paris rotules
pacheco uictor / bis / tu sabes
con quien sablas / pa / no te alabes
q̃ esto el cesar disimules
bis   sabes q̃ soy frisanzon
Españolo celebro suevo
pa   sabes q̃ o soy pacheco
Tudesco medio frison.
bis   sabes q̃ fijo de Delona
franceses me intitulauan
pa   sabes q̃ a mi me llamauan
el demonio de Escalona.
bis   sabes q̃ mate en Pauia
treynta españoles q̃ echas
pa   sabes q̃ en Pauia mate
mil Tudescos en Vndia
bis   dame un guante y este ti...
pa   toma y esperame alla
q̃ ano estar alli esse est...
no fueras por bula a Roma

bis, por   lo que tiene ~~##~~
        ~~tratarla~~ Español
        nunca le que seruir
    pa esto tengo de sufrir
        pongame el cesar al sol

✠

al entrarse dele   toma ballaco /bis/ ay deno
vn quintarazo en   muertofoy /car/ o la por
la Cabeza   que es eso /pa/ a g lma
                      g me dixo mal deti
            car   en mi presencia le say mu
                  mo sñur a Gorcar le lleba
            pa   oy ga vra magestad
            car   a Gorcalde /pa/ mi dano es
            mems y re aver, si fue la terio
                  del peligro /car/ g zelos ve
            Car   no ~~eame gay es~~ tal plaze
                  pa g ca entoda tu vida
                  ~~anteenter~~
                  llegate ami, llega, llega
                  toma este diamante escap
                  g vete a tierra dell papa
            pa   mucho tu balor te ruega
                  adonde me mandas y x
                  por vn Gorracho señor
                  g ofo ofender tu balor
            Car   si al Rey lo van adezir
            pa   g ynporta tu eres le Rey
                  vesme aqui atus pies echad
            Car   bien as dicho y negociado
                  ni ay de castigarte ley
                  g al prinçipe defendiste

y asi el prinçipe te abona
y te absuelbe y te perdona
dela muerte q̃ te diste
enojeme de manera
quando el tudesco deçia
q̃ auia muerto en pauia
peynta españoles q̃ fueron
pacheco a ueser quien soy
acanpaña yueme a tazes

Coronel, q̃ ay moñur / no repara.
asi q̃ tras el onbre boy
y el tan apriesa camina guyes
de sangre y temor cubierto
q̃ no le alcanze y q̃ espierto.
q̃ destu error se arguye
perdona por mi al portero
q̃ es un onrrado soldado
estoy moñur enojado
no, no, castigarle quiero
señor   françisco pedro
liçençia de fazer merçedes
ca q̃ pido fazer no puedes
Rey eres ca si lo soy yo
perdono por ti   al portero
el çielo carlos te guarde
uedme pacheco esta tarde
daros una joya quiero
beso mil bezes tus pies
basta q̃ te bio afiçion
del tudesco el coraçon
al señor moñur françes

Dorotea   do | A tus pies vengo a pedir
justicia / car / qui eres / do / soy
una muger aun q[ue] voy
d'esta manera a morir
un caballero soldado
de los mendozas de España
asi en aragon me engaña
huesped de mi padre onrrado
llebame a flandes y buelbe
yngrato siempre a mi amor

Car | q[ue] le pides tu / do / mi onor
q[ue] no pagar te resuelbe

Car | eres su ygual / do / soy tan buen[a]
q[ue] el es un pobre soldado
aunq[ue] de deudos onrrado

Car | no llores no tengas pena
es don juan este por dicha
el q[ue] vino con la nuebas
del motin / do / ese me lleba
señor por tanta desdichas

Car | vete q[ue] yo le hablare
y oy se casara contigo

Do | tus años señor bendiga
resto tu ynbencible pie[s]
veas ~~~~~~~~~~ este tu amado Fil[e]
ganar a jerusalen.

pa | bien lo as negociado / do / bien
pa | por q[ue] el tuyo participe
del mio, esperate aqui
q[ue] a Carlos quiero engañar

Aqui te a Venido a ablar

Car   quien pareçen / pa / ſe an peti

portero del Rey de francia

pide Vna ayuda de costas

por [●] y Viene a la posta

a negoçios de ynportançia

Car   di q le den mill ducados

pa   besso por ellos tus pies

Car   tu por q por el frances

pa   por q a mi me an deser dados

q tu eres el Rey ~~a~~ de francia

y yo tu portero soy

Car   mui bien a see de quien soy

bueno andas oy de ganançias

basta q me has engañado

ve al tesorero mañana

doyselos de buena gana

por q es vn hidalgo onrrado.

menu   aqui gran señor estan

de parte del Real conseso

Car   entiende pa / fue bueno el conseso

dor   Lindo dinero te dan

pero todos lo mereçes

Letrado   *Let*   y no nel Rey se ha tratado

no   dellos salarios q ha dado

su magestad otras Vezes

Car   a los del real conseso

Car   q piden / Let / aumento piden

Car   si con sus gastos lo miden

eso en sus manos lo deso.

pero no quiera quexossos
q̃ an tenido, por mil ducados
siendo famosos letrados
y illustres generossos

Car
Tea pues dentes mil yoquinientos
se çielo guarde tu vida
y a su tiempo de mi parte

La Reyna   Rea cartas / car / hermana quere
entre. y
el de Alba   alb plaça asientos o la asientos

Rea todos os piden merçedes
yo tanbien se de pedir

car quien las ha de reçebir
soy yo. tu hazermelas puedes

Rea Vn titulo abeys de dar
a mosiur de Bartamon

car seruirte es justa razon
tu quien me puede mandar

pero aduierte q̃ al besasse
si soy Rey otros dos dias
ni tu en q̃ reynar tendrias
ni el Rey tu marido acaso
yo quiero partirme a gante
q̃ a siete q̃ estoy aqui
assi por q̃ oy reçui
cartas q̃ es ymportante
mi persona en los estados
como por no enpobreçer

Rey solo me curriq̃ se se pero
car tengo hermana mil cuydados
voyme a despedir, Rea a dia,

tan breues deste fabor
asi se passan Leonor
las humanas alegrias   S.   Vayanse
esta deshonrra ql ynfue tenemos
no basta q Leonor nra sobrina
aya ynfamado nra Sangre y cassa
sino q buelta loca por el mundo
estienda la deshonrra q nos fazes
y q al emperador sirba del Sfino
tan riC en sus Jornadas / Sid ypierdsouaus
de seso ymaginando / q esta loca
el Niso nra patria nos destierres
y nos trayga Solicitos buscando
remedio a su furor / ora / de qualquier dando
Licencia Sabemos de Cese poner remedio
en tanto mal, por q se suena y dize
q oy el emperador separte a ganes
y ta se Va con el / ponble Cis
para la reuoser eternamente
Vi por mi mal a q Egalan Torneo
q mantubo el Toledo duq de Alba
en q nostro q era Español Toledo
y Paris q era Corte de franisco
en los Tobentureros mas q alterd
q bro Jamas en tales fiestas Napoles
y no mouiome a Verguenza orans amiga
Ver a Leonor, entrase tan estraño
del balor de su Sangre, andar
con Uno y otro pringipe amil paues
andar entre las damas y los Reyes

y estar sentada entre los pies de la
mas oye q ella sale / os / adios plu
q antes q enloquezer morir la v~

Sale Leonor

Leo. llebar me teneis alla.

Cid. aun q os pese villanos
Detente, ynfame ocasion
del n~a deshonrra / os
Detente, y mira q estan
n~os deudos aqui sufriendo
tu ynfamia, / Leo / o q~ ha~
y q~ miendos vos ganapan

Cid. y os toy Leonis tu tio

Ora. y yo tu hermano cruel
ten verguenza de mi, y del

Leo. que dito con menos brio
No ves q soy la muger
del emperador, q es esta

Orn. mira en quanto mal te ves
vn imposible quezer.

buelbe en ti vea como tu tio y
a Nisa / Leo / Canalla ynfa~
quereys q amiguada te
q me venze del vos tu
mal aya la Reyna y t~n
q sale tu escuderos.

Cid. y a no te baldran los her~
ten la oracion, ten la fe

Leon. q a traydores no ay fabor
pues como a la emperatriz
la pelan como perdis
aqui del emperador
aqui q me estan atando

abuela

       por robarme a ~~q~~ el tesoro
       y dio Angelica a Medoro
       huyendo del Conde orlando.
Un cava ~~qqqqqqqqq~~ gente llero andantes
       guarda amigos / p.ᵃ / ya se apresta

Med   Con gran regozijo y fiesta.
na   Serna a la partida aGante
       aconpañando a Vienen
       los dos Reyes a su hermano
Leo   y d Vos al momento Ermano
       Y dezilde qual me tienen
       contad Como me han forzado
ser   oyd, no es leonor aquellas
p.ᵃ   dos hombres estan con ella
ser   y pareçe q la han ~~matado~~
p.ᵃ   sin duda q atada esta
       leonor / Leo / aqui caballeros
       acudid aventureros
       presto q me fuerzan 7 os
p.ᵃ   o perros pues Como sabeys so
       tratado mal a lesnor
       toca all emperador
ora   quedo, escuchad / leo / no escucheys
       forzado me han y robado
       mi honor / ud / oye ser no lo cuentes
ora   los dos somos sus parientes.
Leo   todos me han emparentado
ora   su hermano soy / Leo / y yo su tio
Leo   quando credito les diste
       tu veras a nueve meses
       el fin del ~~pleito~~ en cuento mio

p.ᵒ	mueran sernā estos vellacos
Cō	querois oyr/ser/ non y oyros
Cō	disparaldes quatro tiros
	bullen al ayre los tacos.
p.ᵒ	dexaldos pues van huyendo
	q y la grita y rumores
	dise q el emperador
	va de palacio saliendo
	desatemos ~~~~~~~ nra loca
	y desde aqui ver podremos
	el Auto, y Juntos premos
	alo ... q nos toca
	... te querian
Cō	lindos descuidos teneys
	pero alla me lo direys
ser	estraño y buen talan
Cō	descuidase Carlos tanto
	q acude viendo me ocioso
	alguna gente piadosa
	soy muy pobre no me espanto
ser	el Auto descubren ya
	y el cesar viene por el
	los Reyes vienen con el
Cō	luego ya Carlos se va
pa.ˢ	nuto ves/Cō la todavia
	este vellaco traydor
	trata de ser el emperador
	en ser gran Turco por fia
	yo le quitare el Turbante
	oy se hara mi casamiento
Ser	gallardo acompañamiento
p.ᵒ	la guarda viene delante.

Tocan

 subrese Vn treo enq esten España, y
rançia abraçadas. y el papa paulo 3, cele
as Vendiziendolas. Vn Indio Vn Turco, y
n Moro alos pies y con la misma musica
ayan saliendo todos. y entren despues
os Reyes del francia trayendo al empe
rador en medio

Fran.   Sabe dios lo q me pesa
        hermano Vra partida.
        aumente dios Vra Vida.
alb.   brabo triumpho, ~~tre~~ heroyca empresa
alb.   quien son las dos abraçadas
~~o~~   España y francia q fin
        las q en esta ocasion
        triunfan del laurel onrradas
        del Turco del Africano
        del Indio y del atrevido.
        q se rebela al q es sido.
        su principe soberano
        paulo tercio q los junta
        los echa su Vendicion.
alb.   dure esta paz y esta Vnion
        santa liga, y mortal junta.
        en bien dela cristiandad
leo   a Carlos ya no me Veys
        mui poca merced me hazeys
car   suplico atu magestad.

haga en su casa a Leonor

fran
mientras que buelbo de gantes

mas por merçed semejantes
os besso los pies señor
o yo labengo afiçion

Leo
Leonor ya quedas conmigo
enfin os bays enemigo
aqui della Inquisiçion:

fran
Y a açer gran Turco este ombre
lo demas que ba traçado
quando bolbais dell estado
y os niega el deuido nombre
mi tio y otra sobrina
se casaran y a Milan

Leo
les dareis / no es buen galan
quien tiene dama y camina
llebadme Carlos con bos
o me matara la ausençia

Car
ermana dadme liçençia
y quedaos con dios / Rey/ a dios

Car
escribidme / Rey es mi ganançia

pasc
aqui Belardo acabo
la ystoria y lo que pasó.

Cesar Carlos el quinto en Françia

En Toledo, a 20 de nobiembre

16

Por mandado de los señores inquisidores de Vall.d
Apostolicos vi esta comedia de carlos quinto
en francia y toda es historial y no ay en ella
cosa contra nra s.ta fe catholica ni contra bue
nas costumbres y asi me pareze q puede re
presentarse fecha en s.t franco de Vall.d a 8 de mayo
1605

Fr gregorio
Ruiz

Visto por los Inquis.res de Vall.d El parecer de ari
ua de fray gregorio Ruiz lector de theulugia
de s.n fran.co desta ciudad. dieron licencia
para que se pueda Representar esta comedia
de arriba intitulada de carlos quinto en francia
En esta ciudad de Vall.d a 9 de mayo
de 1605 a.s

Juan martinez dela Vega

Examinese la comedia cantares y entremeses
del Machu cantario... llamas grauan dranau
y de su en suxra en madrid a 15 de hen.o de 160..

Por mandamiento del Arçobispo mi señor he
visto esta Comedia de Carlos quinto en françia
y digo q[ue] se puede representar y por la tanto en
Çaragoça a 16 de octubre año 1608

El d[octo]r domingo bello

Vean esta Comedia de Carlos quinto en
via Reglas prior y preducciones d[e] s[an]to
go y so pena de excomunion mayor la
tenente quinoje Recetenada delo
dado y fecha en 25 de julio de
El doctor de lagarra

Vi esta Comedia e assi emendada como ja obra
nas de consa por ande se an podi representar
s[eñor] del Rey a 17 de octubre de 609
Juan de Morales

62

Por mandado del S.r D.r Gonçalo Guerro canonigo de la
[...] y [...] General [...] vi esta comedia de
los [...] en Francia y a mi parecer no tiene [...] contra la Fe
[...] puede representarse Sev.a a 11 de Julio de 620

D.r Antonio
de Godoi Rica[...]

La ciudad de Jaen a doze de [...] de mes de Julio [...]
[...]
[...]
[...]
[...]
[...]
[...]

Doy licencia para q̃ se represe[n]
te esta Co[medi]a en esta cu̅ Malaga i de
de 16 w.

Por mandado de el S[eñ]or li[cenciad]o
A. L. Rodrigues as mi hijo del
S[an]ta Yglesia de Cartagena p[ro]uisor y
conssegradt de el d[ic]ho obispado e visto q̃
esta comedia de Carlos quinto en francia
no allo en ella cosa ninguna contra la re-
ligion xpiana ni buenas costumbres p[o]r
lo q̃ se la represente. y lo firme en m[adr]i[d]
a...ynta de mayo de 1611
q[ue]...e pedi a re[ye]s   D[octo]r San Andres
pre[sbite]ro con su li   de la Calle
cencia—

Esta comedia se puede representar en g.da 3 de d.e de
1615

El D.or Juan
Martinez de Nueda

Puede representar esta comedia intitulada
Carlos quinto en françia con bailes y en
tremeses puesto en libro 2 de octubre 61(?)

Vista comedia y puede Representarse, que no tiene en que re
pararse en Madrid a 9a de Agosto 1611 Pedro de Vargas Machuca

Vasse la para q se pueda representar
esta com.a intitulada carlos quinto en françia
en ma.d a 3 de br.o de 1620

La famossa

diosmio me balga y ayude en Las
tentaciones del demonio i La buena
me ayude amen

66.

for in the fue fuer

fefup mio me valga y fi ue de lo que
no me se lisia i cabin gen se a

ひ

juan Le. Dez 1627